한국어능력시험

한 번에 합격!

Topik

토픽 II

강경민, 김승수, 김지혜, 김풀잎, 린미, 부이티낌응언,
양길류, 쩐후인안트, 최단, 홍고은 공편저

브랜드만족
1위
박문각

근거자료
별면표기

최신판

- ☐ 문제 유형별 풀이 전략 제시
- ☐ 최신 기출문제 완벽 반영
- ☐ 실전 모의고사 2회 수록

Reading

읽기

▶ 동영상 강의 www.pmg.co.kr

 박문각

머리말

TOPIK II 읽기는 한국어 실력을 가장 종합적으로 보여 주는 영역입니다. 신문 기사, 칼럼, 수필, 소설, 설명문, 논설문 등 다양한 유형의 텍스트를 이해하고, 글의 주제와 세부 내용을 파악하며, 논리적 관계와 필자의 의도를 추론하는 능력이 요구됩니다. 단순한 어휘·문법 지식을 넘어 담화 구조와 맥락을 이해하는 능력이 필요한 만큼, 읽기 영역은 한국어 학습자에게 가장 도전적인 과제 중 하나입니다.

이 교재는 수험생 여러분이 읽기 영역을 체계적으로 준비할 수 있도록 다음과 같이 구성하였습니다.

첫째, 문항 유형 분석과 유형별 풀이 전략을 제시하였습니다. 자주 출제되는 문제 유형을 체계적으로 분류하고, 각 유형에 맞는 읽기 전략을 구체적으로 안내하여 어떤 유형의 문제를 만나도 자신 있게 접근할 수 있도록 하였습니다.

둘째, 기출문제 풀이와 연습 문제를 통한 반복 훈련이 이루어지도록 하였습니다. 기출문제를 통해 전략을 확인한 뒤, 연습 문제로 반복 학습할 수 있도록 구성하여 이론에서 기출문제와 연습 문제로 단계적 학습 과정을 밟을 수 있습니다.

셋째, 실전 모의고사로 시험 준비를 마무리할 수 있도록 하였습니다. 2회분의 모의고사를 수록
하여 실전 감각을 익히고, 시험장에서 흔들리지 않는 자신감을 쌓을 수 있도록 하였습니다.

읽기 실력은 한 장 한 장 꾸준히 쌓아 가는 노력 속에서 길러집니다. 막히는 순간이 있더라도 전
략을 다시 확인하고 오답을 분석하며 나아가다 보면, 어느새 읽기 영역이 두려움이 아닌 성취의
무대가 되어 있을 것입니다. 여러분의 도전을 진심으로 응원합니다.

2026년 3월
집필진 일동

TOPIK 소개

Guide 1 TOPIK(Test of Proficiency in Korean) 시험 안내

1. 시험 개요

- **시험 목적:** 한국어를 모국어로 하지 않는 재외동포 · 외국인의 한국어 학습 방향 제시 및 한국어 보급 확대, 한국어 사용 능력을 측정 · 평가하여 그 결과를 국내 대학 및 취업 등에 활용
- **응시 대상:** 한국어를 모국어로 하지 않는 재외동포 · 외국인
- **유효 기간:** 성적 발표일로부터 2년간 유효
- **주관 기관:** 교육부 국립국제교육원

2. 시험 방식

한국어능력시험(TOPIK)은 시험 방식에 따라 PBT(Paper-Based Test)와 IBT(Internet-Based Test)로 나뉘어 시행됩니다. 두 방식 모두 동일한 등급 체계와 합격 기준을 따르며, 학습자는 본인의 타이핑/필기 선호도에 맞춰 선택하여 응시할 수 있습니다.

▌ TOPIK PBT vs IBT 한눈에 비교하기

구분	PBT (Paper-Based Test)	IBT (Internet-Based Test)
시험 방식	종이 시험지 + OMR 카드 마킹	고사장 내 PC 및 마우스/키보드 사용
듣기 영역	고사장 스피커로 전체 방송	개별 헤드셋 착용 후 청취
쓰기 영역	원고지에 직접 손글씨로 작성	키보드로 한글 타이핑 입력
읽기 영역	시험지에 밑줄을 그으며 문제 풀이	모니터 화면으로 지문을 읽고 클릭
준비물	수험표, 신분증, 수정테이프 등	수험표, 신분증 (메모용 연습지 제공)
성적 발표	시험일로부터 약 6~7주	시험일로부터 약 1~2주 후 (매우 빠름)
핵심 차이점	띄어쓰기와 원고지 작성법의 정확한 숙지 필요, 글씨체도 중요	한국어 타이핑 속도 중요, 수정이 매우 간편한 장점

3. 시험 시간 및 문항 구성

1) 토픽 PBT

▌시험 수준 및 등급

구분	토픽 I		토픽 II			
	1급	2급	3급	4급	5급	6급
등급 결정	80~139	140~200	120~149	150~189	190~229	230~300

※ 35회 이후 시험기준으로 토픽 I 은 초급, 토픽 II 는 중 · 고급 수준입니다.

▌시험 시간표

시험 수준	교시	영역	한국 기준			시험 시간(분)
			입실 완료 시간	시험 시작	시험 종료	
토픽 I	1교시	듣기, 읽기	09:20 까지	10:00	11:40	100
토픽 II	1교시	듣기, 쓰기	12:20 까지	13:00	14:50	110
	2교시	읽기	15:10 까지	15:20	16:30	70

▌시험 수준별 구성

시험 수준	교시	영역	문제 유형	문항 수	배점	총점
토픽 I	1교시	듣기	선택형	30	100	200
		읽기	선택형	40	100	
토픽 II	1교시	듣기	선택형	50	100	300
		쓰기	서답형	4	100	
	2교시	읽기	선택형	50	100	

● 선택형 문항(4지선다형)

● 서답형 문항(쓰기 영역)

　– 문장완성형(단답형): 2문항

　– 작문형: 2문항(200~300자 정도의 중급 수준 설명문 1문항, 600~700자 정도의 고급 수준 논술문 1문항)

TOPIK 소개

2) 토픽 IBT

🔖 시험 수준 및 등급

구분	토픽 I		토픽 II			
	1급	2급	3급	4급	5급	6급
등급 결정	121~235	236~400	191~290	291~360	361~430	431~600

🔖 시험 시간표

시험 수준	영역	한국 기준				시험 시간(분)
		입실 시작 시간	입실 완료 시간	시험 시작	시험 종료	
토픽 I IBT	듣기(30분) 읽기(40분)	08:30부터	08:50까지	9:30	10:40	70분
토픽 II IBT	듣기(35분) 읽기(40분) 쓰기(50분)	12:00부터	12:20까지	13:00	15:05	125분

🔖 시험 수준별 구성

구분	토픽 I IBT		토픽 II IBT		
	듣기	읽기	듣기	읽기	쓰기
평가 영역별 시험 시간	30분	40분	35분	40분	50분
평가 영역별 문제 수	26문제	26문제	30문제	30문제	3문제
평가 영역별 만점	200점	200점	200점	200점	200점
총점	400점		600점		

Guide 2 TOPIK II 등급별 평가 기준

등급	주요 평가 기준
3급	일상생활 유지에 어려움이 없으며, 공공시설 이용 및 사회적 관계 유지에 필요한 기초 언어 기능을 수행할 수 있음.
4급	뉴스, 신문 기사 중 평이한 내용을 이해할 수 있으며, 일반적인 사회적 · 추상적 소재를 비교적 정확하고 유창하게 사용 가능함.
5급	전문 분야에서의 연구나 업무 수행에 필요한 언어 기능을 어느 정도 수행할 수 있으며, 정치 · 경제 · 사회 · 문화 전반의 소재를 이해함.
6급	전문 분야의 업무 수행을 비교적 정확하고 유창하게 수행 가능. 원어민 수준에는 미치지 못하나 의미 표현에 어려움을 겪지 않음.

Guide 3 TOPIK II 읽기 문항 분석

■ 읽기(Reading)

- [중급 수준] (21번~31번): 중심 생각 파악, 관용 표현 및 속담, 빈칸 채우기, 등장인물의 심정 파악
- [고급 수준] (32번~50번): 설명문/논설문의 논리적 구조 이해, 정보의 순서 배열, 고난도 종합 지문 분석

[읽기] 유형 소개

TOPIK Ⅱ 읽기 영역은 총 50문항으로 구성되며 중 · 고급 수준(3~6급)의 한국어 능력을 평가하는 시험으로 2교시에 진행됩니다. 높은 문해력과 어휘력을 요구하며 제한된 시간 내에 많은 문제를 풀어야 하는 특징이 있습니다. 다음은 읽기 문항을 해결하는 데 필요한 9가지 핵심 전략별 문항 구성입니다.

❶-1 빈칸에 알맞은 문법 고르기

이 유형은 문맥에 알맞은 문법을 고르는 문항입니다. [1~2] 문항 두 개로 구성되어 있습니다. 1번과 2번은 기본 문법 사용 능력을 측정하는 문항으로 3급 수준의 문법이 출제됩니다. 이 유형을 잘 풀기 위해서는 중급 수준의 문법 기능과 의미에 대해 알고 있어야 합니다.

❶-2 의미가 비슷한 문법 고르기

이 문항은 같은 의미의 문법이나 표현을 고르는 문항입니다. [3~4]번이 해당 문항입니다. 유의 표현 능력을 측정하는 문항으로 보통 중급 수준의 문법이 출제되지만 가끔 4번의 경우 고급 수준의 문법이 나오는 경우가 있습니다. 중급 수준의 문법 기능과 의미에 대해 알고 있어야 합니다.

❷-1 주제어 고르기

[5~8]번 문항에 해당하는 이 유형은 짧은 글을 읽고 글이 다루는 주제를 파악하는 문제입니다. 대부분 두 문장으로 이루어져 있으며, 광고나 안내문, 설명문 등 일상생활과 관련된 글에서 자주 출제됩니다.

❷-2 주제 문장 고르기

[35~38], 45번 문항에 해당하는 이 유형은 여러 문장으로 이루어진 비교적 긴 글을 읽고 글의 주제를 찾는 문제입니다. [5~8]번 유형보다 지문이 길고 난이도가 높기 때문에 전체 흐름을 이해하는 것이 중요합니다.

❸ 일치하는 내용 고르기

[11~12], 20, 22, 24, [32~34], 43, 47, 50번 문항에 해당하는 이 유형은 지문에 제시된 내용과 일치하는 문장을 선택지에서 고르는 문제입니다. 지문은 기사문, 설명문, 논설문, 수필, 소설 등 다양한 장르의 글에서 출제됩니다.

4-1 제시된 문장을 순서대로 배열하기

[13~15]번 문항에 해당하는 이 유형은 제시된 네 문장 (가), (나), (다), (라)를 글의 흐름에 맞게 배열하는 문제입니다. 문장 간의 연결 관계와 글의 전개 구조를 이해하는 능력을 평가합니다.

4-2 알맞은 곳에 〈보기〉 문장 넣기

[39~41]번 문항에 해당하는 이 유형은 글의 전개 흐름을 이해하고, 〈보기〉 문장이 들어가기에 가장 자연스러운 위치를 찾는 문제입니다. 주로 설명문, 논설문, 서평, 감상문 등에서 출제되며, 문장 간의 의미적 연결과 논리 구조를 파악하는 능력을 평가합니다.

5-1 빈칸에 알맞은 내용 넣기

이 유형은 읽기의 [16~18], [28~31], 44번, 49번에 출제된 문항입니다. 번호에 따라 난이도가 높아집니다. 특히, [28~31]번, 44번, 49번 지문은 고급 어휘나 표현이 포함된 읽기 텍스트가 출제되므로 어려운 읽기 텍스트를 많이 읽어 보는 것이 좋습니다.

5-2 접속사/부사 고르기

접속사 고르기 문항은 3급 수준의 내용으로 빈칸에 들어갈 접속사나 부사를 찾는 문제입니다. 읽기 19번에 출제된 문항입니다. 자주 쓰이는 연결 표현과 부사를 미리 익혀 두어야 문제를 빠르게 풀 수 있습니다. 문제 풀이할 때 빈칸 앞뒤의 핵심 어휘를 찾아서 표시하세요! 앞뒤의 관계를 잘 파악하고 접속사나 부사를 선택하면 됩니다.

5-3 관용 표현 고르기

이 유형은 주제에 대하여 자기의 생각을 밝히는 논설문과 정보를 전달하는 설명문에서 주어진 빈칸에 알맞은 관용 표현을 고르는 문제입니다. 읽기 21번에 해당합니다. 관용 표현을 잘 알고 사용할 수 있는지 평가하므로 자주 쓰이는 관용 표현의 의미와 기능을 숙지하는 것이 중요합니다.

6 신문 기사 제목을 읽고 가장 잘 설명한 것을 고르기

이 유형은 신문 기사 제목을 읽고 가장 잘 설명한 것을 고르는 문항입니다. 읽기의 [25~27]번에 출제된 문항입니다. 신문 기사 제목은 어휘나 구의 형태로 제시되므로 이것을 하나의 문장으로 만들 수 있어야 합니다. 신문 기사 제목은 긴 내용을 줄여서 표현하거나 강조하는 어휘와 표현이 많이 나오므로 신문 기사 제목을 보며 어떤 표현을 자주 사용하는지 알아 두는 것이 좋습니다.

[읽기] 유형 소개

7-1 필자의 태도 고르기

46번 문항에 해당하는 이 유형에서는 주어진 글을 읽고 전체적인 내용에서 글쓴이의 태도를 파악하여 4개의 주어진 보기에서 알맞은 것을 선택해야 합니다. 글에 나타난 필자의 태도를 파악하기 위해서는 글에서 글쓴이의 상황이나 관점, 입장 등을 이해하는 것이 중요합니다.

7-2 글을 쓴 목적 고르기

48번 문항에 해당하는 이 유형에서는 주어진 글을 읽고 글쓴이가 왜 그 글을 썼는지 의도를 파악하여 4개의 주어진 보기에서 알맞은 것을 선택해야 합니다. 글에 나타난 필자의 의도를 파악하기 위해서는 글에서 글쓴이가 궁극적으로 무엇을 주장하는지 이해하는 것이 중요합니다.

8-1 1인칭 시점의 성찰적 글에 나타난 화자의 심정 파악하기

23번 문항에 해당하는 이 유형에서는 주어진 수필이나 에세이 형식의 1인칭 시점의 글을 읽고 화자인 '나'의 심정을 파악하여 4개의 주어진 보기에서 알맞은 것을 선택해야 합니다. 화자의 심정은 '나'의 행동을 통해서 간접적으로 드러나거나 내적 발화를 통해서 직접 드러나기도 합니다.

8-2 서사적 글에 나타난 인물의 심정 파악하기

42번 문항에 해당하는 이 유형에서는 주어진 서사적 글을 읽고 등장인물의 심정을 파악하여 4개의 주어진 보기에서 알맞은 것을 선택해야 합니다. 등장인물의 심정은 인물의 행동과 대사, 상황 묘사를 통해 인물의 심정이 드러납니다. 감정을 표현하는 한국어의 어휘를 이해하고 행동이나 상황을 보며 인물의 심정을 유추할 수 있어야 합니다.

9-1 안내문 읽기

9번 문항에 해당하는 이 유형에서는 주로 게시판에 게시되는 형태의 안내문이나 공지문, 포스터 등을 보고 전체적인 내용을 파악하여 4개의 주어진 보기에서 같은 내용을 선택해야 합니다. 글에 나타난 핵심 정보를 파악하고 그 내용을 보기에 주어진 정보와 비교하는 것이 중요합니다.

9-2 그래프 읽기

10번 문항에 해당하는 이 유형에서는 다양한 형태의 그래프를 보고 구조와 항목별 수치를 파악한 후 4개의 주어진 보기의 문장을 하나씩 대조하며 그 내용이 그래프와 같은지 판단해야 합니다. 그래프에 나타난 핵심 정보를 파악하고 항목별 수치와 내용을 보기에 주어진 정보와 비교하는 것이 중요합니다.

📕 한눈에 정리하는 시험 구성과 전략

문항 번호	제시문	문제 유형	전략	쪽
1~2번	1 문장	( )에 들어갈 가장 알맞은 것을 고르십시오.	1-1. 빈칸에 알맞은 문법 고르기	20-22p
	2 문장		1-1. 빈칸에 알맞은 문법 고르기	20-22p
3~4번	3 문장	다음 밑줄 친 부분과 의미가 비슷한 것을 고르십시오.	1-2. 의미가 비슷한 문법 고르기	23-25p
	4 문장		1-2. 의미가 비슷한 문법 고르기	23-25p
5~8번	5 광고	다음은 무엇에 대한 글인지 고르십시오.	2-1. 주제어 고르기	26-28p
	6 광고		2-1. 주제어 고르기	26-28p
	7 표어		2-1. 주제어 고르기	26-28p
	8 안내문		2-1. 주제어 고르기	26-28p
9~12번	9 안내문	다음 글 또는 그래프의 내용과 같은 것을 고르십시오.	9-1. 안내문 읽기	95-99p
	10 그래프		9-2. 그래프 읽기	100-106p
	11 기사문		3. 일치하는 내용 고르기	32-36p
	12 기사문		3. 일치하는 내용 고르기	32-36p
13~15번	13 문장	다음을 순서대로 맞게 배열한 것을 고르십시오.	4-1. 제시된 문장을 순서대로 배열하기	37-39p
	14 문장			
	15 문장			
16~18번	16 설명문	( )에 들어갈 말로 가장 알맞은 것을 고르십시오.	5-1. 빈칸에 알맞은 내용 넣기	43-48p
	17 설명문			
	18 설명문			
19~20번	19 설명문/논설문	( )에 들어갈 알맞은 것을 고르십시오	5-2. 접속사/부사 고르기	49-53p
	20	윗글의 내용과 같은 것을 고르십시오.	3. 일치하는 내용 고르기	32-36p
21~22번	21 기사문/논설문	( )에 들어갈 알맞은 것을 고르십시오.	5-3. 관용 표현 고르기	54-56p
	22	윗글의 내용과 같은 것을 고르십시오.	3. 일치하는 내용 고르기	32-36p
23~24번	23 수필	밑줄 친 부분에 나타난 나의 심정으로 가장 알맞은 것을 고르십시오.	8-1. 1인칭 시점의 성찰적 글에 나타난 화자의 심정 파악하기	76-83p
	24	윗글의 내용과 같은 것을 고르십시오.	3. 일치하는 내용 고르기	32-36p

[읽기] 유형 소개

	25~27번	25	신문 기사 제목	다음 신문 기사의 제목을 가장 잘 설명한 것을 고르십시오.	6. 신문 기사 제목을 읽고 가장 잘 설명한 것을 고르기	57–59p
		26	신문 기사 제목		6. 신문 기사 제목을 읽고 가장 잘 설명한 것을 고르기	57–59p
		27	신문 기사 제목		6. 신문 기사 제목을 읽고 가장 잘 설명한 것을 고르기	57–59p
	28~31번	28	설명문	( )에 들어갈 말로 가장 알맞은 것을 고르십시오.	5-1. 빈칸에 알맞은 내용 넣기	43–48p
		29	설명문		5-1. 빈칸에 알맞은 내용 넣기	43–48p
		30	설명문		5-1. 빈칸에 알맞은 내용 넣기	43–48p
		31	설명문		5-1. 빈칸에 알맞은 내용 넣기	43–48p
	32~34번	32	설명문	다음을 읽고 글의 내용과 같은 것을 고르십시오.	3. 일치하는 내용 고르기	32–36p
		33	설명문		3. 일치하는 내용 고르기	32–36p
		34	설명문		3. 일치하는 내용 고르기	32–36p
	35~38번	35	설명문/ 논설문	다음을 읽고 글의 주제로 가장 알맞은 것을 고르십시오.	2-2. 주제 문장 고르기	29–31p
		36	설명문/ 논설문		2-2. 주제 문장 고르기	29–31p
		37	설명문/ 논설문		2-2. 주제 문장 고르기	29–31p
		38	설명문/ 논설문		2-2. 주제 문장 고르기	29–31p
	39~41번	39	설명문/ 논설문/ 서평/ 감상문	주어진 문장이 들어갈 곳으로 가장 알맞은 것을 고르십시오.	4-2. 알맞은 곳에 〈보기〉 문장 넣기	40–42p
		40	설명문/ 논설문/ 서평/ 감상문		4-2. 알맞은 곳에 〈보기〉 문장 넣기	40–42p
		41	설명문/ 논설문/ 서평/ 감상문		4-2. 알맞은 곳에 〈보기〉 문장 넣기	40–42p

42~43번	42	소설	밑줄 친 부분에 나타난 등장인물의 심정으로 가장 알맞은 것을 고르십시오.	8-2. 서사적 글에 나타난 인물의 심정 파악하기	84-94p
	43		윗글의 내용으로 알 수 있는 것을 고르십시오.	3. 일치하는 내용 고르기	32-36p
44~45번	44	설명문	( )에 들어갈 말로 가장 알맞은 것을 고르십시오.	5-1. 빈칸에 알맞은 내용 넣기	43-48p
	45		윗글의 주제로 가장 알맞은 것을 고르십시오.	2-2. 주제 문장 고르기	29-31p
46~47번	46	논설문	윗글에 나타난 필자의 태도로 가장 알맞은 것을 고르십시오.	7-1. 필자의 태도 고르기	60-68p
	47		윗글의 내용과 같은 것을 고르십시오.	3. 일치하는 내용 고르기	32-36p
48~50번	48	논설문	윗글을 쓴 목적으로 가장 알맞은 것을 고르십시오.	7-2. 글을 쓴 목적 고르기	69-75p
	49		( )에 들어갈 말로 가장 알맞은 것을 고르십시오.	5-1. 빈칸에 알맞은 내용 넣기	43-48p
	50		윗글의 내용과 같은 것을 고르십시오.	3. 일치하는 내용 고르기	32-36p

▌배점표

문항 번호	배점	문항 번호	배점	문항 번호	배점	문항 번호	배점
1	2	15	2	29	2	43	2
2	2	16	2	30	2	44	2
3	2	17	2	31	2	45	2
4	2	18	2	32	2	46	2
5	2	19	2	33	2	47	2
6	2	20	2	34	2	48	2
7	2	21	2	35	2	49	2
8	2	22	2	36	2	50	2
9	2	23	2	37	2	총점	100
10	2	24	2	38	2		
11	2	25	2	39	2		
12	2	26	2	40	2	* 총 50문항 x 각 2점	
13	2	27	2	41	2		
14	2	28	2	42	2		

구성과 특징

1 문항 유형에 따른 풀이 전략

TOPIK 시험은 정해진 문제 유형을 기반으로 출제되기 때문에, 자주 반복되는 유형을 파악하면 문제를 더 빠르고 정확하게 풀 수 있습니다.
수험자가 유형을 미리 익혀 두면 글을 읽을 때 자연스럽게 풀이 방향을 떠올릴 수 있고 문제 해결 과정이 체계적으로 이루어질 수 있습니다. 또한 문제 풀이 방법이 명확해져서 시험에 대한 부담도 덜 수 있도록 구성하였습니다.

2 유형별 전략 및 기출문제

문항의 유형에 따른 풀이 전략을 먼저 제시하고 해당되는 기출문제를 실제로 풀어보며 문제 풀이 방법을 익힐 수 있도록 구성하였습니다.

3 기출문제 풀이 해설

기출문제의 풀이 과정을 해설하여 수험자가 문제와 선택지를 꼼꼼하게 살펴보며 출제자의 의도와 평가 항목 및 정답을 찾는 과정을 이해할 수 있도록 구성하였습니다.

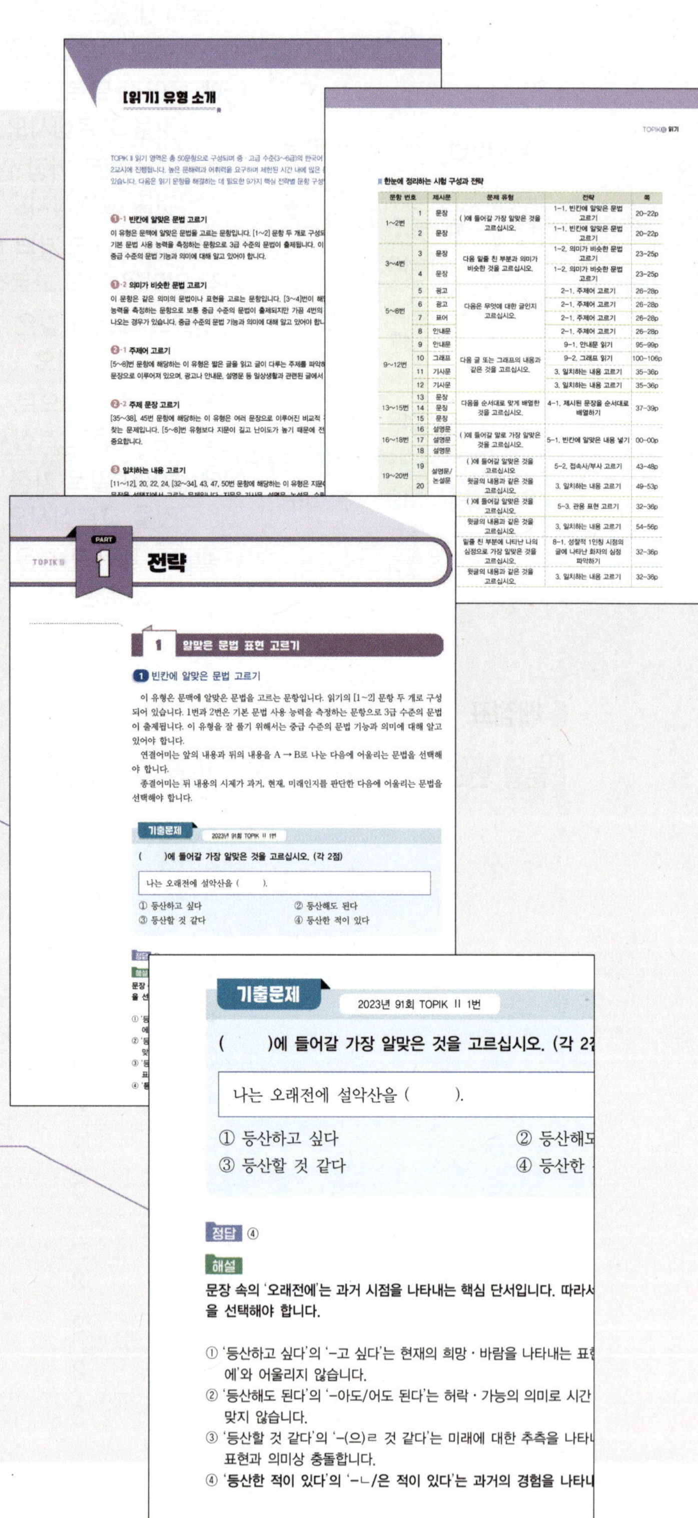

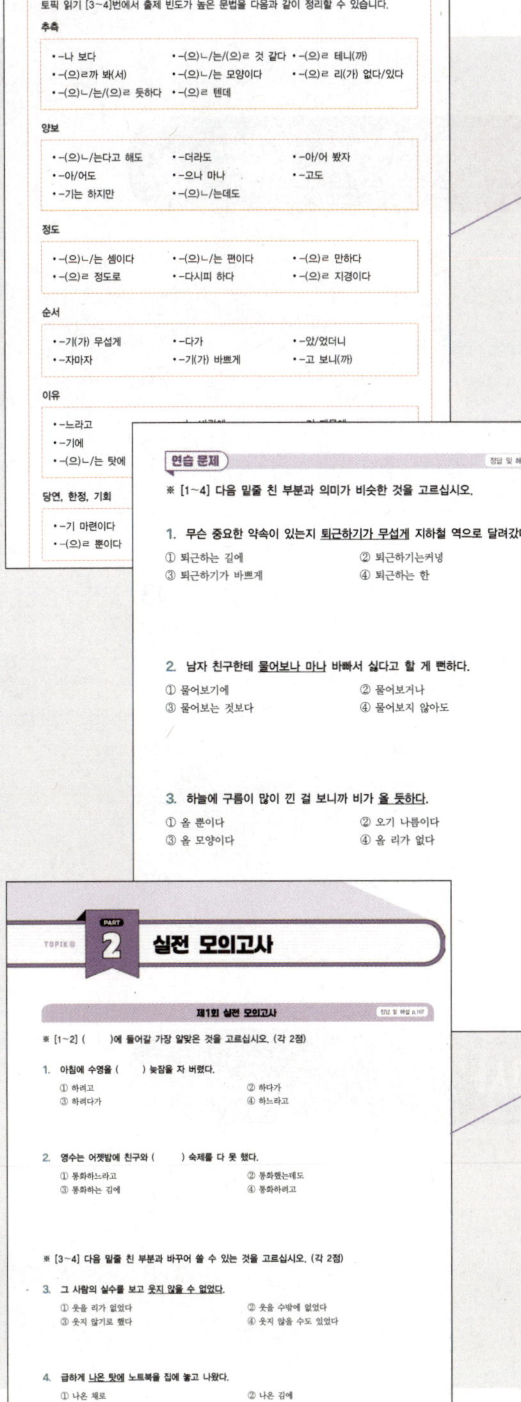

여기서 잠깐!

토픽 읽기 [3~4]번에서 출제 빈도가 높은 문법을 다음과 같이 정리할 수 있습니다.

추측

- -나 보다
- -(으)ㄹ까 봐(서)
- -(으)ㄴ/는/(으)ㄹ 듯하다
- -(으)ㄴ/는/(으)ㄹ 것 같다
- -(으)ㄴ/는 모양이다
- -(으)ㄹ 텐데
- -(으)ㄹ 테니(까)
- -(으)ㄹ 리(가) 없다/있다

양보

- -(으)ㄴ/는다고 해도
- -아/어도
- -기는 하지만
- -더라도
- -으나 마나
- -(으)ㄴ/는데도
- -아/어 봤자
- -고도

정도

- -(으)ㄴ/는 셈이다
- -(으)ㄹ 정도로
- -(으)ㄴ/는 편이다
- -다시피 하다
- -(으)ㄹ 만하다
- -(으)ㄹ 지경이다

순서

- -기(가) 무섭게
- -자마자
- -다가
- -기(가) 바쁘게
- -았/었더니
- -고 보니(까)

이유

- -느라고
- -기에
- -(으)ㄴ/는 탓에

당연, 한정, 기회

- -기 마련이다
- -(으)ㄹ 뿐이다

연습 문제　　　　정답 및 해설 p.149

※ [1~4] 다음 밑줄 친 부분과 의미가 비슷한 것을 고르십시오.

1. 무슨 중요한 약속이 있는지 <u>퇴근하기가 무섭게</u> 지하철 역으로 달려갔다.

① 퇴근하는 길에
② 퇴근하기는커녕
③ 퇴근하기가 바쁘게
④ 퇴근하는 한

2. 남자 친구한테 <u>물어보나 마나</u> 바빠서 싫다고 할 게 뻔하다.

① 물어보기에
② 물어보거나
③ 물어보는 것보다
④ 물어보지 않아도

3. 하늘에 구름이 많이 낀 걸 보니까 비가 <u>올 듯하다</u>.

① 올 뿐이다
② 오기 나름이다
③ 올 모양이다
④ 올 리가 없다

TOPIK II

PART 2 실전 모의고사

제1회 실전 모의고사　　　　정답 및 해설 p.167

※ [1~2] (　　　)에 들어갈 가장 알맞은 것을 고르십시오. (각 2점)

1. 아침에 수영을 (　　) 늦잠을 자 버렸다.

① 하려고
② 하다가
③ 하려다가
④ 하느라고

2. 영수는 어젯밤에 친구와 (　　) 숙제를 다 못 했다.

① 통화하느라고
② 통화했는데도
③ 통화하는 김에
④ 통화하려고

※ [3~4] 다음 밑줄 친 부분과 바꾸어 쓸 수 있는 것을 고르십시오. (각 2점)

3. 그 사람의 실수를 보고 <u>웃지 않을 수 없었다</u>.

① 웃을 리가 없었다
② 웃을 수밖에 없었다
③ 웃지 않기로 했다
④ 웃지 않을 수도 있었다

4. 급하게 <u>나온 탓에</u> 노트북을 집에 놓고 나왔다.

① 나온 채로
② 나온 김에
③ 나오는 만큼
④ 나오는 바람에

④ 여기서 잠깐

해당 유형의 문제를 풀 때 필요한 지식이나 자주 출제되는 문법 항목, 학습 자료 등을 정리하여 수험자가 문제만 푸는 것이 아니라 문제에서 평가하고자 하는 지식에 대하여 좀 더 폭넓게 이해하고 준비할 수 있도록 구성하였습니다.

⑤ 연습 문제

유형에 따라 분류한 실제 기출문제 풀이에서 멈추지 않고 나아가 비슷한 유형의 다른 문제들을 풀어 봄으로써 수험자 스스로 얼마나 이해했는지 점검하고 부족한 부분은 대비할 수 있도록 구성하였습니다.

⑥ 실전 모의고사

앞에서 유형에 따른 전략별로 기출문제와 연습 문제를 풀어 보고 이해를 했다면 이제는 실전 연습을 해 볼 차례입니다. 실제 읽기 문제와 동일하게 구성하여 문제를 풀어 보며 실력을 확인하고 향상시킬 수 있도록 실전 모의고사와 해설을 준비하였습니다.

차 례

정답 및 해설

전략

TOPIK **II** 읽기

전략

1 알맞은 문법 표현 고르기

1 빈칸에 알맞은 문법 고르기

이 유형은 문맥에 알맞은 문법을 고르는 문항입니다. 읽기의 [1~2] 문항 두 개로 구성되어 있습니다. 1번과 2번은 기본 문법 사용 능력을 측정하는 문항으로 3급 수준의 문법이 출제됩니다. 이 유형을 잘 풀기 위해서는 중급 수준의 문법 기능과 의미에 대해 알고 있어야 합니다.

연결어미는 앞의 내용과 뒤의 내용을 A → B로 나눈 다음에 어울리는 문법을 선택해야 합니다.

종결어미는 뒤 내용의 시제가 과거, 현재, 미래인지를 판단한 다음에 어울리는 문법을 선택해야 합니다.

기출문제 2023년 91회 TOPIK Ⅱ 1번

(   )에 들어갈 가장 알맞은 것을 고르십시오. (각 2점)

> 나는 오래선에 설악산을 (   ).

① 등산하고 싶다 ② 등산해도 된다
③ 등산할 것 같다 ④ 등산한 적이 있다

정답 ④

해설

문장 속의 '오래전에'는 과거 시점을 나타내는 핵심 단서입니다. 따라서 과거의 경험을 표현할 수 있는 문법을 선택해야 합니다.

① '등산하고 싶다'의 '-고 싶다'는 현재의 희망·바람을 나타내는 표현으로 과거 시점을 의미하는 '오래전에'와 어울리지 않습니다.
② '등산해도 된다'의 '-아도/어도 된다'는 허락·가능의 의미로 시간 표현과 관계없이 사용되므로 문맥과 맞지 않습니다.
③ '등산할 것 같다'의 '-(으)ㄹ 것 같다'는 미래에 대한 추측을 나타내는 표현으로 과거 시점을 나타내는 표현과 의미상 충돌합니다.
④ '등산한 적이 있다'의 '-(으)ㄴ 적이 있다'는 과거의 경험을 나타내며 문맥에 가장 자연스럽습니다.

기출문제 2024년 96회 TOPIK Ⅱ 읽기 1번

(   )에 들어갈 가장 알맞은 것을 고르십시오. (각 2점)

> 감기약을 (   ) 열이 내렸다.

① 먹느라고   ② 먹더라도   ③ 먹을 텐데   ④ 먹고 나서

정답 ④

해설

이 문항은 적합한 '연결어미 고르기' 문항입니다. 문장의 흐름을 먼저 파악하세요. 선행절의 행위는 '감기약을 먹다'이고 후행절의 결과는 '열이 내리다'인, 시간의 흐름에 따른 원인과 결과의 순서를 나타냅니다. 이 때는 연속·순서를 나타내는 표현을 넣어야 하므로 '-고 나서'가 가장 자연스럽습니다. 즉, '감기약을 먹고 나서 열이 내렸다'가 됩니다.

① '먹느라고'의 '-느라고'는 부정적인 결과일 때 사용하므로 '열이 내렸다'와 어울리지 않습니다.
② '먹더라도'는 '설사 먹어도'의 양보 의미로 뒤에 예상과 다른 결과가 와야 합니다.
③ '먹을 텐데'는 추측·예상 표현으로 뒤에 다른 절이 필요합니다.
④ '먹고 나서'는 선행 행동 후 결과를 나타내며 문맥에 가장 자연스럽습니다. 💡

여기서 잠깐!

토픽 Ⅱ 읽기의 [1~2]번에서 출제 빈도가 높은 문법을 다음과 같이 정리할 수 있습니다.

연결어미

• -거나	• -(으)려고	• -(으)ㄴ/는 대신에	• -아/어/여야
• -느라고	• -더니	• -다가	• -려면
• -든지	• -(으)ㄴ/는 김에	• -는 바람에	• -도록
• -더라도	• -다가 보면	• -고 나서	• -아/어서 그런지

종결어미

• -기로 하다	• -(으)면 되다	• -게 하다
• -(으)ㄴ 적이 있다	• -(으)ㄴ/는 셈이다	• -아/어 오다
• -(으)ㄹ 뻔했다	• -기 마련이다	• -(으)ㄴ/는 모양이다
• -나 보다	• -아/어 버렸다	• -(으)ㄴ/는 척하다
• -(으)ㄹ지도 모르다	• -아/어 두다	• -(으)ㄹ 리가 없다
• -아/어 놓다	• -곤 하다	• -려던 참이다

연습 문제

정답 및 해설 p.148

※ [1~4] (　)에 들어갈 가장 알맞은 것을 고르십시오.

1. 너무 피곤해서 영화를 (　　　) 잠이 들었다.

① 보거든　　　　　　　② 보도록
③ 보든지　　　　　　　④ 보다가

2. 시험에 떨어지지 (　　　) 미리 복습을 해야 한다.

① 않기에는　　　　　　② 않을수록
③ 않으려면　　　　　　④ 않으니까

3. 시험 기간 많이 바쁠 때 종종 공부하면서 샌드위치를 (　　　　).

① 먹곤 한다　　　　　　② 먹는 중이다
③ 먹는 셈이다　　　　　④ 먹는 둥 마는 둥이다

4. 내 친구는 30년 동안 식당 일을 힘들게 (　　　　).

① 하게 되었다　　　　　② 해 왔다
③ 하는 법이다　　　　　④ 하려던 참이다

2 의미가 비슷한 문법 고르기

이 문항은 같은 의미의 문법이나 표현을 고르는 문항입니다. 읽기의 [3~4]번이 해당 문항입니다. 유의 표현 능력을 측정하는 문항으로 보통 중급 수준의 문법이 출제되지만 가끔 4번의 경우 고급 수준의 문법이 나오는 경우가 있습니다. 중급 수준의 문법 기능과 의미에 대해 알고 있어야 합니다. 밑줄 친 부분의 문법을 본 후 '기능'으로 먼저 확인해야 합니다. '기능'으로 찾을 수 없다면 '의미'가 비슷한 것을 찾아야 합니다.

기출문제

2023년 91회 TOPIK II 읽기 3번

밑줄 친 부분과 의미가 가장 비슷한 것을 고르십시오. (각 2점)

어려운 이웃을 <u>돕고자</u> 매년 봉사 활동에 참여하고 있다.

① 돕기 위해서　　② 돕는 대신에　　③ 돕기 무섭게　　④ 돕는 바람에

정답 ①

해설

문장에서 '어려운 이웃을 돕고자'는 목적을 나타내는 표현으로 '-기 위해서'와 같은 의미를 가집니다. 따라서 '돕기 위해서'가 가장 자연스럽습니다.

① '돕기 위해서'는 목적을 나타내므로 문맥에 알맞습니다.
② '돕는 대신에'는 '-지 않고 그 대신'의 의미로 대체를 나타내므로 부적절합니다.
③ '돕기 무섭게'는 '-자마자'의 의미로 시간 순서를 나타내므로 부적절합니다.
④ '돕는 바람에'는 원인으로 부정적인 결과가 올 때 사용하므로 어색합니다.

기출문제

2019년 66회 TOPIK II 읽기 4번

밑줄 친 부분과 의미가 가장 비슷한 것을 고르십시오. (각 2점)

지금 출발하지 않으면 버스를 <u>놓칠지도 모른다</u>.

① 놓칠 뻔했다　　　　　　　② 놓친 듯하다
③ 놓칠 수도 있다　　　　　　④ 놓칠 줄 알았다

정답 ③

해설

지금 당장 출발하지 않을 경우, 버스를 놓칠 가능성이 있다는 뜻입니다.

① '놓칠 뻔했다'는 실제로는 놓치지 않았을 때 쓰는 과거 사실입니다.
② '놓칠 듯하다'는 가능성이 높아 보이는 추측입니다.
③ '놓칠 수도 있다'는 가능성을 나타내는 표현으로 문맥과 일치합니다.
④ '놓칠 줄 알았다'는 과거의 예상 및 판단으로 문자의 의미와 다릅니다.

여기서 잠깐!

토픽 읽기 [3~4]번에서 출제 빈도가 높은 문법을 다음과 같이 정리할 수 있습니다.

추측

• –나 보다	• –(으)ㄴ/는/(으)ㄹ 것 같다	• –(으)ㄹ 테니(까)
• –(으)ㄹ까 봐(서)	• –(으)ㄴ/는 모양이다	• –(으)ㄹ 리(가) 없다/있다
• –(으)ㄴ/는/(으)ㄹ 듯하다	• –(으)ㄹ 텐데	

양보

• –(으)ㄴ/는다고 해도	• –더라도	• –아/어 봤자
• –아/어도	• –으나 마나	• –고도
• –기는 하지만	• –(으)ㄴ/는데도	

정도

• –(으)ㄴ/는 셈이다	• –(으)ㄴ/는 편이다	• –(으)ㄹ 만하다
• –(으)ㄹ 정도로	• –다시피 하다	• –(으)ㄹ 지경이다

순서

• –기(가) 무섭게	• –다가	• –았/었더니
• –자마자	• –기(가) 바쁘게	• –고 보니(까)

이유

• –느라고	• –는 바람에	• –기 때문에
• –기에	• –길래	• –(으)ㄴ/는 덕분에
• –(으)ㄴ/는 탓에	• –(으)ㄴ/는 통에	• –(으)로 인해(서)

당연, 한정, 기회

• –기 마련이다	• –는 법이다	• –기만 하다
• –(으)ㄹ 뿐이다	• –는 김에	• –는 길에

연습 문제   정답 및 해설 p.149

※ [1~4] 다음 밑줄 친 부분과 의미가 비슷한 것을 고르십시오.

1. 무슨 중요한 약속이 있는지 <u>퇴근하기가 무섭게</u> 지하철 역으로 달려갔다.

① 퇴근하는 길에　　　　　　② 퇴근하기는커녕
③ 퇴근하기가 바쁘게　　　　④ 퇴근하는 한

2. 남자 친구한테 <u>물어보나 마나</u> 바빠서 싫다고 할 게 뻔하다.

① 물어보기에　　　　　　　② 물어보거나
③ 물어보는 것보다　　　　　④ 물어보지 않아도

3. 하늘에 구름이 많이 낀 걸 보니까 비가 <u>올 듯하다</u>.

① 올 뿐이다　　　　　　　　② 오기 나름이다
③ 올 모양이다　　　　　　　④ 올 리가 없다

4. 할머니께서 저를 <u>만나기만 하면</u> 옛날 이야기를 하신다.

① 만날수록　　　　　　　　② 만날 때마다
③ 만나고도　　　　　　　　④ 만나곤 하면

2 알맞은 주제 고르기

1 주제어 고르기

TOPIK Ⅱ의 [5~8]번 문항에 해당하는 이 유형은 짧은 글을 읽고 글이 다루는 주제를 파악하는 문제입니다. 대부분 두 문장으로 이루어져 있으며, 광고나 안내문, 설명문 등 일상생활과 관련된 글에서 자주 출제됩니다.

기출문제 　2024년 96회 TOPIK Ⅱ 6번

다음은 무엇에 대한 글인지 고르십시오.

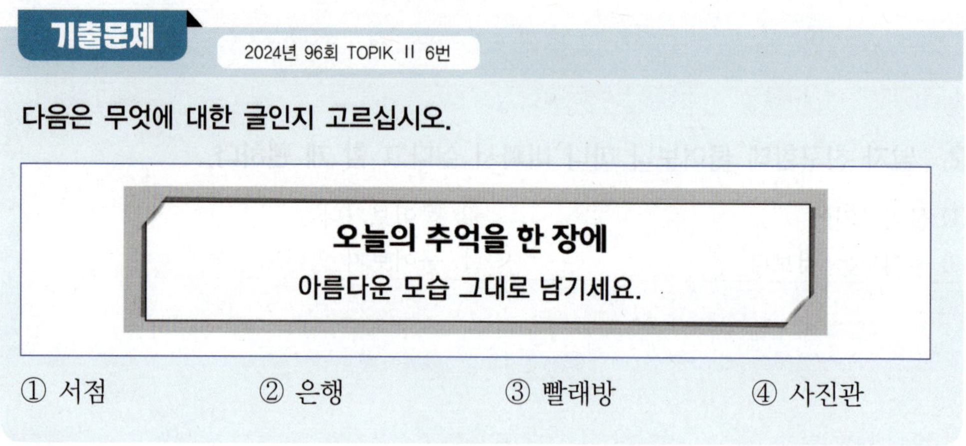

① 서점　　　② 은행　　　③ 빨래방　　　④ 사진관

정답 ④

해설

① '서점'은 책을 판매하는 장소로, 추억이나 모습을 기록해 남긴다는 지문의 내용과 맞지 않습니다.
② '은행'은 금융 업무를 처리하는 공간으로, 특별한 순간을 한 장에 남긴다는 표현과는 관련이 없습니다.
③ '빨래방'은 옷을 세탁하는 장소로, 추억을 기록하거나 아름다운 모습을 남기는 서비스와는 거리가 있습니다.
④ '사진관'은 사진을 촬영해 오늘의 추억과 모습을 그대로 남기는 공간이므로 지문의 내용과 의미가 정확히 일치합니다. 💡

기출문제 　2024년 96회 TOPIK Ⅱ 7번

다음은 무엇에 대한 글인지 고르십시오.

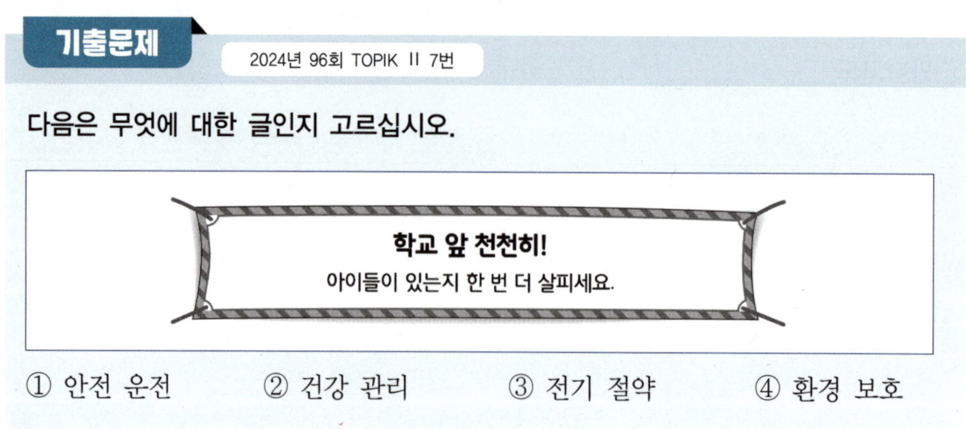

① 안전 운전　　　② 건강 관리　　　③ 전기 절약　　　④ 환경 보호

정답 ①

해설

① 지문의 '학교 앞 천천히', '아이들이 있는지 살피다'라는 표현은 운전자가 속도를 줄이고 보행자 안전에 주의해야 함을 강조하므로 '안전 운전'이 지문의 내용과 일치합니다. ✔

② '건강 관리'는 건강이나 생활 습관과 관련된 내용으로, 학교 앞 교통안전을 강조하는 지문과는 맞지 않습니다.

③ '전기 절약'은 에너지 사용을 줄이자는 것으로, 어린이 안전이나 운전자의 주의와는 관련이 없습니다.

④ '환경 보호'는 자연이나 환경을 보호하자는 의미로, 학교 앞에서의 속도 조절과 보행자 보호를 강조한 지문과는 거리가 있습니다.

기출문제 　2024년 96회 TOPIK II 8번

다음은 무엇에 대한 글인지 고르십시오.

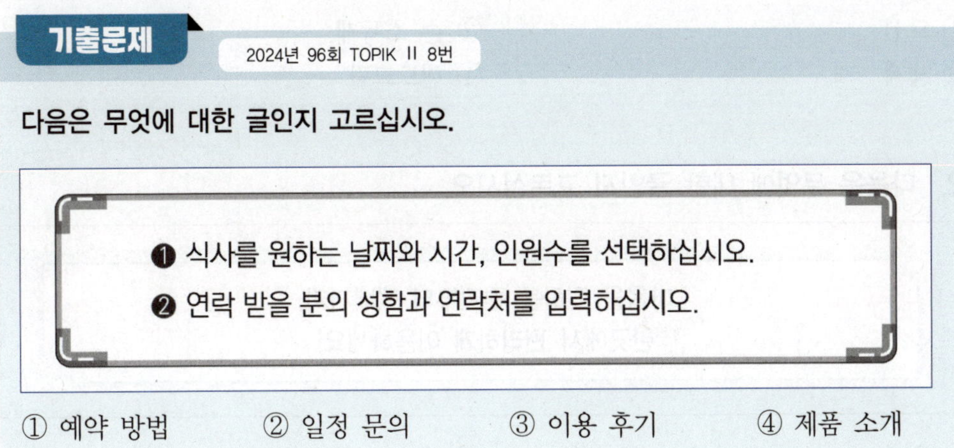

① 예약 방법　　　② 일정 문의　　　③ 이용 후기　　　④ 제품 소개

정답 ①

해설

① '날짜와 시간, 인원수를 선택하십시오.', '성함과 연락처를 입력하십시오.'라는 표현은 서비스를 이용하기 위해 예약 절차를 안내하는 내용으로 '예약 방법'을 의미합니다. ✔

② '일정 문의'란 일정에 대해 질문하거나 확인하는 상황을 의미하며, 정보를 직접 입력해 절차를 진행하라는 지문의 내용과는 맞지 않습니다.

③ '이용 후기'는 서비스를 이용한 뒤의 경험을 공유하는 내용으로, 예약을 위한 사전 절차를 설명한 지문과는 관련이 없습니다.

④ '제품 소개'는 상품이나 서비스의 특징을 설명하는 내용으로, 날짜·시간 선택이나 연락처 입력과 같은 절차 안내와는 거리가 있습니다.

기출 분석　주제어 고르기

- 이런 유형의 문제를 풀기 위해서는 먼저 글에서 제시되는 키워드를 찾아야 합니다.
  - 키워드를 통해 글의 주제와 목적, 대상 등을 파악하면 내용을 보다 정확하게 이해할 수 있습니다.
  - 또한 문장을 각각 따로 해석하기보다 두 문장의 의미를 연결해 전체 내용을 하나의 흐름으로 이해하는 연습이 필요합니다.

정답 및 해설 p.150

1. 다음은 무엇에 대한 글인지 고르십시오.

① 로션　　　　　　　　② 손 소독제
③ 세제　　　　　　　　④ 핸드크림

2. 다음은 무엇에 대한 글인지 고르십시오.

① 은행　　　　　　　　② 서점
③ 유치원　　　　　　　④ 우체국

3. 다음은 무엇에 대한 글인지 고르십시오.

① 환경 보호　　　　　　② 금연 캠페인
③ 금융 상품　　　　　　④ 교통 안내

4. 다음은 무엇에 대한 글인지 고르십시오.

① 사용 방법　　　　　　② 제품 소개
③ 관람 규칙　　　　　　④ 예약 문의

2 주제 문장 고르기

TOPIK II의 [35~38], 45번 문항에 해당하는 이 유형은 여러 문장으로 이루어진 비교적 긴 글을 읽고 글의 주제를 찾는 문제입니다. [5~8]번 유형보다 지문이 길고 난이도가 높기 때문에 전체 흐름을 이해하는 것이 중요합니다.

기출문제

2024년 96회 TOPIK II 36번

다음을 읽고 글의 주제로 가장 알맞은 것을 고르십시오.

> 미세 먼지 문제를 해결하기 위한 인공 강우 실험이 활발히 이뤄지고 있다. 인공적으로 비를 내리게 해서 대기 중의 미세 먼지 수치를 낮춘다는 계획이다. 그러나 현재의 인공 강우 기술은 구름이 있는 지역에서만 활용할 수 있고 만들 수 있는 비의 양도 많지 않다. 이러한 점에서 인공 강우 기술은 미세 먼지 문제를 해결할 수 있는 근본적인 대책이라고 보기는 어렵다.

① 인공 강우 기술이 상용화되도록 실험을 지속해야 한다.
② 미세 먼지를 줄이기 위해서는 국가 간 협력이 필수적이다.
③ 미세 먼지 문제를 해결하기 위해서는 재정적인 지원이 중요하다.
④ 인공 강우 기술은 미세 먼지를 줄이는 해결책으로는 한계가 있다.

정답 ④

해설

① 지문에서는 인공 강우 실험의 한계를 설명할 뿐, 실험을 계속해야 한다는 주장이나 필요성은 제시하지 않습니다. 따라서 '인공 강우 기술이 상용화되도록 실험을 지속해야 한다.'는 글의 주제로 맞지 않습니다.
② 국가 간 협력에 대한 언급은 지문에 없으므로 '미세 먼지를 줄이기 위해서는 국가 간 협력이 필수적이다.'는 주제로 적절하지 않습니다.
③ 재정 지원의 중요성에 대한 내용이 나오지 않아 '미세 먼지 문제를 해결하기 위해서는 재정적인 지원이 중요하다.'는 지문과 맞지 않습니다.
④ 지문은 '그러나' 이후 인공 강우 기술의 제약을 제시하며 근본적인 대책이 되기 어렵다고 결론짓고 있어 '인공 강우 기술은 미세 먼지를 줄이는 해결책으로는 한계가 있다.'는 글의 주제와 정확히 일치합니다. ✅

단어
• 강우(降雨 / việc trời mưa): 비가 내리는 것
• 재정적(財政的 / mang tính tài chính): 재정과 관련된

- **가공 식품**(加工食品 / thực phẩm chế biến): 저장과 조리가 편리하도록 원료를 특별한 방법으로 가공하여 새롭게 만든 먹을거리.
- **억제되다**(被抑制 / bị kìm hãm): 정도나 한도를 넘어서 나아가려는 것이 억눌려 멈추게 되다.
- **재원**(財源 / nguồn tài chính): 필요한 자금이 나올 원천.

기출문제

2024년 96회 TOPIK Ⅱ 37번

다음을 읽고 글의 주제로 가장 알맞은 것을 고르십시오.

> 건강세는 설탕이나 가공 식품 등 건강에 해로운 식품에 부과하는 세금이다. 건강세를 걷으면 비만, 당뇨와 같은 질병을 유발하는 식품의 가격이 올라 소비가 억제된다. 이는 성인병 환자의 감소로 이어질 수 있다. 또한 걷은 세금으로 국민 건강 증진을 위한 재원을 확보하는 것도 기대할 수 있다. 물론 건강세가 소비자의 부담을 높인다는 비판도 있다. 하지만 건강세로 얻게 될 효과가 분명한 이상, 도입을 긍정적으로 검토해야 할 때다.

① 건강세는 소비자의 부담을 최소화하는 선에서 부과되어야 한다.
② 건강세를 도입하기 전에 국민의 의견을 파악하는 것이 중요하다.
③ 건강세는 국민의 건강 증진에 도움이 되므로 도입할 필요가 있다.
④ 건강세를 부과할 식품을 선정할 때는 명확한 기준이 있어야 한다.

정답 ③

해설

① 지문에서는 건강세의 효과와 필요성을 중심으로 설명할 뿐, 소비자 부담을 최소화해야 한다는 조건이나 기준은 언급하지 않으므로 '건강세는 소비자의 부담을 최소화하는 선에서 부과되어야 한다.'는 주제로 알맞지 않습니다.
② 국민 의견 수렴의 필요성에 대한 내용은 지문에 제시되지 않으므로 '건강세를 도입하기 전에 국민의 의견을 파악하는 것이 중요하다.'는 주제로 적절하지 않습니다.
③ **지문에서는 건강세가 건강에 해로운 식품의 소비를 줄이고 국민 건강 증진과 재원 확보에 도움이 된다고 설명하며, 도입을 긍정적으로 검토해야 한다고 결론짓고 있습니다. 따라서 '건강세는 국민의 건강 증진에 도움이 되므로 도입할 필요가 있다.'가 주제와 정확히 일치합니다.**
④ 과세 대상 선정 기준에 대한 구체적인 설명은 없으므로 '건강세를 부과할 식품을 선정할 때는 명확한 기준이 있어야 한다.'는 지문의 중심 내용과 다릅니다.

기출 분석 주제 문장 고르기

- 이런 유형의 문제를 풀기 위해서는 글의 일부분만 보고 추측하지 말고 반드시 전체를 끝까지 읽고 내용을 파악해야 합니다.
  - 글 전반에 걸쳐 반복적으로 등장하는 키워드나 핵심 내용을 찾는 것도 도움이 됩니다.

- 또한 글 속에서 사용되는 접속어에도 주목해야 합니다.
  - 예를 들어 '즉', '이처럼'은 내용을 정리하거나 다시 설명할 때, '그러나', '반면에'는 대조되는 내용을 제시할 때, '따라서', '그러므로'는 결론을 끌어낼 때 사용됩니다.
  - 이러한 표현을 활용하면 글의 구조와 전환점을 더 쉽게 이해하고 주제를 더 쉽게 찾을 수 있습니다.
  - 마지막으로, 보기 중에서는 구체적인 사례가 아닌 글 전체를 대표하는 내용의 선택지를 고르는 것이 좋습니다.

연습 문제

정답 및 해설 p.152

1. 다음을 읽고 글의 주제로 가장 알맞은 것을 고르십시오.

> 심해에는 망간단괴나 코발트가 풍부하게 매장되어 있어 미래 산업에 중요한 자원이 될 것으로 평가된다. 그래서 여러 나라가 심해 광물 자원 개발에 관심을 보이고 있다. 일부 국가는 시범 채취에 성공하며 가능성을 확인했다. 그러나 높은 비용과 기술 부족으로 아직 본격적인 개발 단계에 진입하지 못한 나라가 많다. 향후 안정적인 자원 확보를 위해 심해 탐사와 기술 개발에 대한 투자를 확대할 필요가 있다.

① 심해 광물은 이미 상업적 채굴이 활발히 이루어지고 있다.
② 심해 자원 개발은 기술적, 경제적 한계로 실현이 쉽지 않다.
③ 심해 개발을 위해 국제 협력보다는 개별 국가의 단독 활동이 더 효과적이다.
④ 미래 자원 확보를 위해 심해 탐사와 기술 투자가 필요하다.

단어
- **매장되다**(埋藏 / được chứa): 지하자원 등이 땅속에 묻히다.
- **시범**(示范 / sự thị phạm): 모범이 되는 본보기를 보임.
- **채취**(采 / sự khai thác): 자연에서 나는 것을 베거나 캐거나 하여 얻음.
- **본격적**(正式的 / chính thức): 모습을 제대로 갖추고 적극적으로 이루어지는 것.
- **진입하다**(进入 / thâm nhập): 목적한 곳으로 들어서거나 일정한 상태에 들어가다.

2. 다음을 읽고 글의 주제로 가장 알맞은 것을 고르십시오.

> 경쟁이 치열해지면 기업들은 비용을 절감하기 위해 가격을 낮추거나 인력을 줄이는 전략을 선택하기도 한다. 그러나 이러한 전략은 단기적으로 효과가 있어 보이지만, 장기적으로는 제품 품질 저하와 소비자 신뢰 감소를 초래할 수 있다. 결국 판매가 줄어들어 기업의 수익성이 악화되고, 다시 비용을 줄이기 위해 구조 조정을 단행하는 악순환이 반복된다. 이처럼 경쟁 환경에서의 무리한 비용 절감은 전체 산업에 부정적 영향을 미칠 수 있다.

① 경쟁이 심해질수록 기업의 구조 조정이 줄어든다.
② 가격 인하는 소비자 신뢰를 높이는 가장 효과적인 전략이다.
③ 과도한 비용 절감은 장기적으로 기업의 경쟁력을 약화시킬 수 있다.
④ 산업 전반의 악순환은 소비자의 과소비에서 비롯된다.

단어
- **치열하다**(激烈 / khốc liệt): 기세나 세력 등이 타오르는 불꽃같이 몹시 사납고 세차다.
- **절감하다**(节减 / cắt giảm): 아껴서 줄이다.
- **저하**(降低 / sự giảm sút): 정도나 수준, 능률 등이 떨어져 낮아짐.
- **단행하다**(坚决执行 / thi hành): 반대나 위험에 매이지 않고 결정한 것을 실행하다.
- **악순환**(恶性循环 / vòng lẩn quẩn): 나쁜 일이 나쁜 결과를 내고 또 그 결과가 원인이 되어 다시 나쁜 결과를 내는 현상이 계속 되풀이됨.

3 일치하는 내용 고르기

TOPIK Ⅱ의 [11~12], 20, 22, 24, [32~34], 43, 47, 50번 문항에 해당하는 이 유형은 지문에 제시된 내용과 일치하는 문장을 선택지에서 고르는 문제입니다. 지문은 기사문, 설명문, 논설문, 수필, 소설 등 다양한 장르의 글에서 출제됩니다.

기출문제
2024년 96회 TOPIK Ⅱ 32번

다음을 읽고 글의 내용과 같은 것을 고르십시오.

> 한 연구팀이 10년간 기린을 촬영하고 분석했다. 이 연구에서는 암컷 기린이 4~5세가 되면 몸 전체의 길이에서 목이 차지하는 비율이 이전보다 더 커지는 것을 발견했다. 기린이 임신으로 영양이 많이 필요한 나이에 더 높이 있는 나뭇잎까지 먹으려고 하면서 목이 길어지는 것이다. 연구팀은 이를 바탕으로 기린의 목 길이 변화가 먹이를 찾기 위해 노력하는 것과 밀접한 관계가 있다고 주장했다.

① 연구팀은 올해부터 기린을 촬영하기 시작했다.
② 암컷 기린은 4~5세부터 먹이를 먹는 양을 줄인다.
③ 암컷 기린은 임신을 하는 시기에 목이 더 길어진다.
④ 연구팀은 기린의 목 길이가 먹이와 관련이 없다고 보았다.

정답 ③

해설

① 지문에서는 연구팀이 기린을 10년간 촬영하고 분석했다고 설명하므로 보기의 '연구팀은 올해부터 기린을 촬영하기 시작했다.'는 내용과 맞지 않습니다.
② 지문에서는 이 시기에 임신으로 영양이 더 필요해 더 높은 나뭇잎을 먹으려 한다고 설명하고 있어 '암컷 기린은 4~5세부터 먹이를 먹는 양을 줄인다.'는 지문의 내용과 반대됩니다.
③ **지문에서는 임신으로 영양이 많이 필요한 나이에 먹이를 찾기 위해 노력하면서 목의 비율이 커진다고 설명하고 있습니다. 따라서 '암컷 기린은 임신을 하는 시기에 목이 더 길어진다.'는 내용과 일치합니다.**
④ 지문에서는 기린의 목 길이 변화가 먹이를 찾기 위한 노력과 밀접한 관계가 있다고 주장하므로 '연구팀은 기린의 목 길이가 먹이와 관련이 없다고 보았다.'는 맞지 않습니다.

단어
- **암컷**(母的 / giống cái): 암수 구별이 있는 동물 중에 새끼를 배는 쪽.
- **밀접하다**(緊密 / mật thiết): 아주 가깝게 마주 닿아 있다. 또는 그런 관계에 있다.

기출문제

2024년 96회 TOPIK Ⅱ 33번

다음을 읽고 글의 내용과 같은 것을 고르십시오.

> 19세기에는 위생에 대한 사람들의 인식이 높지 않았다. 그때 병원의 보건 위생 환경을 개선하는 데 기여한 사람이 바로 간호사였던 나이팅게일이다. 그는 매일 군 병원에서 사망 환자 수와 사망 원인을 기록하여 부상으로 죽는 병사보다 위생 문제로 감염되어 사망하는 병사가 더 많다는 것을 통계로 입증했다. 그리고 이 결과를 도표로 만들어 관계자들을 설득함으로써 의료 환경을 개선해 나갔다.

① 나이팅게일은 통계 자료를 근거로 관계자들을 설득했다.
② 나이팅게일은 부상으로 죽는 병사가 가장 많다는 것을 밝혀냈다.
③ 나이팅게일의 기록에는 병원 내 감염자 수가 포함되어 있지 않았다.
④ 나이팅게일이 일을 시작했을 당시에는 병원의 위생 관리가 철저했다.

정답 ①

해설

① 지문에서는 나이팅게일이 사망 환자 수와 사망 원인을 기록해 통계로 입증하고, 그 결과를 도표로 만들어 관계자들을 설득했다고 설명합니다. 따라서 '나이팅게일은 통계 자료를 근거로 관계자들을 설득했다.'는 글의 내용과 일치합니다.

② 지문에서는 부상으로 사망한 병사보다 위생 문제로 감염되어 사망한 병사가 더 많다고 하므로 '나이팅게일은 부상으로 죽는 병사가 가장 많다는 것을 밝혀냈다.'는 글의 내용과 반대입니다.

③ 지문에서는 위생 문제로 감염되어 사망한 병사 수를 기록하고 분석했다고 하므로 '나이팅게일의 기록에는 병원 내 감염자 수가 포함되어 있지 않았다.'는 맞지 않습니다.

④ 지문에서는 19세기 당시 위생에 대한 인식이 낮았다고 설명하므로 '나이팅게일이 일을 시작했을 당시에는 병원의 위생 관리가 철저했다.'는 내용과 다릅니다.

단어

- **위생**(卫生 / sự vệ sinh) : 건강에 이롭거나 도움이 되도록 조건을 갖추거나 대책을 세우는 일.
- **입증하다**(证实 / kiểm chứng) : 증거를 들어서 어떤 사실을 증명하다.
- **도표**(图表 / biểu đồ) : 어떤 사실이나 주어진 자료 등을 분석하여 그 관계를 알기 쉽게 나타낸 표.

Part 1

- **종목**(项目 / danh mục chủng loại): 여러 가지 종류에 따라 나눈 항목.
- **톱니**(锯齿 / răng cưa): 톱의 가장자리에 있는 뾰족뾰족한 부분.
- **빙판**(结冰路面 / sân băng): 물이나 눈이 얼어서 딱딱하고 미끄럽게 된 바닥.

기출문제

2024년 96회 TOPIK Ⅱ 34번

다음을 읽고 글의 내용과 같은 것을 고르십시오.

> 스케이트의 날은 종목의 특성에 따라 차이가 있다. 쇼트 트랙은 스케이트의 날을 살짝 왼쪽으로 기울어서 고정시킨다. 코너를 도는 선수들이 몸을 왼쪽으로 기울여도 넘어지지 않게 한 것이다. 반면 피겨 스케이트는 날의 앞쪽을 큰 톱니 모양으로 만든다. 그래서 선수들이 공중으로 뛰어오를 때 날의 앞쪽을 사용해 빙판을 찍으면 더 높이 뛸 수 있다.

① 쇼트 트랙은 스케이트의 날이 톱니 모양으로 되어 있다.
② 피겨 선수들은 높이 뛰어오르기 위해 날의 앞부분을 사용한다.
③ 피겨에서는 선수가 넘어지지 않도록 스케이트의 날 앞쪽을 둥글게 했다.
④ 쇼트 트랙에서는 스케이트 날을 똑바로 달아 코너를 잘 돌 수 있게 했다.

정답 ②

해설

① 지문에서는 쇼트 트랙의 날을 왼쪽으로 기울여 고정한다고 했을 뿐, 톱니 모양이라는 설명은 없어 '쇼트 트랙은 스케이트의 날이 톱니 모양으로 되어 있다.'는 맞지 않습니다.
② **지문에서는 피겨 스케이트의 날 앞쪽이 톱니 모양이며, 공중으로 뛰어오를 때 이 부분을 사용해 더 높이 뛸 수 있다고 설명하고 있어 보기의 '피겨 선수들은 높이 뛰어오르기 위해 날의 앞부분을 사용한다.'는 지문의 내용과 일치합니다.** 💡
③ 지문에서는 날 앞쪽을 둥글게 했다는 내용이 아니라 톱니 모양으로 만들었다고 하므로 '피겨에서는 선수가 넘어지지 않도록 스케이트의 날 앞쪽을 둥글게 했다.'는 맞지 않습니다.
④ 지문에시는 날을 똑바로 단 것이 아니라 왼쪽으로 기울여 고정했다고 설명하므로 '쇼트 트렉에서는 스케이트 날을 똑바로 달아 코너를 잘 돌 수 있게 했다.'는 내용과 다릅니다.

기출문제

2024년 96회 TOPIK Ⅱ 47번

다음을 읽고 글의 내용과 같은 것을 고르십시오.

> 현행 문화재 보호법에서는 역사적, 예술적으로 가치가 높은 음악, 무용, 공예 기능 등을 국가 무형 문화재로 규정하고 있다. 이에 따라 여러 세대에 걸쳐 전승되어 온 무형의 문화유산 중 원형 그대로 계승될 만한 가치가 있는 것을 국가 무형 문화재로 지정한다. 이 무형 문화재는 형체가 없으므로 기능을 보유한 사람을 인간문화재로 지정해 이들을 통해 문화재가 보존되도록 한다. 그런데 이 무형 문화재를 전수받으려는 사람이 줄고 있어 문화재 보존에 비상등이 켜졌다. 오랜 시간 어렵게 기능을 전수받더라도 무조건 인간문화재로 지정되는 것도 아니고 기능을 연마하는 동안에는 국가의 경제적 지원도 없기 때문이다. 전통문화는 그 민족의 자긍심과도 밀접하게 관련되어 있는 것인데 이렇게 가다가는 무형 문화재의 명맥이 끊이는 일이 생길 수 있을 것이다.

① 국가 무형 문화재에 대한 법적 근거가 존재하지 않는다.
② 국가 무형 문화재는 그 기능을 보유한 인간문화재를 통해 전수된다.
③ 국가 무형 문화재 기능을 전수받는 동안 경제적 지원을 받을 수 있다.
④ 국가 무형 문화재로 인정받으려면 원형을 시대에 맞게 변형해야 한다.

정답 ②

해설

① 지문에서는 '현행 문화재 보호법'에서 국가 무형 문화재를 규정하고 있다고 설명하므로 '국가 무형 문화재에 대한 법적 근거가 존재하지 않는다.'는 내용과 맞지 않습니다.
② 지문에서는 형체가 없는 무형 문화재의 특성상 기능을 보유한 사람을 인간문화재로 지정해 이를 통해 문화재를 보존한다고 설명하고 있어 '국가 무형 문화재는 그 기능을 보유한 인간문화재를 통해 전수된다.'가 지문의 내용과 일치합니다. 💡
③ 지문에서는 기능을 연마하는 동안 국가의 경제적 지원이 없다고 하므로 '국가 무형 문화재 기능을 전수받는 동안 경제적 지원을 받을 수 있다.'는 지문의 내용과 반대입니다.
④ 지문에서는 원형 그대로 계승될 만한 가치를 기준으로 삼고 있다고 설명하므로 '국가 무형 문화재로 인정받으려면 원형을 시대에 맞게 변형해야 한다.'는 맞지 않습니다.

기출 분석 일치하는 내용 고르기

- 이런 유형의 문제를 효과적으로 풀기 위해서는 먼저 선택지 4개를 빠르게 훑어 공통 주제와 핵심 정보를 파악합니다.
- 그다음 그 핵심어를 단서로 삼아 지문에서 해당 부분을 찾아 의미가 실제로 일치하는지 확인합니다.
    - 이때 표현이 조금 다르더라도 의미가 같으면 정답으로 볼 수 있습니다.
    - 반대로 주요 명사나 숫자, 조건이 지문과 다르면 오답으로 판단해야 합니다.
- 즉, 단어 하나하나의 일치보다는 전체 의미가 같은지를 중심으로 판단하는 것이 중요합니다.

단어

- **무형**(无形 / vô hình)：구체적인 모양이나 모습이 없음. 또는 정해진 형식이 없음.
- **전수받다**(传习 / tiếp nhận sự chuyển giao)：술이나 지식 등을 전해 받다.
- **연마하다**(磨练 / rèn luyện)：몸, 마음, 지식, 기술 등을 힘써 다스리거나 익히다.
- **자긍심**(骄傲 / lòng tự hào)：스스로를 떳떳하고 자랑스럽게 여기는 마음.

연습 문제

정답 및 해설 p.153

단어

- **고랭지**(高寒地区 / vùng đất cao và lạnh) : 해발 600미터 이상에 있는, 높고 기온이 낮은 지역.
- **함량**(含量 / hàm lượng) : 물질에 들어 있는 어떤 성분의 양.
- **농약**(农药 / thuốc trừ sâu diệt cỏ) : 농작물에 해로운 벌레, 잡초 등을 없애는 약품.
- **배수**(灌溉 / sự dẫn nước) : 논에 물을 댐.
- **재배**(栽种 / sự trồng trọt) : 식물을 심어 가꿈.

1. 다음을 읽고 글의 내용과 같은 것을 고르십시오.

> 고랭지에서 재배되는 감자는 낮은 기온과 큰 일교차 덕분에 품질이 뛰어난 것으로 알려져 있다. 특히 일반 감자보다 비타민 C와 안토시아닌 함량이 높아 항산화 효과가 크고, 병해충이 적어 농약 사용량도 줄어든다. 또한 배수가 잘되는 토양에서 자라 저장성이 높아 농가의 안정적인 소득원으로 평가된다. 이러한 이유로 고랭지 감자는 기능성 식품으로서의 가치가 주목받고 있다.

① 고랭지 감자는 병해충에 약해 재배가 어렵다.
② 고랭지 감자는 일반 감자보다 항산화 성분이 풍부하다.
③ 고랭지 감자는 저장성이 낮아 유통이 불리하다.
④ 고랭지 감자는 기능성 식품으로는 적합하지 않다.

단어

- **육식동물**(肉食动物 / động vật ăn thịt) : 다른 동물의 고기를 먹이로 먹고 사는 동물.
- **열량**(热量 / nhiệt lượng) : 음식이나 연료 등으로 얻을 수 있는 에너지의 양.
- **질기다**(韧 / dai) : 물건이 쉽게 닳거나 끊어지지 않고 견디는 힘이 세다.
- **섬유질**(纤维素 / chất xơ) : 식물에 있는 섬유의 주된 성분을 이루는 물질.

2. 다음을 읽고 글의 내용과 같은 것을 고르십시오.

> 판다는 육식동물의 치아 구조를 가지고 있지만 실제로는 대부분을 대나무로 먹고 산다. 대나무는 열량이 낮아 충분한 에너지를 얻기 위해 하루 12~15kg 이상의 대나무를 계속 먹어야 한다. 또한 판다는 대나무의 질긴 섬유질을 분해하기 어려워 긴 시간 동안 먹고 쉬는 생활을 반복한다. 다만 어린 판다는 위장 내 미생물이 충분히 발달하기 전까지 어미의 배설물을 먹어 소화에 필요한 미생물을 얻는다.

① 판다는 하루 1~2kg 정도의 대나무만 먹어도 충분하다.
② 판다는 대나무의 독성을 해독하는 효소를 가지고 있다.
③ 어린 판다는 소화를 돕는 미생물을 어미에게서 얻는다.
④ 판다는 대나무를 소화하기 위해 육류를 함께 섭취한다.

4 알맞은 순서로 배열한 것 고르기

1 제시된 문장 순서대로 배열하기

TOPIK II의 [13~15]번 문항에 해당하는 이 유형은 제시된 네 문장 (가), (나), (다), (라)를 글의 흐름에 맞게 배열하는 문제입니다. 문장 간의 연결 관계와 글의 전개 구조를 이해하는 능력을 평가합니다.

기출문제　2024년 96회 TOPIK II 13번

다음을 순서에 맞게 배열한 것을 고르십시오.

> (가) 대학생 때 처음으로 해외여행을 가게 되었다.
> (나) 가족들은 그 엽서를 받고 아주 감동적이었다고 했다.
> (다) 여행지에서 가족들을 위한 선물을 사고 싶었는데 돈이 별로 없었다.
> (라) 고민하다가 그 나라 풍경이 담긴 엽서에 여행 이야기를 담아 보냈다.

① (가) - (나) - (라) - (다)
② (가) - (다) - (라) - (나)
③ (다) - (나) - (가) - (라)
④ (다) - (라) - (나) - (가)

정답 ②

해설

① 지문에서는 해외여행을 가게 된 뒤 여행 중의 고민과 해결 과정이 이어져야 하는데, 결과인 (나)가 너무 앞에 와 흐름이 맞지 않습니다.
② **지문에서는 해외여행을 가게 된 상황(가) 뒤에 선물을 사고 싶었으나 돈이 부족한 고민(다)이 나오고, 이를 해결해 엽서를 보낸 과정(라), 가족의 반응(나)으로 마무리되어 흐름이 자연스럽습니다.** ✔
③ 지문에서는 이야기의 시작이 되는 해외여행 경험이 먼저 제시되어야 하므로 (가)가 뒤에 오는 이 순서는 맞지 않습니다.
④ 지문에서는 여행을 가게 된 배경 설명 없이 고민과 행동이 먼저 나오고, 시작 문장인 (가)가 마지막에 와 이야기 순서가 어색합니다.

단어

• **고리**(环 / mắt xích) : 긴 쇠붙이나 줄, 끈을 둥글게 이어서 만든 물건.

기출문제

2024년 96회 TOPIK Ⅱ 14번

다음을 순서에 맞게 배열한 것을 고르십시오.

> (가) 고리 모양의 반죽은 기름에 골고루 튀겨져 전체가 잘 익었다.
> (나) 그런데 동그란 반죽의 가운데 부분이 익지 않는 경우가 많았다.
> (다) 도넛은 원래 밀가루를 동그랗게 반죽해 기름에 튀겨서 만들었다.
> (라) 어떤 사람이 도넛 반죽의 가운데를 파내 고리 모양으로 만들었다.

① (가) – (다) – (나) – (라)
② (가) – (라) – (다) – (나)
③ (다) – (나) – (라) – (가)
④ (다) – (라) – (가) – (나)

정답 ③

해설

① 지문에서는 도넛의 기본 형태와 제작 방법이 먼저 제시되어야 하는데, 결과 설명인 (가)가 맨 앞에 와 흐름이 자연스럽지 않습니다.
② 지문에서는 원래 도넛의 형태를 설명한 뒤 문제와 해결 과정이 나와야 하는데, (가)와 (라)가 앞에 배치되어 이야기 전개가 맞지 않습니다.
③ **지문에서는 도넛의 기본 형태를 소개한 뒤 가운데가 익지 않는 문제를 제시하고, 이를 해결하기 위해 고리 모양으로 만든 과정과 그 결과를 설명하고 있어 흐름이 가장 자연스럽습니다.** ✓
④ 지문에서는 문제 제시인 (나)가 해결 결과인 (가) 뒤에 와 순서가 어색합니다.

기출 분석

• 이런 유형의 문제를 풀기 위해서는 먼저 보기의 선택지를 살펴 첫 문장이 될 수 있는 문장을 두 개로 좁히는 것이 좋습니다.
  – 예를 들어, 보기의 선택지가 다음과 같을 때,
    ① (가) – (나) – (다) – (라)
    ② (가) – (다) – (라) – (나)
    ③ (나) – (다) – (라) – (가)
    ④ (나) – (가) – (다) – (라)
    첫 문장은 (가)나 (나) 중 하나입니다.
  – 첫 문장은 보통 '그러나', '따라서', '또한', '이', '그'와 같은 연결어나 지시어가 없고, 글의 전체 내용을 포괄하거나 하나의 사실을 제시하는 문장입니다.
  – 만약 첫 문장을 (가)로 정했다면, 3번과 4번 보기를 제외할 수 있습니다.
  – 그다음, 남은 보기에서 (가) 다음에 자연스럽게 이어지는 문장이 무엇인지 확인합니다. 예를 들어 (나)나 (다)가 이어지는 문장이라면 그 순서대로 연결해 봅니다.
  – 마지막으로, 선택한 순서로 글을 읽어 보며 내용이 논리적으로 이어지는지, 흐름이 자연스러운지 확인합니다.

연습 문제

정답 및 해설 p.154

1. 다음을 순서에 맞게 배열한 것을 고르십시오.

> (가) 일부 도시는 지하철역의 빈 공간을 지역 예술가들의 전시 장소로 제공하기 시작했다.
> (나) 시민들은 출퇴근길에 자연스럽게 작품을 감상하며 문화적 여유를 느낄 수 있게 되었다.
> (다) 이러한 흐름 속에서 지하철역은 지역 문화를 알리는 복합 문화 공간으로 자리 잡고 있다.
> (라) 전시는 별도의 비용 없이 누구나 관람할 수 있어 많은 시민의 호응을 얻고 있다.

① (가) – (나) – (라) – (다) ② (가) – (다) – (나) – (라)
③ (다) – (가) – (나) – (라) ④ (다) – (나) – (가) – (라)

2. 다음을 순서에 맞게 배열한 것을 고르십시오.

> (가) 계산대 근처에서 휴대전화가 보이지 않아 그는 크게 놀랐다.
> (나) 직원은 분실물 센터로 함께 가서 접수된 물건이 있는지 확인해 보자고 했다.
> (다) 다행히 휴대전화는 다른 손님이 주워 맡긴 것이어서 바로 돌려받을 수 있었다.
> (라) 그는 장바구니를 살피며 어디에서 떨어뜨렸는지 기억을 더듬기 시작했다.

① (가) – (나) – (라) – (다) ② (가) – (라) – (나) – (다)
③ (라) – (가) – (나) – (다) ④ (라) – (나) – (다) – (가)

3. 다음을 순서에 맞게 배열한 것을 고르십시오.

> (가) 최근 편의점에서는 고객 동선을 고려해 진열 방식을 바꾸고 있다.
> (나) 인기 상품을 입구 근처에 배치해 구매율을 높이려는 전략이다.
> (다) 또한 간편식을 한쪽에 모아 놓아 선택 시간을 줄이도록 했다.
> (라) 이러한 변화로 고객 만족도가 올라가고 매출도 증가하고 있다.

① (가) – (나) – (다) – (라) ② (가) – (다) – (라) – (나)
③ (라) – (나) – (가) – (다) ④ (라) – (다) – (가) – (나)

---

2 알맞은 곳에 〈보기〉 문장 넣기

TOPIK Ⅱ의 [39~41]번 문항에 해당하는 이 유형은 글의 전개 흐름을 이해하고, 〈보기〉 문장이 들어가기에 가장 자연스러운 위치를 찾는 문제입니다. 주로 설명문, 논설문, 서평, 감상문 등에서 출제되며, 문장 간의 의미적 연결과 논리 구조를 파악하는 능력을 평가합니다.

기출문제 2024년 96회 TOPIK Ⅱ 39번

주어진 문장이 들어갈 곳으로 가장 알맞은 것을 고르십시오.

섬유질이 마르는 과정에서 자연스레 틀의 자국이 남았는데, 이를 워터 마크라고 불렀다.

고대 이집트에서는 물에 푼 섬유질을 틀에 올려 건조하는 방식으로 종이를 만들었다. (㉠) 이후 제지업자들이 틀에 고유의 문양을 새겨 자신만의 워터 마크를 남기기 시작했다. (㉡) 이것이 이어져 저작권을 표시하거나 위조를 막기 위해 문서나 지폐 등에 워터 마크를 넣게 되었다. (㉢) 지금도 이 워터 마크는 사진이나 영상 등의 저작권을 보호하는 용도로 널리 활용되고 있다. (㉣)

① ㉠ ② ㉡ ③ ㉢ ④ ㉣

정답 ①

해설

① 지문에서는 고대 이집트에서 섬유질을 틀에 올려 건조해 종이를 만드는 과정을 먼저 설명하고 있습니다. 이어서 ㉠에 섬유질이 마르면서 틀의 자국이 남게 된다는 〈보기〉 문장이 나오면 워터 마크가 생기는 원인을 자연스럽게 설명할 수 있습니다. ♥

② 지문에서는 이미 워터 마크가 생긴 뒤 제지업자들이 틀에 문양을 새기기 시작했다고 설명하므로, ㉡에는 워터 마크의 발생 원인을 설명하는 〈보기〉 문장이 들어가는 것이 적절하지 않습니다.

③ 지문에서는 워터 마크가 저작권 표시나 위조 방지에 활용되기 시작한 결과를 설명하고 있어, ㉢에 발생 과정을 설명한 〈보기〉 문장이 오기에는 흐름이 맞지 않습니다.

④ 지문에서는 워터 마크가 현대에 활용되는 사례를 설명하고 있으므로, 기원과 발생 과정을 설명하는 〈보기〉 문장이 마지막에 들어가는 것은 부자연스럽습니다.

단어

- **섬유질**(纤维素 / chất xơ): 식물에 있는 섬유의 주된 성분을 이루는 물질.
- **문양**(纹样 / khuôn, mẫu): 물건을 장식하기 위해 표면에 그리거나 새겨 넣은 무늬.
- **저작권**(著作权 / quyền tác giả): 창작물에 대해 저작자나 그 권리를 이어받은 사람이 가지는 권리.
- **위조**(伪造 / việc làm giả,): 남을 속이려고 물건이나 문서를 진짜처럼 만듦.

기출문제

2024년 96회 TOPIK Ⅱ 40번

주어진 문장이 들어갈 곳으로 가장 알맞은 것을 고르십시오.

해양 생물이 서식하던 바닷속 모래 언덕이나 골짜기가 파괴되는 것이다.

콘크리트를 만들기 위해서는 모래나 자갈 같은 골재가 필요하다. (㉠) 천연 모래와 자갈이 풍부한 바다에서는 질 좋은 골재를 쉽게 얻을 수 있다. (㉡) 그러다 보니 과다한 골재 채취로 바닷속 지형이 바뀌는 경우가 많다. (㉢) 이에 채취량을 제한하고 해당 구역의 복구를 의무화하는 등의 규제를 엄격히 시행하여 해양 생태계를 보호하려는 노력이 이어지고 있다. (㉣)

① ㉠　　　② ㉡　　　③ ㉢　　　④ ㉣

정답 ③

해설

① 지문에서는 골재가 필요하다는 일반적인 설명 뒤에 곧바로 바다에서 골재를 얻을 수 있다는 내용이 이어지므로, ㉠에 바닷속 지형 파괴라는 결과 문장이 들어가기에는 어색합니다.
② 지문에서는 바다에서 골재를 쉽게 얻을 수 있다는 상황을 설명할 뿐, 아직 과다 채취로 인한 지형 변화가 제시되지 않아 ㉡에 〈보기〉 문장이 들어가는 것은 자연스럽지 않습니다.
③ **지문에서는 '과다한 골재 채취로 바닷속 지형이 바뀌는 경우가 많다'고 하여 원인을 제시한 뒤, ㉢에 해양 생물이 서식하던 지형이 파괴된다는 〈보기〉 문장이 이어지면 원인과 결과의 흐름이 자연스럽게 연결됩니다.** 💡
④ 지문에서는 이후 규제를 통해 해양 생태계를 보호하려는 대응 방안을 설명하고 있으므로, 지형 파괴라는 결과를 설명하는 〈보기〉 문장이 ㉣에 들어가면 흐름이 맞지 않습니다.

기출 분석　알맞은 곳에 〈보기〉 문장 넣기

- 이런 유형의 문제를 풀기 위해서는 먼저 〈보기〉 문장을 꼼꼼히 읽어 핵심어와 문장의 기능(원인, 결과, 예시, 전환 등)을 파악해야 합니다.

- 그다음 지문을 읽으며 비슷한 의미나 주제어가 반복되는 부분, 또는 앞뒤 내용이 〈보기〉의 역할과 자연스럽게 이어지는 부분을 찾아야 합니다.

- 특히 '그러나', '그러다 보니', '그래서', '예를 들면'과 같은 접속어나 연결 표현에 주목해야 합니다.
  − 이 표현들은 문장의 논리적 흐름(대조, 원인·결과, 예시, 전환 등)을 보여 주기 때문에, 그 앞이나 뒤에 〈보기〉 문장이 들어가면 문맥이 자연스러워질 가능성이 높습니다.

연습 문제

정답 및 해설 p.156

단어

- **무한히**(无限地 / một cách vô hạn): 수나 양, 크기, 공간이나 시간의 끝이나 제한이 없이
- **골판지**(瓦楞纸 / giấy bìa cứng có nếp gấp): 물결 모양의 골이 진 종이를 한 면 혹은 양 면에 붙인 두터운 종이

1. 주어진 문장이 들어갈 곳으로 가장 알맞은 것을 고르십시오.

> 그러나 재활용 과정이 반복될수록 종이 섬유가 점점 짧아져 품질이 떨어진다.

> 　버려진 종이는 분리수거 후 물에 풀어 섬유질을 분리하고 불순물을 제거한 뒤 다시 종이로 만들어진다. (　㉠　) 이렇게 재활용된 종이는 나무를 새로 베지 않아도 되기 때문에 환경 보호에 도움이 된다. (　㉡　) 즉, 무한히 재활용할 수 있는 것은 아니다. (　㉢　) 그래서 일정 횟수 이상 재활용된 종이는 두꺼운 포장지나 골판지 등으로 사용된다. (　㉣　)

① ㉠　　　　　② ㉡　　　　　③ ㉢　　　　　④ ㉣

단어

- **미세**(微小 / cực nhỏ): 분간하기 어려울 정도로 아주 작음.
- **체내**(体内 / trong người): 몸의 내부.
- **축적되다**(积蓄 / được tích lũy): 지식, 경험, 돈 등이 모여서 쌓이다.
- **어류**(鱼类 / loài cá): 고등어, 참치, 상어처럼 주로 몸이 비늘로 덮여 있으며, 물속에 살면서 지느러미로 헤엄을 치고 아가미로 숨을 쉬는 동물.
- **먹이 사슬**(食物链 / chuỗi thức ăn): 자연 생태계에서 생물들끼리 먹고 먹히는 것을 중심으로 형성된 관계.

2. 주어진 문장이 들어갈 곳으로 가장 알맞은 것을 고르십시오.

> 그런데 이렇게 섭취된 미세 플라스틱은 해양 생물의 체내에 축적되어 건강을 위협할 수 있다.

> 　미세 플라스틱은 5mm 이하의 작은 플라스틱 조각으로, 바닷속 곳곳에서 발견되고 있다. (　㉠　) 특히 바닷물에 떠다니는 이 물질은 플랑크톤이나 작은 어류가 먹이로 착각해 섭취하는 경우가 많다. (　㉡　) 더 나아가 체내에 쌓인 미세 플라스틱은 먹이 사슬을 통해 다른 생물에게도 전달된다. (　㉢　) 그리고 축적된 미세 플라스틱은 결국 인간의 건강에도 영향을 줄 수 있다. (　㉣　)

① ㉠　　　　　② ㉡　　　　　③ ㉢　　　　　④ ㉣

5 빈칸에 알맞은 내용 고르기

1 빈칸에 알맞은 내용 넣기

이 유형은 읽기의 [16~18], [28~31], 44번/45번, 49번에 출제된 문항입니다. 번호에 따라 난이도가 높아집니다. 특히, 28~31번, 44번, 49번 지문은 고급 어휘나 표현이 포함된 읽기 텍스트가 출제되므로 어려운 읽기 텍스트를 많이 읽어 보는 것이 좋습니다.

이 유형은 빈칸의 위치에 따라 문제를 푸는 방법이 달라질 수 있습니다.

빈칸이 문단의 앞부분에 있을 때 빈칸의 문장은 보통 전체 내용을 포괄하는 주제문입니다. 나머지 문장은 앞 문장을 보충하고 설명해 주는 문장입니다. 따라서 전체 문장에서 말하고자 하는 주요 내용을 파악해야 합니다.

빈칸의 위치가 중간에 있을 때는 빈칸의 앞뒤 문장이나 지시어를 통해 빈칸에 맞는 내용을 생각해야 합니다.

빈칸이 문단의 끝부분에 있을 때는 위의 두 가지 상황에 모두 해당됩니다.

기출문제

2024년 96회 TOPIK II 읽기 17번

다음을 읽고 (   )에 들어갈 내용으로 가장 알맞은 것을 고르십시오. (각 2점)

> 30년 전 에너지 전문가들은 그로부터 40년 후에는 지구에 사용할 수 있는 석유가 남아 있지 않을 거라고 경고했다. 그러나 현재의 전문가들은 앞으로도 50년 이상은 계속해서 석유를 사용할 수 있을 거라고 예측한다. 이렇게 석유의 (   ) 이유는 석유를 찾는 기술이 발전했기 때문이다. 이 기술로 석유가 있는 것을 더 많이 발견하게 된 것이다.

① 품질이 더 좋아진   ② 가격이 상승하고 있는
③ 사용 가능 기간이 늘어난   ④ 가치가 계속해서 떨어지는

정답 ③

해설

문장에서 과거에는 석유가 곧 고갈될 것이라 예측했지만 현재는 석유를 더 오래 사용할 수 있게 되었다고 말하고 있다. 그 이유는 석유가 있는 곳을 더 많이 발견하게 된 기술이 발전했기 때문이다. 따라서 빈칸에는 '사용할 수 있는 기간이 늘어났'는 의미가 자연스럽습니다.

① '품질이 더 좋아진'은 기술 발전과 연결될 수 있으나 본문 내용(더 많이 발견됨)과 직접적인 관련은 없습니다.
② '가격이 상승하고 있는'은 기술과 무관하여 글의 문맥과 맞지 않습니다.
③ '사용 가능 기간이 늘어난'은 석유를 더 오래 사용할 수 있게 되었음을 의미하여 문맥에 적절합니다. ✅
④ '가치가 계속해서 떨어지는'은 부정적인 의미이므로 본문의 내용과 반대됩니다.

단어

- **다채롭다**(多彩 / muôn màu muôn vẻ) : 여러 가지 색, 종류, 모양 등이 어울려 다양하고 화려하다.
- **가락**(腔调, 旋律 / giọng) : 음악에서 음의 높낮이의 흐름
- **선보이다**(显露 / ra mắt, trình làng) : 물건이나 사람 등이 처럼 모습을 드러내다.

기출문제

2024년 96회 TOPIK II 읽기 29번

다음을 읽고 (   )에 들어갈 내용으로 가장 알맞은 것을 고르십시오. (각2점)

'산조'는 한 명의 연주자가 악기 하나를 가지고 다채로운 가락과 장단을 즉흥적으로 표현하는 한국 전통 음악의 한 갈래이다. 산조의 독특한 특성은 연주자가 악보대로 연주하는 것이 아니라 무대마다 다른 독주를 선보인다는 데 있다. 현장 분위기에 맞춰 (   ) 연주하기 때문에 같은 연주자와 공연을 여러 번 보아도 그때마다 새로운 감동을 받을 수 있다.

① 여러 사람이 동시에 ② 다양한 변화를 주면서
③ 새로운 악기를 더하여 ④ 악보를 보면서 그대로

정답 ②

해설

빈칸의 위치가 뒤에 있기 때문에 빈칸의 앞 문장을 잘 살펴봐야 합니다. 글의 핵심은 산조의 즉흥성입니다. 연주자가 상황에 따라 가락과 장단을 바꾸며 연주한다는 의미이므로 '다양한 변화를 주면서'가 가장 적절합니다.

① '여러 사람이 동시에'는 산조는 한명의 연주자가 연주하므로 문맥과 불일치합니다.
② '다양한 변화를 주면서'는 즉흥 연주, 무대마다 다른 독주와 정확히 연결됩니다. 💡
③ '새로운 악기를 더하여'는 악기를 추가한다는 말이 없으므로 맞지 않습니다.
④ '악보를 보면서 그대로'는 앞의 '악보대로 연주하지 않는다'와 반대입니다.

기출문제

2019년 63회 TOPIK II 읽기 45번

다음을 읽고 (   )에 들어갈 내용으로 가장 알맞은 것을 고르십시오. (각 2점)

그라피티는 길거리 여기저기 벽면에 낙서처럼 그리거나 스프레이 페인트를 뿌려서 그리는 그림을 말한다. 지하철, 공공장소의 벽면 등에 주로 그려진 그라피티는 사회 비판적인 메시지를 표현하는 경우가 많았다. 권력에 대한 (   ) 소수와 약자의 목소리를 담은 것이다. 이 때문에 그라피티는 주류 문화에서 벗어나 있는 것으로 여겨졌다. 그러나 오늘날 그라파티는 더 이상 변방의 문화에 머물러 있지 않다. 친숙함을 무기로 일상생활 속에 스며들어 그라피티에 대한 사람들의 인식을 바꾸어 놓았기 때문이다. 이에 사람들은 그간 폄하당해 왔던 그라피티의 예술적 가치에도 주목하기 시작했다. 이제 그라피티는 척박한 도시 환경을 다채롭게 장식하며 삶에 예술적 요소를 더하는 것으로 현대 미술에서 제자리를 확고히 하고 있다.

① 불신을 없애며
② 저항 정신을 드러내며
③ 태도를 수동적으로 취하며
④ 우호적 반응을 이끌어 내며

정답 ②

해설

빈칸 앞뒤 문장은 '그라피티는 사회 비판적인 메시지를 표현하는 경우가 많았다. 권력에 대한 (   ) 소수와 약자의 목소리를 담은 것이다.'라고 되어 있습니다. 즉, 그라피티가 권력에 맞서 비판, 항의하는 성격을 띤다는 의미이므로 '권력에 대한 저항 정신을 드러내며'가 가장 자연스럽습니다.

① '불신을 없애며'는 뜻은 사회 비판적인 메시지를 표현한다는 문맥과 반대됩니다.
② '저항 정신을 드러내며'는 사회 비판, 소수 · 약자 목소리와 정확히 연결됩니다. ✅
③ '태도를 수동적으로 취하며'는 그라피티의 '비판적이고 저항적인' 성격과 어울리지 않습니다.
④ '우호적 반응을 이끌어 내며'는 권력에 대해 우호적이라는 뜻이 되어 문맥과 불일치합니다.

단어

- **무한성**(无限性 / tính vô hạn) : 제한이나 한계가 없는 성질.
- **위협적**(威胁的 / tính đe dọa, tính uy hiếp) : 무서운 말이나 행동으로 상대방이 두려움을 느끼도록 하는 것.

기출문제

2022년 83회 TOPIK II 읽기 49번

(　　)에 들어갈 내용으로 가장 알맞은 것을 고르십시오. (각 2점)

　　많은 사람들은 결혼, 수입 등의 객관적 조건이 행복을 결정하는 요인이라고 생각한다. 그러나 이런 요인들로는 행복의 이유를 10% 정도밖에 설명할 수 없다고 한다. 그렇다면 행복을 결정하는 요인은 무엇일까? 그것은 행복에 대해 가지는 믿음과 태도이다. 행복에 대한 태도는 행복의 유한성과 무한성 중 어느 한쪽을 선택함으로써 결정된다. 이 세상에 존재하는 행복의 (　　　　　) 믿는 사람들은 항상 타인의 행복한 정도를 예의 주시하는 특징이 관찰되었다. 남이 행복하면 내 행복이 줄어든다고 생각하는 사람에게는 타인의 행복이 자신의 행복에 위협적인 요소가 되기 때문이다. 반면 행복의 무한성을 믿는 사람들은 무한한 것이라는 믿음을 가질 필요가 있다. 이러한 생각만으로도 행복감은 증대될 수 있으며 자신이 어떻게 할 때 행복해지는지에 집중할 수 있게 되기 때문이다.

① 개인차가 크지 않다고　　　② 총량이 정해져 있다고
③ 양상이 매우 다양하다고　　④ 크기가 계속 증가한다고

정답 ②

해설

문장에서 '유한성'과 '무한성'은 핵심 단어이기 때문에 행복의 양에 관한 내용을 설명하는 것입니다. 빈칸 뒤에 행복이 한정되어 있다고 믿는 사람은 남이 행복하면 내 행복이 줄어든다고 생각합니다. 반면 행복이 무한하다고 믿는 사람은 남의 행복을 위협으로 보지 않습니다. 이처럼 빈칸에서는 '행복이 한정되어 있다'고 믿는 태도를 설명해야 뒤 문장과 논리적으로 자연스럽게 이어집니다.

① '개인차가 크지 않다고'는 문맥과 무관합니다.
② '총량이 정해져 있다고'는 '행복이 정해진 양만 존재한다'는 한정성을 의미하므로 뒤의 '남이 행복하면 내 행복이 줄어든다'와 자연스럽게 연결됩니다. ✅
③ '양상이 매우 다양하다고'는 다양한 관점이라는 의미일 뿐 뒤 내용과 무관합니다.
④ '크기가 계속 증가한다고'는 문맥과 무관합니다.

연습 문제

정답 및 해설 p.157

※ [1~4] 다음을 읽고 (   )에 들어갈 내용으로 가장 알맞은 것을 고르십시오.

1.

> 토론은 특정 문제에 대해 각자의 의견과 근거를 제시하며 판단을 넓혀 가는 과정이다. 따라서 토론에 참여할 때는 자신의 주장뿐 아니라 상대의 주장을 귀 기울여 듣고 그 근거를 분석하는 태도가 필요하다. 이러한 태도를 지닐 때 토론은 단순히 의견을 나누는 것을 넘어 문제를 깊이 있게 바라보는 기회를 제공한다. 그러나 실제 토론에서는 (   ) 토론의 결론에 대한 만족도가 떨어지는 경우가 많다.

① 상대의 주장을 끝까지 듣지 않기 때문에
② 상대의 경험을 중심으로 이야기하기 때문에
③ 서로 질문을 정확하게 하지 않기 때문에
④ 자신의 의견만 강조하며 합의를 시도하지 않기 때문에

2.

> 직장인들은 직장에서 일하면서 월급을 받기도 하지만 성취감을 느끼기도 한다. 이런 만족감을 얻으려면 자신의 업무가 개인의 관심과 잘 맞아야 한다. 업무가 자신의 흥미와 연결되어 있을 때 직장 생활을 오래 지속할 수 있기 때문이다. 따라서 직장을 선택할 때는 회사의 규모나 복지 혜택도 중요하지만 무엇보다도 (   ) 먼저 고려해야 한다.

① 출퇴근 시간이 편한지를
② 회사의 이미지가 좋은지를
③ 사회적 명성이 높은지를
④ 자신의 흥미와 맞는지를

3.

> 깊은 바다는 햇빛이 거의 닿지 않고 수압이 매우 높아서 일반 장비가 정확한 정보를 얻기 어렵다. 이러한 문제를 해결하기 위해 과학자들은 극한 환경에서도 오랫동안 작동할 수 있는 심해용 센서를 개발하였다. 이 센서는 여러 겹의 보호막으로 충격을 막고, 주변 온도와 수압을 일정한 간격으로 자동 측정하고 (   ) 저장된 자료를 분석 장비로 전송한다. 연구원들은 이 정보를 활용해 해류 변화, 해양 생태계 이동, 심해 지형 변화를 파악함으로써 기후 변화 연구와 해양 재해 예측에 활용하고 있다.

① 수집한 데이터를 자동으로 정리해서
② 센서의 위치를 정기적으로 바꿔서
③ 연구원이 현장에서 직접 확인해서
④ 바다 생물의 움직임을 따라가서

4.

> 사람은 새로운 정보를 볼 때 자신이 이미 가지고 있는 생각을 기준으로 해석하는 경향이 있다. 이런 현상을 확증 편향이라고 하는데, 편향이 강해지면 자신이 믿고 싶은 정보만 선택해 받아들이게 된다. 그래서 심리학자들은 판단이 한쪽으로 치우치지 않도록 (   ) 다양한 관점을 비교해 보는 연습이 필요하다고 강조한다. 이런 습관은 감정에 흔들리지 않고 더 균형 잡힌 결정을 내리는 데 도움이 된다.

① 감정이 어떻게 변하는지 살피며
② 익숙한 정보에만 기대지 않으려 하며
③ 새로운 의견을 열린 태도로 받아들이며
④ 자신이 가지고 있는 생각을 버리며

2 접속사/부사 고르기

접속사 고르기 문항은 3급 수준의 내용으로 빈칸에 들어갈 접속사나 부사를 찾는 문제입니다. 읽기 19번에 출제된 문항입니다. 자주 쓰이는 연결 표현과 부사를 미리 익혀 두어야 문제를 빠르게 풀 수 있습니다. 문제 풀이할 때 빈칸 앞뒤의 핵심 어휘를 찾아서 표시하세요! 앞뒤의 관계를 잘 파악하고 접속사나 부사를 선택하면 됩니다.

기출문제

2019년 64회 TOPIK II 읽기 19번

(   )에 들어갈 내용으로 가장 알맞은 것을 고르십시오. (각 2점)

> 해파리는 몸의 95%가 물로 구성되어 있어 열량이 낮다. 그래서 해파리를 먹고 사는 동물이 거의 없다고 알려져 있었다. 하지만 새나 펭귄, 뱀장어 등 많은 동물들에게 해파리는 좋은 먹잇감이다. 해파리에는 비타민이나 콜라겐 같은 영양 성분이 있기 때문이다. (   ) 해파리는 바다 어디에나 있고 도망치지 않아 사냥하기 쉽기 때문이다.

① 과연　　　　② 만약　　　　③ 게다가　　　　④ 이처럼

정답 ③

해설

앞 문장에서 해파리가 '비타민, 콜라겐 같은 영양 성분이 있어 먹잇감이 된다'는 첫 번째 이유가 제시되었고 빈칸 뒤 문장에서 '해파리는 바다 어디에나 있고 도망치지 않아 사냥하기 쉽다'는 두 번째 이유가 이어집니다. 즉, 앞의 이유 → (빈칸) → 뒤의 추가 이유의 흐름이므로 빈칸에는 앞 내용에 이어 이유를 하나 더 제시하는 연결어가 들어가야 합니다.

① '과연'은 감탄·의문을 강조하므로 이유·연결과 맞지 않습니다.
② '만약'은 가정 표현으로, 뒤에 조건 결과가 와야 하므로 부적절합니다.
③ '게다가'는 앞말에 이유·정보를 덧붙일 때 사용하므로 가장 자연스럽게 연결됩니다. 💡
④ '이처럼'은 앞 내용을 정리하거나 예를 제시할 때 사용하므로 뒤 문장이 '또 다른 이유'이므로 어색합니다.

단어

• 성분(成分/thành phần): 통일된 하나의 조직체를 구성하는 한 부분.

기출문제 2024년 96회 TOPIK Ⅱ 읽기 19번

( )에 들어갈 내용으로 가장 알맞은 것을 고르십시오. (각 2점)

> 좋은 생각을 끌어내려면 질문을 어떻게 할지 잘 고민해야 한다. 어떤 회사에서 신제품을 만들고자 직원에게 질문을 한다고 치자. "어떤 물건이 잘 팔릴까?"라고 막연하게 질문하면 대답이 잘 나오지 않는다. 좋은 질문이 아니기 때문이다. ( ) "지금까지의 제품에서 무엇을 개선할까?"라고 질문하면 도움이 되는 구체적인 답이 나온다.

① 결코 ② 특히 ③ 비록 ④ 반면

정답 ④

해설

앞 문장의 '좋지 않은 질문'에서 뒤 문장의 '좋은 질문'으로 대조되는 내용이 이어집니다. 따라서 빈칸에는 앞 문장과 반대 내용을 이어주는 대조 연결어가 들어가야 자연스럽습니다.

① '결코'는 '절대'라는 의미로 대조 기능이 약합니다.
② '특히'는 강조 표현입니다. 대비의 흐름과는 맞지 않습니다.
③ '비록'은 양보 표현이므로 뒤에 '하지만/그러나' 등이 필요합니다.
④ '반면'은 앞뒤 내용을 대조할 때 사용하므로 가장 자연스럽습니다. ✔

여기서 잠깐!

- 다음의 접속 표현과 부사는 시험에서 자주 제시된 것들로, 글의 흐름을 파악할 수 있는 단서가 됩니다.

• 게다가	• 과연	• 그래도	• 그러나
• 그러므로	• 그런데	• 그럼에도 불구하고	• 결코
• 단지	• 더불어	• 또는	• 또한
• 만약	• 물론	• 반면(에)	• 비록
• 뿐만 아니라	• 역시	• 예컨대	• 오히려
• 왜냐하면	• 이처럼	• 이로 인해	• 차라리
• 특히	• 하필	• 혹시	• 혹은

- 접속 표현과 부사는 의미·기능에 따라 다음과 같이 분류할 수 있습니다.
  - **부가**: 주된 것에 덧붙임. 이미 있는 것에 더함.

• 더구나	• 더군다나	• 더욱이	• 물론
• 심지어	• 하물며		

  - **정정**: 잘못된 곳을 고쳐서 바로잡음.

• 도리어	• 오히려	• 차라리

- **부연**: 알기 쉽게 다른 내용을 더하여 자세히 말함.

• 그야	• 어쩐지	• 하기는(하긴)	• 하기야

- **양보**: 앞선 내용으로 인한 기대를 부정함.

• 그래도	• 그런데도	• 그럴망정	• 그럴지라도
• 그럴지언정	• 그렇더라도		

- **중단/전환**: 앞서 진행되던 화제를 마무리하고, 다른 화제로 바꿈.

• 그나저나	• 그런데	• 아무튼(암튼)	• 어떻든(지)
• 어쨌든(지)	• 여하간(에)	• 좌우간(에)	• 하여튼(지)
• 한편			

- **인과**: 원인과 결과.

• 그래서	• 그러니까	• 그러면	• 그러므로
• 그렇다면	• 따라서	• 결국	• 왜냐하면

- **순차**: 시간의 순서에 따라 앞 내용의 뒤에 옴.

• 그러다가	• 그러더니	• 그러자	• 이후

- **동시**: 같은 때.

• 그동안	• 그러면서	• 순간	• 이때(그때)

- **환언**: 같은 내용을 바꾸어 말함.

• 그러니까	• 말하자면	• 즉

- **예시**: 앞선 내용에 대한 구체적인 예.

• 가령	• 예컨대	• 이를테면

- **첨가**: 앞의 내용에 정보를 덧붙임.

• 그리고	• 대신	• 또	• 또는
• 또한	• 아울러	• 요컨대	• 혹은

- **강조** : 앞 내용의 속성이 더 강해짐.

• 게다가	• 더구나	• 더욱이	• 도리어
• 심지어	• 오히려	• 특히	• 하물며

- **역접/대조** : 앞의 내용과 의미적으로 상반되는 내용.

• 그러나	• 그런데	• 그렇지만	• 반면
• 하지만			

- **예외** : 앞선 내용의 예외적인 사항이나 조건.

• 다만	• 단

연습 문제

정답 및 해설 p.158

※ [1~2] 다음을 읽고 물음을 답하십시오.

> 배구 경기를 보면 선수들이 손바닥에 묻은 땀을 유니폼에 닦는 모습을 자주 볼 수 있다. 선수들이 이렇게 손을 닦는 이유는 공을 칠 때 미끄러지지 않도록 하기 위해서이다. 손에 땀이 많으면 공을 정확하게 치기 어렵고, 세게 때릴 때 공이 손에서 빠질 위험도 있다. (   ) 손을 자주 닦는 것도 경기를 안정적으로 운영하는 데 도움이 된다. 때로는 선수끼리 서로 손을 확인해 주기도 한다.

1. (   )에 들어갈 알맞은 것을 고르십시오.

① 반면에　　　　② 오히려　　　　③ 그래서　　　　④ 그리고

2. 이 글의 내용과 같은 것을 고르십시오.

① 손에 땀이 많으면 공을 칠 때 미끄러질 수 있다.
② 배구 선수들은 손의 땀을 줄이기 위해 물을 자주 묻힌다.
③ 손을 닦지 않아도 공을 정확하게 칠 수 있다.
④ 선수들은 손의 땀 때문에 서로의 손을 만지지 않는다.

3 관용 표현 고르기

이 유형은 주제에 대하여 자기의 생각을 밝히는 논설문과 정보를 전달하는 설명문에서 주어진 빈칸에 알맞은 관용 표현을 고르는 문제입니다. 읽기 [21]번에 해당합니다.

기출문제 2024년 96회 TOPIK II 읽기 21번

(   )에 들어갈 말로 가장 알맞은 것을 고르십시오. (각 2점)

> 학생 수 감소로 폐교가 될 뻔한 산골 초등학교가 위기에서 벗어나 화제이다. 이 학교 선생님들은 (   ) 학교를 살릴 방법을 고민했다. 그러다 찾은 것이 '음악 특성화 학교'였다. 선생님들은 예술대학교에 협조를 요청해 학생들에게 다양한 악기를 가르칠 전문가를 구했다. 또 기업의 기부를 받아 유명 음악가와 함께하는 음악회도 개최했다. 이런 소문을 듣고 음악을 배우러 오는 학생들이 생기면서 이 학교는 폐교 위기에서 벗어났다.

① 눈을 딱 감고   ② 머리를 맞대고
③ 손에 땀을 쥐고   ④ 목에 힘을 주고

정답 ②

해설

이 문제는 문맥상 학교가 폐교 위기에서 벗어나기 위해 어떤 태도로 행동했는지를 파악해 알맞은 관용 표현을 고르는 유형입니다. 글의 핵심 내용은 '학교가 음악 특성화를 시도하고 전문 강사를 초빙하며 음악회를 열어 학생 수를 늘리는 데 적극적으로 노력했다'는 것입니다. 따라서 빈칸에는 '여럿이 협력하여 지혜를 모았다'라는 의미가 들어가야 합니다.

① '눈을 딱 감고'는 '감수하다, 참다'의 의미로 문맥과 맞지 않습니다.
② **'머리를 맞대고'는 '함께 의논한다'는 문맥에 가장 적절합니다.** 🔖
③ '손에 땀을 쥐고'는 긴장한 상태를 나타내어 글의 상황에 부합하지 않습니다.
④ '목에 힘을 주고'는 거만하게 행동한다는 뜻으로 적절하지 않습니다.

기출문제   2019년 66회 TOPIK Ⅱ 읽기 21번

(   )에 들어갈 알맞은 것을 고르십시오. (각 2점)

> 은행에 직접 가지 않고 스마트폰이나 인터넷으로 은행 일을 보는 사람들이 많다. 이자 우대나 수수료 할인 등 각종 혜택도 많다. 하지만 많은 노인들에게 이런 서비스는 그저 (   )일 뿐이다. 디지털 환경에 익숙해질 기회가 적었던 노인들에게는 가입 과정이나 이용 방법이 복잡하게 느껴지기 때문이다. 이런 노인들에게 온라인 은행 업무 서비스를 경험하고 배워 볼 수 있는 기회를 제공하는 것이 필요하다.

① 그림의 떡   ② 새 발의 피
③ 우물 안 개구리   ④ 티끌 모아 태산

정답 ①

해설

이 문제는 많은 노인들에게 온라인 은행 서비스가 혜택이 있지만 활용하지 못하고 의미 없는 존재라는 점을 말하고 있습니다. 따라서 노인들에게 이 서비스는 '좋아 보이지만 실제로는 이용할 수 없는 것입니다.

① '그림의 떡'은 좋아 보이지만 실제로는 가질 수 없는 것으로 '접근 불가'의 의미로 문맥과 일치합니다.
② '새 발의 피'는 양이 아주 적다는 의미로 이용의 어려움과 무관합니다.
③ '우물 안 개구리'는 견문이 좁음으로 서비스 이용의 어려움과 핵심이 다릅니다.
④ '티끌 모아 태산'는 작은 것이 모여 큰 것이 된다는 의미로 문맥과 불일치합니다.

기출 분석   집중 공략

주로 논설문이나 설명문에서 출제되며 최신 사회 이슈, 기술, 인간 심리, 교육, 과학, 경제 등 폭넓은 주제를 다룹니다. 이 유형은 문맥 이해력과 논리적 사고력을 평가하며 앞뒤 문장의 관계를 파악해 글의 흐름을 자연스럽게 이어야 합니다. TOPIK Ⅱ에 출제된 관용 표현은 약 200개 가까이 되어 한 번에 외우기 어렵기 때문에 조금씩 자주 익히는 습관이 중요합니다. 또한 속담도 가끔 함께 출제되므로 단순히 뜻만 외우지 말고 주어진 글의 상황과 연결하며 의미를 기억해야 합니다.

여기서 잠깐!

다음은 시험에 자주 출제된 관용 표현입니다.

• 가슴을 치다	• 고개를 숙이다	• 골치가 아프다
• 귀가 솔깃하다	• 귀를 기울이다	• 눈치가 빠르다
• 눈코 뜰 사이가 없다	• 담을 쌓다	• 머리를 식히다
• 못을 박다	• 발걸음을 맞추다	• 발목을 잡다
• 발을 빼다	• 비행기를 태우다	• 손을 떼다
• 시치미를 떼다	• 앞뒤를 가리다	• 앞뒤를 재다
• 열을 올리다	• 이를 갈다	• 입을 모으다
• 진땀을 빼다/흘리다	• 콧대가 높다	• 허리띠를 졸라매다

연습 문제

정답 및 해설 p.159

※ [1~2] 다음을 읽고 물음을 답하십시오.

> 사람들은 보통 다른 사람의 삶을 볼 때 겉으로 드러나는 모습만 보고 쉽게 판단하곤 한다. 겉모습은 밝고 여유로워 보이지만 그 뒤에서는 남들이 모르는 걱정 때문에 속을 태우는 순간도 있다. 또 어떤 사람은 조용해 보이지만 사실은 자신의 자리를 지키기 위해 남모르게 (   ) 하루를 버티고 있을지도 모른다. 이렇게 겉과 속의 차이를 모르고 판단하면 그 사람의 진짜 모습을 놓치게 된다. 그래서 우리는 겉모습뿐 아니라 그 사람이 걸어온 과정까지 함께 살펴보려는 태도가 필요하다.

1. (   )에 들어갈 알맞은 것을 고르십시오.

① 고개를 숙이며 ② 진땀을 빼며
③ 입을 모으며 ④ 귀가 솔깃하며

2. 윗글의 중심 생각을 고르십시오.

① 사람들은 누구나 남에게 걱정을 숨기며 살아간다.
② 겉모습만 보면 그 사람의 진짜 모습을 알기 어렵다.
③ 남을 이해하려면 먼저 자신의 문제를 해결해야 한다.
④ 사람은 모두 비슷한 고민을 가지고 있다.

6 신문 기사 제목을 가장 잘 설명한 것 고르기

1 신문 기사 제목을 읽고 가장 잘 설명한 것을 고르기

이 유형은 신문 기사 제목을 읽고 가장 잘 설명한 것을 고르는 문항입니다. 읽기의 [25~27]에 출제된 문항입니다.

기출문제 2024년 96회 TOPIK II 읽기 25번

다음 신문 기사의 제목을 가장 잘 설명한 것을 고르십시오. (각 2점)

> 모처럼의 황금연휴, 여행사 예약 문의 '껑충'

① 연휴가 짧아서 여행 상품을 찾는 예약 문의가 줄어들었다.
② 값이 비싸더라도 연휴 기간에 여행을 가려는 사람이 많아졌다.
③ 오랜만에 오는 긴 연휴를 맞아 여행사에 예약 상담이 대폭 많아졌다.
④ 매년 돌아오는 연휴를 앞두고 여행사마다 적극적인 홍보를 시작했다.

정답 ③

해설

이 문제는 기사의 제목이 전달하는 핵심 의미를 파악해 가장 잘 설명한 선택지를 고르는 유형입니다. 제목에서 '껑충'은 '수치가 갑자기 크게 증가했다'는 의미이며 '모처럼의 황금연휴'는 오랜만에 찾아온 긴 연휴를 뜻합니다. 즉, 오랜만의 긴 연휴가 찾아와 여행사 예약 문의가 크게 늘었다는 흐름을 보여 줍니다.

① '연휴가 짧아서 여행 상품을 찾는 예약 문의가 줄어들었다.'에서 문의가 줄어들었다는 말은 제목(증가)과 반대됩니다.
② '값이 비싸더라도 연휴 기간에 여행을 가려는 사람이 많아졌다.'는 비싸도 여행하려는 사람 증가는 '가격'에 초점을 두고 있으므로 제목과 다릅니다.
③ '오랜만에 오는 긴 연휴를 맞아 여행사에 예약 상담이 대폭 많아졌다.'에서 오랜만의 긴 연휴와 예약 상담 대폭 증가는 '껑충'의 의미와 일치합니다.
④ '매년 돌아오는 연휴를 앞두고 여행사마다 적극적인 홍보를 시작했다.'에서 매년 적극적인 홍보 시작하다는 말은 연휴·예약 증가와 무관합니다.

기출문제   2023년 83회 TOPIK II 읽기 27번

다음 신문 기사의 제목을 가장 잘 설명한 것을 고르십시오. (각 2점)

> 온라인 거래 사기 급증, 정부 대책 마련은 미흡

① 온라인 거래 사기가 늘었지만 정부의 대책 마련은 충분하지 않다.
② 온라인 시장에서 거래 사기가 증가해 정부가 대책을 수립하고 있다.
③ 온라인 거래 사기를 막기 위해 마련한 정부의 대책은 큰 효과가 없었다.
④ 온라인 거래 사기 피해자들을 위해 정부가 대책을 마련하겠다고 발표했다.

정답 ①

해설

제목에서 '급증'은 사기가 빠르게 많이 늘었다는 뜻, '미흡'은 정부의 대응이 충분하지 않다는 뜻입니다. 즉, 온라인 거래 사기는 빠르게 증가했지만 정부 대책은 부족하다가 제목의 요지입니다.

① '온라인 거래 사기가 늘었지만 정부의 대책 마련은 충분하지 않다.'에서 '늘었지만 충분하지 않다'는 말은 제목의 미흡하다는 단어와 일치합니다. ✔
② '온라인 시장에서 거래 사기가 증가해 정부가 대책을 수립하고 있다.'에서 거래 사기 증가 부분은 언급되었지만 정부 대책 수립 부분은 제목의 '미흡'과 불일치합니다.
③ '온라인 거래 사기를 막기 위해 마련한 정부의 대책은 큰 효과가 없었다.'에서 정부가 마련한 대책이라는 부분은 제목에서 정부가 대책을 마련하지 못한 것을 의미하는 것과 상반됩니다.
④ '온라인 거래 사기 피해자들을 위해 정부가 대책을 마련하겠다고 발표했다.' 역시 제목에서 정부가 대책을 마련하지 못한 것을 의미하는 것과 일치하지 않습니다.

기출 분석   집중 공략

신문 기사 제목은 어휘나 구의 형태로 제시되므로 이것을 하나의 문장으로 만들 수 있어야 합니다. 또한 신문 기사 제목은 내용을 줄여서 표현하거나 강조하는 어휘와 표현이 많이 나오므로 신문 기사 제목을 보며 어떤 표현을 자주 사용하는지 알아 두는 것이 좋습니다.

여기서 잠깐!

- **건강 정보와 생활 정보와 관련된 내용의 기사 제목**
  - 〈아시아경제〉에서 이진경 기자의 〈카드뉴스〉를 참고할 수 있습니다.
- **정책과 관련된 내용의 기사 제목**
  - 네이버(NAVER)나 구글(Google)에서 '시행'을 검색해 보면 TOPIK 시험쯤 시행될 예정이거나 시행 중인 정책을 미리 알 수 있습니다.

• 건지다	• 껑충	• 뒷전	• 뚝뚝
• 몸살 앓다	• 미지수	• 봄바람	• 불붙다
• 빨간불	• 성큼	• 쑥쑥	• 오락가락
• 웃다	• 웃음 가득	• 제자리걸음	• 줄 잇다
• 청신호	• 침묵 깨다	• 톡톡	• 폭발
• 한숨	• 훨훨 날다	• 엉금엉금	• 들썩
• 부글부글	• 빗발치다	• 기지개	• 싹쓸이

연습 문제

※ [1~4] 다음 신문 기사의 제목을 가장 잘 설명한 것을 고르십시오.

1.

> 봄비 내리자 주말 나들이 차량 '들썩'… 주요 도로 정체

① 봄비가 오면서 나들이 차량이 줄어 도로가 한산해졌다.
② 주말 나들이 차량이 몰리면서 도로 정체가 심해졌다.
③ 비가 내려 도로가 침수되어 모든 차량이 우회했다.
④ 도로 공사로 인해 주말에 전면 통제가 이루어졌다.

2.

> 지역 병원 응급실, 감기 환자 '줄 잇다'. 대기 시간 2시간 넘겨

① 감기 환자가 크게 감소해 대기 시간이 짧아졌다.
② 감기 환자가 계속 이어져 응급실이 붐비고 있다.
③ 응급실 인력이 늘어 대기 시간이 줄어들었다.
④ 응급실에서 감기 환자는 진료받지 못하고 돌아갔다.

3.

> 강풍에 간판 '뚝뚝' 떨어져… 상가 지역 안전 점검 실시

① 안전 점검 후 간판 철거를 모두 중단했다.
② 강풍이 약해져 상가 간판 피해가 거의 없었다.
③ 상가들이 자발적으로 간판을 철거하기로 결정했다.
④ 강풍으로 간판이 연속해서 떨어져 안전 점검이 이뤄지고 있다.

4.

> 화재 진압 중 구조대원, 연기로 시야 '뿌옇다'… 구조 작업 난항

① 구조대원이 부족해 화재 진압이 늦어진다.
② 연기가 가득해 구조 작업이 어려움을 겪고 있다.
③ 연기가 거의 없어 신속하게 구조가 이뤄지고 있다.
④ 소방차 고장으로 연기가 주변에 퍼지지 못하고 있다.

7 필자의 태도 및 목적 고르기

1 필자의 태도 고르기

TOPIK Ⅱ의 46번 문항에 해당하는 이 유형에서는 주어진 글을 읽고 전체적인 내용에서 글쓴이의 태도를 파악하여 4개의 주어진 보기에서 알맞은 것을 선택해야 합니다.

단어

- **현행**(現行 / sự hiện hành) : 현재 행해지고 있음. 또는 행하고 있음.
- **전승되다**(被传承 / được kế thừa) : 문화, 풍속, 제도 등이 물려받아져 이어지다.
- **계승되다**(被继承 / được kế thừa) : 조상의 전통이나 문화, 업적 등이 계속 이어져 나가다.
- **지정하다**(指定 / chỉ định) : 공공 기관이나 단체, 개인 등이 어떤 것을 특별한 자격이나 가치가 있는 것으로 정하다.
- **형체**(形体, 外形 / hình thể, hình thù) : 물체의 생긴 모양이나 그 바탕이 되는 몸체.
- **전수받다**(传习, 被传授 / tiếp nhận sự chuyển giao) : 기술이나 지식 등을 전해 받다.
- **명맥**(命脉 / truyền thống, sự sống, sự tồn tại) : 사라지거나 끊어지지 않고 이어지는 전통.

기출문제 2024년 96회 TOPIK Ⅱ 46번

현행 문화재 보호법에서는 역사적 예술적으로 가치가 높은 음악 무용, 공예, 기능 등을 국가 무형 문화재로 규정하고 있다. 이에 따라 여러 세대에 걸쳐 전승되어 온 무형의 문화유산 중 원형 그대로 계승될 만한 가치가 있는 것을 국가 무형 문화재로 지정한다. 이 무형 문화재는 형체가 없으므로 기능을 보유한 사람을 인간문화재로 지정해 이들을 통해 문화재가 보존되도록 한다. 그런데 이 무형 문화재를 전수받으려는 사람이 줄고 있어 문화재 보존에 비상등이 켜졌다. 오랜 시간 어렵게 기능을 전수받더라도 무조건 인간문화재로 지정되는 것도 아니고 기능을 연마하는 동안에는 국가의 경제적 지원도 없기 때문이다. 전통문화는 그 민족의 자긍심과도 밀접하게 관련되어 있는 것인데 이렇게 가다가는 무형 문화재의 명맥이 끊이는 일이 생길 수 있을 것이다.

윗글에 나타난 필자의 태도로 가장 알맞은 것을 고르십시오.

① 인간문화재가 앞으로 더 많이 배출될 것을 기대하고 있다.
② 국가 무형 문화재의 전수가 단절되어 가는 것을 우려하고 있다.
③ 인간문화재가 되기 위해 노력하는 사람의 자세에 감탄하고 있다.
④ 국가 무형 문화재의 선정 절차를 투명하게 할 것을 요구하고 있다.

정답 ②

해설

①번에서 ④번까지 중에서 필자의 태도가 알맞게 기술된 보기는 ②번입니다. 글에 나타난 필자의 태도를 파악하기 위해서는 글에서 글쓴이의 상황이나 관점, 입장 등을 이해하는 것이 중요합니다.

윗글을 다시 살펴보며 내용을 분석해 보겠습니다.

현행 문화재 보호법에서는 역사적 예술적으로 가치가 높은 음악 무용, 공예, 기능 등을 국가 무형 문화재로 규정하고 있다. 이에 따라 여러 세대에 걸쳐 전승되어 온 무형의 문화유산 중 원형 그대로 계승될 만한 가치가 있는 것을 국가 무형 문화재로 지정한다. 이 무형 문화재는 형체가 없으므로 기능을 보유한 사람을 인간문화재로 지정해 이들을 통해 문화재가 보존되도록 한다. 그런데 이 무형 문화재를 전수받으려는 사람이 줄고 있어 문화재 보존에 비상등이 켜졌다. 오랜 시간 어렵게 기능을 전수받더라도 무조건 인간문화재로 지정되는 것도 아니고 기능을 연마하는 동안에는 국가의 경제적 지원도 없기 때문이다.

이 부분에서는 현행 문화재 보호법에서 무형 문화재를 지정하고 보호하는 방식에 대하여 객관적으로 설명한다.

내용의 전개이나 반전을 나타내는 접속사, 독자는 글의 방향이 바뀐 것이라고 생각할 수 있다.

비상등이 켜진다는 표현에서 결과가 부정적으로 인식되고 있음을 알 수 있다.

전통문화는 그 민족의 자긍심과도 밀접하게 관련되어 있는 것인데 이렇게 가다가는 무형 문화재의 명맥이 끊이는 일이 생길 수 있을 것이다.

부정적으로 인식하는 이유.

내용의 전환에 사용하는 연결 어미.

필자가 부정적으로 전망하고 있음을 알 수 있다.

- 이 글을 분석해 보면 필자는 먼저 현행 문화재 보호법에서 무형 문화재를 어떻게 지정하고 보존하는지에 대하여 설명함으로써 문화재 보호법의 역할과 기능에 대하여 설명합니다.
- 그리고 이어지는 접속사 '그런데'에서 우리는 필자가 이것과 관련하여 다른 이야기를 하고 싶어한다는 것을 알 수 있습니다. 즉, 내용이 전환되는 것입니다.
- 필자는 무형 문화재를 전수받으려는 사람이 줄고 있는 상황에 대하여 말하며 '비상등이 켜졌다'라고 표현합니다. '비상등'은 긴급하거나 위급한 상황에 켜는 것으로 글쓴이가 이러한 상황을 부정적으로 인식하고 있음을 드러냅니다.
- 이어지는 부분은 부정적으로 인식하는 이유를 설명합니다. 즉, 인간문화재가 되기도 어렵지만 배우는 데 시간이 많이 걸리는 데다가 또 그동안에는 수입이 없어 생계 또한 어려운 문제가 있는 것입니다.
- 마지막 문장은 이 글의 결론에 해당하는데 필자는 전통문화의 중요성에 대하여 강조하며 그러나 현재와 같은 상황이 이어진다면 무형 문화재는 그 명맥이 끊일 것이라고 우려합니다.
- '명맥이 끊이는 일'에서 우리는 글쓴이가 부정적으로 전망하고 있다는 것을 알 수 있습니다.

그러면 이제 주어진 보기를 살펴보겠습니다.

> ① 인간문화재가 앞으로 더 많이 배출될 것을 기대하고 있다.
> ② 국가 무형 문화재의 전수가 단절되어 가는 것을 우려하고 있다.
> ③ 인간문화재가 되기 위해 노력하는 사람의 자세에 감탄하고 있다.
> ④ 국가 무형 문화재의 선정 절차를 투명하게 할 것을 요구하고 있다.

①번과 ③번은 필자의 태도를 긍정적으로 해석하고 있으므로 알맞지 않다. 또한 글과는 상관이 없는 내용이다.

④번은 글과 상관없는 내용이다.

'단절'과 '우려'라는 어휘에 필자의 부정적인 인식과 전망이 잘 드러나 있다.

- ①번의 '기대'라는 어휘와 ③번의 '감탄'이라는 어휘는 긍정적인 태도와 인식을 각각 드러내어 본문에서 알 수 있는 필자의 태도가 부정적인 것과는 일치하지 않아 답이 될 수 없습니다. 또한 본문의 내용과 전혀 다른 이야기이기도 합니다.
- ④번 역시 본문과 상관없는 내용이므로 답이 될 수 없습니다.
- 답은 ②번으로 '명맥이 끊이다'는 '단절'로, '비상등이 켜지다'는 '우려'로 각각 연결되어 필자의 태도를 나타내는 답으로 적합합니다.

기출문제

2023년 91회 TOPIK II 46번

주가 조작이나 공금 횡령 등의 경제 범죄는 사람에게 직접적인 상해를 가하는 흉악 범죄보다 범죄 정도가 낮다고 생각하기 쉽다. 그러나 경제 범죄의 수법이 날이 갈수록 다양해지고 지능화되어 사회에 미치는 충격과 피해가 막심하다. 최근 증권사 직원의 주가 조작으로 고객들이 천억 넘게 손해 본 사건만 해도 그렇다. 이러한 경제 범죄는 개인 손해를 넘어 국가 경제와도 직결될 수 있다. 따라서 이를 가벼이 여겨서는 안 되며 관대하게 처벌해서도 안 된다. 건전한 경제 질서를 확립하기 위해 경제 사범을 엄벌할 필요가 있다. '한탕 크게 해 먹고 몸으로 때우면 된다'는 한탕주의가 만연하지 않도록 처벌 수준을 더 높여야 한다. 지금까지 미진했던 부당 이익 환수도 앞으로 잘 이루어져 경제 범죄가 재발되지 않도록 해야 할 것이다.

윗글에 나타난 필자의 태도로 가장 알맞은 것을 고르십시오.

① 경제 범죄가 사회에 미치는 영향을 부정하고 있다.
② 경제 사범에 대한 처벌을 강화하도록 촉구하고 있다.
③ 경제 사범의 처벌로 생길 결과에 대해 우려하고 있다.
④ 경제 범죄의 다양한 수법을 객관적으로 분석하고 있다.

정답 ②

해설

①번에서 ④번까지 중에서 필자의 태도가 알맞게 기술된 보기는 ②번입니다. 글에 나타난 필자의 태도를 파악하기 위해서는 주제에 대한 글쓴이의 견해나 주장 등을 이해하는 것이 중요합니다.

단어

- **주가**(股价 / giá cổ phiếu): 주식 시장의 시세에 따라 결정되는 주식의 가격.
- **조작**(捏造 / sự làm giả): 어떤 일을 사실인 것처럼 꾸며서 만듦.
- **공금**(公款 / công quỹ): 개인이 아닌 단체 소유의 돈.
- **횡령**(贪污 / sự tham ô): 남의 재물이나 공적인 돈을 불법으로 차지하여 가짐.
- **상해**(伤害 / sự đả thương): 다른 사람의 몸에 상처를 내어 해를 끼침.
- **흉악**(凶恶 / sự hung ác): 성질이 악하고 사나움.
- **범죄**(犯罪 / sự phạm tội): 법을 어기고 죄를 저지르는 것.
- **수법**(手法 / cách, kế): 수단과 방법.
- **지능화**(智能化 / sự tinh vi hóa): 범죄 등의 수법이 교묘해짐.
- **막심하다**(极大 / nặng nề): 정도가 매우 심하다.
- **직결되다**(直接连接 / có liên quan trực tiếp): 사이에 다른 것이 없이 직접 연결되다.
- **사범**(罪犯 / sự phạm tội): 법적인 처벌을 받을 만한 행위. 또는 그런 행위를 한 사람.
- **엄벌하다**(严惩 / phạt nghiêm): 엄하게 벌을 주다.
- **미진하다**(未尽 / chưa tới nơi): 아직 다하지 못하거나 충분하지 못하다.
- **부당**(不当 / sự không chính đáng): 도리에 어긋나서 정당하지 않음.
- **환수**(收回 / sự thu hồi): 다시 거두어들임.
- **촉구하다**(催促 / giục, thúc giục): 어떤 일을 급하게 빨리하도록 청하다.

지문을 다시 살펴보며 내용을 분석해 보겠습니다.

주가 조작이나 공금 횡령 등의 경제 범죄는 사람에게 직접적인 상해를 가하는 흉악 범죄보다 범죄 정도가 낮다고 생각하기 쉽다. **그러나** 경제 범죄의 수법이 날이 갈수록 다양해지고 지능화되어 사회에 미치는 충격과 피해가 막심하다. 최근 증권사 직원의 주가 조작으로 고객들이 천억 넘게 손해 본 사건만 해도 그렇다. 이러한 경제 범죄는 개인 손해를 넘어 국가 경제와도 직결될 수 있다. **따라서** 이를 가벼이 여겨서는 안 되며 관대하게 처벌해서도 안 된다. 건전한 경제 질서를 확립하기 위해 경제 사범을 **엄벌할 필요가 있다**. '한탕 크게 해 먹고 몸으로 때우면 된다'는 한탕주의가 만연하지 않도록 처벌 수준을 더 높여야 한다. 지금까지 미진했던 부당 이익 환수도 앞으로 잘 이루어져 경제 범죄가 재발되지 않도록 해야 할 것이다.

글 전체의 도입에 해당하는 문장으로 경제 범죄에 대한 일반적인 인식에 대하여 설명한다.

내용의 전환이나 반전을 나타내는 접속사, 독자는 글의 방향이 바뀔 것이라고 짐작할 수 있다.

그러한 일반적인 인식과 달리 현실에서는 경제 범죄로 인한 손해가 매우 크다는 것을 실제 주가 조작 사례와 함께 설명한다.

글 전체의 결론이자 경제 범죄에 대한 필자의 태도가 드러난 부분이다.

'엄벌할 필요가 있다'라는 표현에서 필자의 태도와 입장을 알 수 있다.

앞문장이 원인이고 이어지는 뒤 문장이 결과일 때 쓰는 접속사. 뒤에 결론이 이어지는 경우가 많다.

- 내용을 순서대로 분석해 보면 필자는 먼저 사람들이 일반적으로 가지고 있는 경제 범죄에 대한 인식에 대하여 소개합니다. 사람들은 경제 범죄는 흉악 범죄에 비하여 범죄 정도가 약하다고 생각하죠.
- 하지만 필자는 그와는 다른 주장을 하고 싶어합니다. 그래서 접속사 '그러나'를 사용하여 실제로는 경제 범죄로 인한 손해도 매우 크다는 것을 주장합니다. 주가 조작을 예로 들고 국가 경제를 이유로 들고 있습니다.
- 이어서 접속사 '따라서'를 볼 수 있습니다. '따라서' 뒤에는 대체로 앞 문장으로 인한 결과가 나오거나 글 전체의 결론에 해당하는 부분을 볼 수 있습니다.
- 필자는 경제 범죄로 인한 손해도 매우 크다는 것을 강조하며 그러한 이유로 경제 사범을 엄벌할 필요가 있다고 주장합니다.

이번에는 주어진 보기를 살펴보겠습니다.

① 경제 범죄가 사회에 미치는 영향을 부정하고 있다.
② 경제 사범에 대한 처벌을 강화하도록 촉구하고 있다.
③ 경제 사범의 처벌로 생길 결과에 대해 우려하고 있다.
④ 경제 범죄의 다양한 수법을 객관적으로 분석하고 있다.

글과 반대되는 내용이다.

'처벌, 강화, 촉구'라는 어휘로 필자의 입장을 잘 드러내고 있다.

글의 내용과 관련 없다.

- ①번은 지문의 내용과 반대되는 것으로 지문에서는 경제 범죄가 사회에 미치는 영향을 강조하며 국가 경제와도 직결된다고 주장합니다.
- ③번과 ④번은 글의 내용과 관련이 없는 것으로 경제 사범의 처벌로 인한 결과를 우려하거나 경제 범죄의 다양한 수법을 분석하는 내용은 지문에 포함되어 있지 않습니다.
- 답은 ②번으로 지문에서는 '경제 사범을 엄벌할 필요가 있다.'라는 주제문의 내용과 일치합니다. '처벌, 강화, 촉구'라는 단어에 필자의 태도를 나타내는 답으로 적합합니다. 🗸

기출 분석 글쓴이의 태도 분석

글쓴이의 태도를 파악하기 위한 방법은 이상과 같이 어휘와 표현 방식을 분석하는 것을 포함하여 다음과 같이 정리할 수 있습니다.

- **어휘와 표현 방식 분석하기**
  - 단어나 표현이 긍정적인지 부정적인지 중립적인지 살펴봅니다.
- **어조와 분위기 파악하기**
  - 글이 진지한지 재미있는지 비판적인지 감동적인지 등을 알아봅니다.
- **글의 목적과 대상 독자 고려하기**
  - 정보를 전달하려는 것인지 설득하려는 것인지 감정을 표현하려는 것인지 독자에게 어떤 영향을 주려는 것인지 분석합니다.
- **문장 구조와 강조 방식 살펴보기**
  - 반복이나 감탄문, 수식어 등의 사용은 글쓴이의 감정이나 태도를 강조하는 수단이므로 살펴보아야 합니다.
- **배경지식과 맥락 활용하기**
  - 글이 쓰인 시대적, 사회적 배경을 알면 글쓴이의 태도를 더 깊이 이해할 수 있습니다. 특히 논설문이나 시사적인 글에서는 맥락이 중요합니다.

여기서 잠깐!

또한, 접속사의 의미와 기능을 알면 글 전체의 흐름을 파악하기 쉽습니다. 한국어 접속사의 기능은 다음과 같이 정리할 수 있습니다.

글의 전개를 돕고 글 전체의 응집성을 높여 주는 담화 표지로서 접속사와 접속 표현의 기능은 다음과 같습니다.

(1) 그리고	⇒ 병렬
(2) 또한, 그리고	⇒ 첨가
(3) 그래서, 그러니까, 그러므로, 따라서	⇒ 인과 관계
(4) 그런데, 그러나, 하지만	⇒ 화제 전환
(5) 즉, 예를 들면	⇒ 부연 설명
(6) 왜냐하면	⇒ 이유 설명

- **그리고**
  - '그리고'는 비슷한 내용을 나열하거나 첨가할 때 씁니다. 앞의 내용을 이어받아서 연결하는 기능이 있습니다.
  - 다음 글을 보겠습니다.

> 건물 외벽이나 버스 등에 사용되는 강화 유리는 일반 유리보다 강해 잘 깨지지 않는다. 그래서 위급할 때 강화 유리를 깨려면 뾰족한 것으로 내리쳐야 한다. 끝이 뾰족하면 같은 힘으로 치더라도 힘이 집중되어 더 쉽게 깰 수 있다. 그리고 내려치는 위치도 명심해야 한다. 가운데보다는 가장자리를 깨는 것이 효과적이기 때문이다. 가운데를 치면 유리 전체가 흔들리면서 충격을 흡수해 버리지만 가장자리를 치면 충격을 흡수할 수 있는 면적이 작아 쉽게 깰 수 있다.
>
> 출처: 2018년 57회 TOPIK II 40번

– 이 글에서는 글쓴이는 위급한 상황에서 강화 유리를 깨는 방법에 대하여 설명합니다. 접속사 '그리고'는 강화 유리를 깨는 방법을 설명하며 내려치는 위치도 중요하다는 것을 병렬적으로 첨가합니다.

– 따라서, 주어진 글에서 '그리고'로 시작하는 문장을 보면 앞 문장과 같은 주제의 내용이 나오거나 앞 문장을 이어받아서 연결하는 내용이 나온다고 생각하면 됩니다.

• 또한

– '또한'은 '그리고'처럼 비슷한 내용을 나열할 때 쓰는데 특히 어떤 내용을 더해서 말할 때 사용합니다.

– 다음 글을 보겠습니다.

> 농어촌공사에서는 농사를 짓고 싶어도 땅이 없거나 농지 매입 비용이 부담스러운 청년들에게 시세보다 낮게 농지를 임대해 주는 제도를 운영하고 있다. 이른바 '농지은행'이라 불리는 제도이다. 이 제도로 인해 많은 청년들이 농촌으로 유입되어 농촌 지역에 활력이 생기고 농지 활용도가 높아지게 되었다. 또한 저렴하게 땅을 빌려 농사의 규모를 키울 수 있으므로 소득 증대 효과 역시 큰 것으로 나타났다.
>
> 출처: 2018년 57회 TOPIK II 34번

– 이 글에서는 농어촌공사에서 청년들에게 농지를 임대해 주는 제도에 대하여 설명합니다. 처음의 두 문장에서는 '농지은행'에 대하여 설명하고 이어지는 두 문장에서는 그 제도로 인한 긍정적인 결과를 나열합니다.

– 긍정적인 결과로서, 농지 임대 제도로 인해 농촌 지역에 활력이 생기고 농지 활용도가 높아진 효과에 대하여 언급하며 덧붙여 소득 증대 효과도 높다는 것을 강조합니다.

– 즉, 주어진 글에서 '또한'으로 시작하는 문장을 보면 앞 문장과 같은 주제의 내용이 첨가된다고 이해하면 됩니다.

• 그래서, 그러니까, 그러므로, 따라서

– '그래서, 그러니까, 그러므로, 따라서'는 앞 문장이 원인이고 이어지는 뒤 문장이 결과일 때 씁니다. 특히, 결론으로 이어지는 경우도 상당히 많습니다.

– 다음 글을 보겠습니다.

> 사람들은 일반적으로 쓴맛을 꺼린다. 이것은 자신의 몸을 보호하려는 본능과 관계가 있다. 식물 중에는 독성이 있어 몸에 해로운 것들이 있다. 그런데 이런 독이 있는 식물은 보통 쓴맛이 난다. 따라서 사람들은 무의식적으로 쓴맛이 나는 것을 위험하다고 여기고 이를 거부하게 되는 것이다.
>
> 출처: 2017년 52회 TOPIK II 16번

– 이 글에서는 사람들이 쓴맛을 싫어하는 것이 자신의 몸을 보호하기 위한 본능에 의한 것이라고 설명합니다. 독성이 있는 식물은 보통 쓴맛이 난다는 누적된 경험에서 사람들은 본능적으로 쓴맛을 위험하다고 여기고 거부하게 된다는 것입니다.

– 여기에서 '따라서' 뒤에 나오는 문장은 앞에 설명된 배경지식에 근거한 결과적 행동으로 볼 수 있습니다.

― 예시를 하나 더 살펴보겠습니다.

> 대화를 원활하게 하기 위해서는 상대방에게 내가 그의 말을 잘 듣고 있다는 느낌을 주어야 한다. 이때 고개를 끄덕이는 행동을 하면 좋다. 대부분의 나라에서 이런 행동은 긍정을 나타낸다. 따라서 머리를 위아래로 움직이는 행동을 하면 상대방을 존중하고 이야기에 공감하고 있다는 인상을 줄 수 있다.
>
> 출처: 2017년 52회 TOPIK Ⅱ 17번

― 이 글에서는 대화할 때 적절한 몸짓에 대하여 설명한다. 많은 나라에서 긍정적으로 받아들여지는 몸짓에 대하여 이야기하며 대화할 때 머리를 끄덕일 것을 제안합니다.

― 특히, '따라서'에 이어지는 문장은 앞의 내용을 요약하여 다시 한번 제시한 것으로 글 전체의 결론으로 볼 수 있습니다.

• **그런데, 그러나, 하지만**

― '그런데, 그러나, 하지만'은 앞 문장과 반대되는 내용을 말하거나 화제를 전환할 때 씁니다.

― 다음 글을 보겠습니다.

> 전자레인지는 보통 음식을 따뜻하게 데울 때 사용된다. 그런데 전자레인지는 직접 열을 가하는 것이 아니라 음식에 포함된 물 분자의 움직임을 이용하여 음식을 데운다. 음식물에 전자레인지의 전자파가 닿으면 음식물 안에 있는 물 분자들이 진동하면서 열이 발생하는 것이다. 한편 얼음은 전자레인지의 전자파가 닿아도 녹지 않는다. 얼음 속의 물 분자가 얼어 있어서 움직이지 못하기 때문이다.
>
> 출처: 2017년 52회 TOPIK Ⅱ 30번

― 이 글에서는 전자레인지의 전자파가 음식을 데우는 원리에 대하여 설명합니다. 일반적으로 데울 때에는 열을 가해야 한다는 상식과 달리 전자레인지는 물 분자를 진동시켜 열을 발생시키는 원리로 음식을 데우는 것입니다.

― 이러한 차이를 설명하기 위하여 이 글에서는 '그런데'를 사용하여 기존의 상식에서 전환하여 전자레인지의 원리를 이해하도록 합니다.

― 따라서 '그런데'가 나오면 지금까지의 내용과는 다른 이야기를 하려고 한다는 것을 짐작할 수 있습니다.

• **즉, 예를 들면**

― '즉, 예를 들면'은 앞의 내용에 대하여 다시 요약하거나 풀어서 말하거나 관련된 예를 제시하여 이해하기 쉽도록 설명을 덧붙여 자세히 말할 때 씁니다.

― 다음 글을 보겠습니다.

> 사람들은 흔히 유머가 웃음을 만든다고 생각한다. 그러나 실제로는 웃음이 먼저 나와야 유머가 성립한다. 웃음은 단순히 농담에 대한 반응이 아니라 대화의 흐름을 이어가는 신호이다. 즉, 웃음은 상대에게 "지금 이 리듬이 맞다. 계속 이야기하면 재미있어진다."라는 메시지를 전달하는 것이다. 따라서 웃음은 유머를 가능하게 하는 열쇠이다.

― 이 글은 유머와 웃음의 관계에 대하여 설명하며 유머로 인해 웃는 것이 아니라 웃음으로 인해 유머가 가능해진다는 것을 말합니다.

― '즉' 뒤에서 웃음이 단순히 농담에 대한 반응이 아니라 대화의 흐름을 이어가는 신호라는 앞의 문장을 다시 한번 쉬운 말로 풀어서 부연 설명하고 있습니다.

- **왜냐하면**
  - '왜냐하면'은 '−기 때문이다'와 함께 쓰여서 앞 문장의 이유를 설명합니다.
  - 다음 글을 보겠습니다.

> 책을 읽는 아이들은 오랫동안 집중하면서 뇌를 전면적으로 사용한다. 그런데 우리가 공부를 하고서 쉬는 시간에 스마트폰을 보면 기억력에 큰 문제가 생긴다. 왜냐하면 우리는 보통 쉴 때는 두뇌가 아무 일도 하지 않는다고 생각하지만 실제로는 그렇지 않기 때문이다. 두뇌는 쉬는 동안 공부한 내용을 정리하고 연결하면서 기억 속에 자리 잡게 만든다고 한다. 그런데 그때 스마트폰을 보면 두뇌가 정리할 기회를 잃게 되는 것이고 결과적으로 기억력이 약해지는 것이다. 그래서 공부한 후의 휴식 시간에는 스마트폰을 보는 것보다 차라리 조용히 쉬거나 다른 단순한 활동을 하는 것이 더 도움이 된다.

  - 이 글은 스마트폰과 기억력의 관계에 대한 것으로 쉬는 시간에 스마트폰을 보는 것이 기억력에 문제를 일으킨다는 것에 대하여 설명합니다.
  - 기억을 하지 못하게 되는 이유를 '왜냐하면'의 뒤에서 설명하고 있습니다.

연습 문제

정답 및 해설 p.161

1. 다음 글에 나타난 필자의 태도로 가장 알맞은 것을 고르십시오.

> 외환 위기와 금융 위기를 온몸으로 겪으며 사회의 허리가 된 중년 세대는 지금도 가족 부양과 저성장 그리고 무한 경쟁 속에서 고단한 삶을 이어간다. 그들은 출생 인구가 많아 경쟁이 숙명처럼 따라붙었고 부모를 부양하는 마지막 세대이자 자녀에게 부양받지 못하는 처음 세대라는 '마처 세대'의 끝자락에 서 있다. 그러나 '영포티'라는 조롱은 그들의 짐을 더 무겁게 할 뿐이다. 청년들의 불안과 혼돈은 이해할 수 있지만 세대 갈등으로는 아무것도 해결할 수 없다. 그러므로 인생 항해의 위기 앞에서 필요한 것은 서로의 처지를 이해하고 공감하며 연대하는 힘이다. 어느 드라마의 "나 하나 살자고 시작한 거 아니니까"라는 문구처럼 세대와 직급을 넘어 함께 뭉쳐 위기를 극복하는 가치가 지금 우리에게 절실하다.

① '영포티'라는 말은 세대 갈등을 봉합하는 표현이다.
② 함께 뭉쳐 위기를 극복하는 가치는 중년 세대에게나 어울린다.
③ 세대 간의 차이를 넘어 서로 이해하고 공감하는 것이 필요하다.
④ 지금의 중년 세대는 외환 위기와 금융 위기를 일으킨 장본인이다.

2. 다음 글에 나타난 필자의 태도로 가장 알맞은 것을 고르십시오.

> 구글이 공개한 '나노 바나나 프로'는 기존의 인공 지능 기반 이미지 생성 서비스와 달리 글자 인식과 이미지 합성 결과가 우수하며 회화나 애니메이션으로의 변환도 매우 자연스럽다. 그러나 이는 사진의 진위 여부와 창작의 수고로움을 배제한 채 우리에게 즉각적 감탄과 동시에 의심을 불러온다. 구글은 워터마크를 삽입하여 인공 지능의 생성물임을 표시하도록 했지만 이것이 충분한 해결책이 될지는 알 수 없다. 보드리야르가 말한 "실재의 폐허"처럼 이미지는 기호만 남은 세계를 드러낸다. 그렇다면 새로운 가짜 이미지 생성기는 단순한 도구가 아니라 세계를 뒤흔들 파격적 기호의 출발점이 될 수 있다. 결국 우리는 이미지와 사실의 관계를 더 엄격하게 성찰해야 하며 그 과정에서 '사실'은 이전보다 훨씬 무거운 의미를 지니게 될 것이다.

① 인공 지능이 생성한 이미지에는 반드시 워터마크가 있어야 한다.
② 사람들은 사진의 진위 여부나 창작의 수고로움에 신경을 쓰지 않는다.
③ 이미지 생성기는 우리에게 편리하고 혁신적인 미래를 가져다줄 것이다.
④ 우리는 이미지와 사실을 엄밀히 구분해야 하며 이제부터 '사실'은 훨씬 더 중요한 의미를 갖게 될 것이다.

단어

- **부양**(贍養 / sự chu cấp) : 수입이 없어서 혼자 생활하기 어려운 사람을 돌봄.
- **숙명**(宿命 / số mệnh) : 태어날 때부터 이미 정하여져서 피할 수 없는 운명.
- **따라붙다**(緊跟 / theo sát) : 앞선 것을 바짝 뒤따르다.
- **끝자락**(边端 / chân, mép) : 전체의 맨 아래나 끝의 넓적한 부분.
- **연대하다**(连带 / liên kết) : 여럿이 함께 무슨 일을 하거나 책임을 지다.
- **봉합하다**(缝合 / khâu (y tế, vết thương...)) : 상처의 갈라진 부분이나 수술을 하려고 벤 자리를 바늘로 꿰매어 붙이다.

단어

- **회화**(绘画 / hội hoạ) : 여러 가지 선이나 색채로 평면에 그림을 그려 내는 미술의 한 분야.
- **변환**(变换 / sự biến đổi) : 원래와 다르게 바뀜. 또는 그렇게 바꿈.
- **배제하다**(排除 / bài trừ) : 받아들이거나 포함하지 않고 제외시켜 빼놓다.
- **실재**(真实 / sự có thực) : 실제로 존재함.
- **폐허**(废墟 / bãi hoang tàn) : 건물 등이 파괴되어 못 쓰게 된 터.
- **기호**(记号 / ký hiệu) : 어떤 뜻을 나타내기 위해 쓰는 여러 가지 표시.
- **파격적**(破格的 / mang tính phá cách) : 일정한 격식을 깨뜨리는.

② 글을 쓴 목적 고르기

TOPIK Ⅱ의 48번 문항에 해당하는 이 유형에서는 주어진 글을 읽고 글쓴이가 왜 그 글을 썼는지 의도를 파악하여 4개의 주어진 보기에서 알맞은 것을 선택해야 합니다.

기출문제

2024년 96회 TOPIK Ⅱ 48번

도심의 교통 혼잡 문제가 심화되면서 새로운 건축물을 짓는 경우 사전에 교통 영향 평가를 받도록 하고 있다. 해당 건축물이 주변 교통 상황에 미칠 부정적 파급 효과를 예측해 이를 완화할 수 있는 방법을 미리 찾는 것이다. 이 평가 결과를 반영해 건축물과 지하철, 버스 등 대중교통 수단의 연계성을 높여 대중교통 이용을 유도함으로써 (주변 교통량을 감축한) 것이 대표적인 사례이다. 또한 교통 혼잡을 유발하는 시설의 소유자에게 교통 유발 부담금을 부과하는 제도도 시행하고 있다. 그러나 이와 같은 방법만으로는 그 효과가 제한적이라는 평가가 대부분이다. 유입 인구의 증가로 인해 발생하는 교통 정체를 막는 데는 한계가 있다는 것이다. 따라서 보다 전방위적으로 여러 정책을 시행함으로써 도심 교통 문제 해결에 나설 필요가 있다. 문제 해결을 위한 실질적인 노력을 하는 시설의 소유자에게 여러 혜택을 주고 도심의 도로망을 정비하는 등의 여러 방안을 병행한다면 도심의 교통 환경을 점차 개선해 나갈 수 있을 것이다.

윗글을 쓴 목적으로 가장 알맞은 것을 고르십시오.

① 교통 영향 평가의 부정적 효과를 강조하기 위해서
② 교통 유발 부담금 제도를 도입한 취지를 알리기 위해서
③ 교통 문제 해결을 위한 방안의 다각화를 주장하기 위해서
④ 교통 상황을 개선한 경우 받게 되는 혜택을 소개하기 위해서

정답 ③

해설

①번에서 ④번까지 중에서 필자가 글을 쓴 목적으로 가장 알맞은 것은 ③번입니다. 글에 나타난 필자의 의도를 파악하기 위해서는 글에서 글쓴이가 궁극적으로 무엇을 주장하는지 이해하는 것이 중요합니다.

단어

- **파급**(波及 / sự lan truyền) : 어떤 일의 영향이 차차 다른 데로 퍼져 미침.
- **예측하다**(预测 / đoán trước) : 앞으로의 일을 미리 추측하다.
- **완화하다**(缓解 / làm giảm, xoa dịu) : 긴장된 상태나 매우 급한 것을 느슨하게 하다.
- **연계성**(关联性 / tính kết nối) : 어떤 것이 다른 것과 서로 밀접하게 관계를 맺고 있는 성질.
- **감축하다**(缩减 / cắt giảm) : 어떤 것의 수나 양을 줄이다.
- **유발하다**(诱发 / tạo ra) : 어떤 것이 원인이 되어 다른 사건이나 현상을 일어나게 하다.
- **정체**(堵车 / trạng thái tắc nghẽn, đình trệ) : 움직임이 원활하지 못하고 한자리에 머무름. 또는 그 상태.
- **취지**(宗旨 / mục đích) : 어떤 일의 근본이 되는 목적이나 매우 중요한 뜻.

윗글을 다시 살펴보며 내용을 분석해 보겠습니다.

문제를 해결하기 위한 방안으로 교통 영향 평가와 대중교통 이용 유도를 소개하고 있다.

도심의 교통 혼잡 문제가 심화되면서 새로운 건축물을 짓는 경우 사전에 교통 영향 평가를 받도록 하고 있다. 해당 건축물이 주변 교통 상황에 미칠 부정적 파급 효과를 예측해 이를 완화할 수 있는 방법을 미리 찾는 것이다. 이 평가 결과를 반영해 건축물과 지하철, 버스 등 대중교통 수단의 연계성을 높여 대중교통 이용을 유도함으로써 (주변 교통량을 감축한) 것이 대표적인 사례이다.

주장의 배경 : 교통 혼잡 문제가 심각하니 이를 해결해야 한다는 당위성을 제공하며 독자의 공감을 유도한다.

또한 교통 혼잡을 유발하는 시설의 소유자에게 교통 유발 부담금을 부과하는 제도도 시행하고 있다.

추가 혹은 부가적인 내용을 더해짐을 나타내는 접속사.

문제 해결 방안으로 교통 유발 부담금을 추가로 제시한다.

그러나 이와 같은 방법만으로는 그 효과가 제한적이라는 평가가 대부분이다. 유입 인구의 증가로 인해 발생하는 교통 정체를 막는 데는 한계가 있다는 것이다.

반대되는 내용이 이어짐을 나타내는 접속사.

교통 혼잡 문제 해결을 위해 여러 제도를 시행하고 있지만 그 효과는 충분하지 않다.

따라서 보다 전방위적으로 여러 정책을 시행함으로써 도심 교통 문제 해결에 나설 필요가 있다. 문제 해결을 위한 실질적인 노력을 하는 시설의 소유자에게 여러 혜택을 주고 도심의 도로망을 정비하는 등의 여러 방안을 병행한다면 도심의 교통 환경을 점차 개선해 나갈 수 있을 것이다.

주로 결과나 결론이 이어짐을 나타내는 접속사.

의견을 제시할 때 사용하는 표현.

필자가 중요하게 주장하는 내용으로 글의 주제와 중심 내용에 해당한다. 교통 환경을 개선하기 위해서는 다양한 정책과 방안을 병행해야 한다고 주장한다. 핵심 문장과 부연 설명으로 구성되어 있다.

- 글의 내용을 흐름에 따라 분석해 보면 필자는 먼저 도심의 교통 문제가 심화되고 있다는 현재 상황을 언급함으로써 앞으로 이어갈 내용이 이것에 대한 원인 분석이나 해결 방안이 될 것이라는 것을 예상할 수 있습니다.
- 필자는 이어서 해결 방안으로 교통 영향 평가의 시행과 대중교통 이용 유도를 제시합니다. 이어서 접속사 '또한'을 사용하여 해결 방안으로 교통 유발 부담금을 부과하는 제도의 시행을 추가로 제시합니다.
- 그러나 우리는 이어지는 접속사 '그러나'에서 앞에서 언급한 것들에 반대되는 의견이 제시될 것임을 짐작할 수 있습니다. 즉, 이러한 해결 방안들로는 그 효과가 충분하지 않고 한계가 있다는 문제를 제기합니다. 이러한 지속적인 문제의 원인은 유입 인구의 증가입니다.
- 다시 접속사 '따라서'가 이어지는데 여기에서 우리는 필자가 문제 제기에 대한 해답을 제시하거나 어떤 결론을 내리고자 한다는 것을 짐작할 수 있습니다.
- '따라서'에 이어지는 마지막 두 문장은 이 글의 중심 주제에 해당합니다. 필자는 도심 교통 문제를 해결하기 위하여 다양한 정책과 방안을 병행해야 한다고 주장합니다.
- 글을 쓴 목적은 주제문에서 가장 잘 드러납니다.

그러면 이제 주어진 보기를 살펴보겠습니다.

글의 내용과 일치하지 않는다.

① 교통 영향 평가의 부정적 효과를 강조하기 위해서
② 교통 유발 부담금 제도를 도입한 취지를 알리기 위해서
③ 교통 문제 해결을 위한 방안의 다각화를 주장하기 위해서
④ 교통 상황을 개선한 경우 받게 되는 혜택을 소개하기 위해서

교통 유발 부담금 제도를 도입한 이유가 있기는 하지만 이 글을 쓴 주요 목적은 아니다.

글에 없는 내용이다.

이 글의 중심 생각이자 글을 쓴 목적에 해당한다.

- ①번은 글의 내용과 사실상 상반되는 것으로 글에서는 교통 영향 평가의 효과가 제한적이라고 평가하지만 부정적으로 보고 있지는 않습니다.
- ②번은 교통 유발 부담금 제도를 도입한 취지가 글에 있기는 하지만 이 글의 목적이 이것을 알리기 위한 것은 아닙니다. 그보다는 주요 목적인 ③번을 주장하기 위한 배경이나 근거로서 제시되고 있습니다.
- **③번은 이 글의 결론부에서 필요성이 강조되고 있는 것으로 이 글을 쓴 목적에 해당합니다.** 💡
- ④번은 글에 없는 내용으로 관련성이 전혀 없습니다.

기출문제

2023년 91회 TOPIK Ⅱ 48번

예술인은 독창적인 문화를 창조하고 고유한 문화를 보존하는 동시에 예술 활동을 업으로 삼아 수익을 내서 생활하는 사람이다. 그런데 많은 예술인이 기본 생활이 불가능한 적은 수입 탓에 예술 활동을 포기한다. 그 결과 예술인이 감소하며 고령화하는 현상이 나타나고 있다. 2011년에는 생활고로 한 작가가 사망하는 사건까지 일어났다. 이 사건이 계기가 되어 2012년부터 예술인의 권리 보호를 위해 '예술인 복지법'이 시행되었다. 그러나 이는 예술 현장의 실상에 맞지 않아 많은 예술인이 여전히 생계의 어려움을 겪고 있다. 이런 상황에서 올해 예술 활동을 증명하기 못해 지원을 못 받았던 예술인을 위해 예술인 복지법이 개정되었다. 개정안은 이런 예술인도 일반 직업인과 같이 권리를 보호받을 수 있는 대상임을 명확히 하고 있다. 또 예술인이 불리한 처우를 받지 않도록 세부 조치를 마련하는 등 예술인의 고용 안정을 위한 여러 내용을 담고 있다. 앞으로는 이를 바탕으로 유능한 예술인이 활동을 포기하지 않도록 해야 할 것이다.

윗글을 쓴 목적으로 가장 알맞은 것을 고르십시오.

① 예술인의 자질에 대해 분석하려고
② 예술 발전의 어려움을 토로하려고
③ 예술 작품의 창작 활동을 설명하려고
④ 예술인 생활 보장의 필요성을 강조하려고

정답 ④

해설

①번에서 ④번까지 중에서 필자가 글을 쓴 목적으로 가장 알맞은 것은 ④번입니다. 글에 나타난 필자의 의도를 파악하기 위해서는 글에서 글쓴이가 궁극적으로 무엇을 주장하는지 이해하는 것이 중요합니다.

윗글을 다시 살펴보며 내용을 분석해 보겠습니다.

예술인에 대한 정의와 생활을 위한 수익에 대하여 설명하며 글을 시작한다.

예술인은 독창적인 문화를 창조하고 고유한 문화를 보존하는 동시에 예술 활동을 업으로 삼아 수익을 내서 생활하는 사람이다. 그런데 많은 예술인이 기본 생활이 불가능한 적은 수입 탓에 예술 활동을 포기한다. 그 결과 예술인이 감소하며 고령화하는 현상이 나타나고 있다. 2011년에는 생활고로 한 작가가 사망하는 사건까지 일어났다. 이 사건이 계기가 되어 2012년부터 예술인의 권리 보호를 위해 '예술인 복지법'이 시행되었다. 그러나 이는 예술 현장의 실상에 맞지 않아 많은 예술인이 여전히 생계의 어려움을 겪고 있다. 이런 상황에서 올해 예술 활동을 증명하기 못해 지원을 못 받았던 예술인을 위해 예술인 복지법이 개정되었다. 개정안은 이런 예술인도 일반 직업인과 같이 권리를 보호받을 수 있는 대상임을 명확히 하고 있다. 또 예술인이 불리한 처우를 받지 않도록 세부 조치를 마련하는 등 예술인의 고용 안정을 위한 여러 내용을 담고 있다. 앞으로는 이를 바탕으로 유능한 예술인이 활동을 포기하지 않도록 해야 할 것이다.

내용의 전환이나 반전을 나타내는 접속사. 예술인의 문제 상황으로 글의 방향이 바뀐다. 낮은 수입으로 인한 예술 활동 포기, 예술인 감소, 고령화, 생활고로 인한 사망 사례를 든다.

2012년 '예술인 복지법'의 시행.

내용의 전환이나 반전을 나타내는 접속사. 이어서 예술인 복지법의 문제와 개정으로 글의 방향이 전환된다.

글 전체의 결론이자 주제문이다. 예술인 복지법의 적절한 시행을 통해 예술인이 활동을 이어가도록 해야 한다고 주장한다.

어떤 내용을 더해서 말할 때 사용하는 접속사. 예술인 복지법 개정의 또 다른 내용을 추가하고 있다.

– 이 글은 예술인이란 어떤 사람인지 그리고 그들은 어떻게 수익 활동을 하여 생활을 이어가는지에 대하여 설명하여 도입합니다.

– 접속사 '그런데'는 글의 방향이 전환된다는 것을 의미하지요. 이 글에서도 수익 활동의 어려움과 그로 인한 생활고, 예술 활동 포기, 예술인 감소, 고령화, 생활고로 인한 극단적인 문제 등을 사례로 들며 안정적인 생활 보장의 필요성에 대하여 전개합니다. 사망 사건을 계기로 예술인 복지법을 시행하게 되었지만 그 역시 실상에 맞지 않아 지원 조건의 확대, 세부 조치 마련 등의 개정을 했다는 것을 순차적으로 설명합니다.

– 그리고 마지막 문장에는 이러한 법적 조치가 유능한 예술인의 순조로운 활동으로 이어져야 한다고 주장합니다.

– 즉, 필자는 예술인의 활동이 생활고로 인해 위축되지 않도록 지원해야 한다는 입장을 밝히기 위해 이 글을 썼습니다.

이번에는 주어진 보기를 살펴보겠습니다.

① 예술인의 자질에 대해 분석하려고
② 예술 발전의 어려움을 토로하려고
③ 예술 작품의 창작 활동을 설명하려고
④ 예술인 생활 보장의 필요성을 강조하려고

글과는 관계없는 내용이다.

이 글의 중심 생각이자 글을 쓴 목적에 해당한다.

- ①, ②, ③번은 모두 글과는 관계없는 내용이므로 오답입니다.
- ④번이 예술인이 계속해서 활동과 생계를 이어갈 수 있도록 보장이 필요하다는 내용으로 이 글을 쓴 목적에 해당합니다.

기출 분석 글을 쓴 목적 찾기

- 글을 쓴 목적을 파악하기 위한 방법은 다음과 같이 정리할 수 있습니다.

- **핵심 문장 찾기**
  - 각 문단의 주제문이나 반복되는 표현을 통해 중심 생각을 파악할 수 있습니다.

- **서론과 결론 집중해서 읽기**
  - 서론에서는 글을 쓰게 된 동기나 문제 제기를 확인할 수 있습니다.
  - 결론에서는 글쓴이의 주장이나 전달하고자 하는 메시지가 명확히 드러납니다.

- **문체와 어조 분석하기**
  - 감정적인 어조인가? 논리적인가? 설득하려는 느낌인가?

- **독자 대상 추론하기**
  - 글이 누구를 대상으로 쓰였는지 생각해 봅니다.

- **글의 유형 파악하기**
  - 설명문, 논설문, 광고문, 안내문 등 글의 종류에 따라 목적이 달라집니다.
    * 설명문 → 정보를 전달하려는 목적
    * 논설문 → 주장 설득
    * 광고문 → 상품이나 서비스를 홍보

- **배경지식 활용하기**
  - 글의 주제나 소재에 대한 배경지식을 활용하면, 글쓴이의 의도를 더 쉽게 파악할 수 있습니다.

여기서 잠깐!

주제문이란 무엇이고 어떻게 작성해야 하는지 알아보겠습니다.

- **주제문**
  - 주제문은 '글을 쓴 목적이나 주장을 가장 잘 드러내는 중심 문장'입니다. '요약된 글쓴이의 의도'라고도 하고, '단락이나 글에서 그 글이 전체적으로 진술하거나 무엇에 대한 것인지를 가장 완전하게 말해 주는 단 하나의 문장'이라고도 합니다.

- **주제문의 특징**
  - 주제문은 반드시 주어와 서술어를 갖춘 하나의 완결된 문장으로 진술합니다.
  - 주제문은 그 글의 내용 안에서 근거에 의해 증명될 수 있어야 합니다.
  - 주제문에는 필자의 의견이나 태도가 분명히 드러나야 합니다.
  - 주제문은 표현이 정확하고 구체적인 것이어야 합니다.
  - 주제문은 전체 내용을 포괄할 수 있어야 합니다.

- **기름지다**(油膩 / có nhiều dầu mỡ): 음식물이 기름기가 많다.
- **칼칼하다**(辣丝丝的 / cay nồng nồng): 매워서 목을 자극하는 맛이 조금 있다.
- **동치미**(盐水萝卜辛奇 / Dongchimi; củ cải ngâm muối): 무를 소금에 절인 후 끓인 소금물을 식혀서 붓고 심심하게 담근 김치.
- **과도하다**(过分 / quá mức): 정도가 지나치다.
- **활자**(铅字 / chữ in): 인쇄용 판이나 워드 프로세서 등으로 찍어 낸 글자.
- **갈망하다**(渴望 / khát khao): 간절히 바라다.
- **정화하다**(净化 / thanh lọc): 더러운 것이나 순수하지 않은 것을 깨끗하게 하다.
- **초월**(超越 / sự siêu việt): 현실적이고 정상적인 한계를 뛰어넘음.
- **신경증**(神经官能症 / chứng tâm thần): 심리적 원인에 의하여 신체적, 정신적 증상이 나타나는 병.
- **좌절**(挫折 / sự nản lòng): 마음이나 기운이 꺾임.
- **마비시키다**(麻痹 / gây tê liệt): 몸의 일부나 전체를 감각이 없고 움직이지 못하는 상태로 만들다.
- **우울증**(忧郁症 / bệnh trầm cảm): 기운이 없을 정도로 항상 마음이나 기분이 매우 답답하고 슬픈 상태.
- **쾌락**(快乐 / niềm vui sướng): 유쾌하고 즐거움. 또는 그런 느낌.
- **추구하다**(追求 / mưu cầu): 목적을 이루기 위해 계속 따르며 구하다.
- **내맡기다**(托付 / phó thác): 자신의 일이나 사물을 다른 사람에게 완전히 맡기다.
- **허무**(空虚 / trống trải): 가치 없고 의미 없게 느껴져 매우 허전하고 쓸쓸함.
- **해독제**(解毒药 / thuốc giải độc): 몸 안에 들어간 독을 없애는 약.

연습 문제

정답 및 해설 p.162

1. 다음 글을 쓴 목적으로 가장 알맞은 것을 고르십시오.

> 기름진 인스턴트 음식을 계속 먹다 보면 칼칼한 파김치나 동치미가 당기듯 영상 콘텐츠를 과도하게 소비한 뒤에는 정신도 활자를 갈망한다. 나는 이럴 때 책을 펼쳐 머릿속을 정화한다. 김홍식의『초월 신경증』은 주의력이 결핍된 독자들도 읽을 만한 얇은 책이다. 저자가 만든 개념인 '초월 신경증'은 플랫폼과 콘텐츠를 넘나들며 생기는 초월 감각의 착각과 좌절의 반복을 의미한다. 스마트폰 중독이 대표적이다. 끊임없는 접속은 감각을 마비시키고 현재를 흐리게 하며 우울증 같은 신경증을 부른다. 저자는 그 뿌리를 괴테의『파우스트』에서 찾는다. 지식과 쾌락을 끝없이 추구한 파우스트처럼 오늘날 우리는 스마트 기기와 인공 지능에 영혼을 내맡기고 있다. 영화 '에브리씽 에브리웨어 올 앳 원스' 속 조부 투파키가 모든 가능성을 경험하다 허무주의에 빠진 것처럼 현대인도 이미지의 감옥에 갇힐 수 있다. 저자는 각자가 현실로 돌아올 자기만의 '문'을 찾아야 한다고 말한다. 그것이 기름진 음식에 대한 동치미 국물 같은 해독제가 될 것이다.

① 초월 신경증에 대하여 설명하기 위해서
② 김홍식의『초월 신경증』을 홍보하기 위해서
③ 기름진 음식에는 동치미 국물이 필요하다는 것을 설득하기 위해서
④ 과도한 영상 콘텐츠 소비보다는 머릿속 정화를 위하여 책을 읽자고 하기 위해서

2. 다음 글을 쓴 목적으로 가장 알맞은 것을 고르십시오.

젊은 세대는 불확실성을 방치하지 않고 미래를 미리 준비하려는 성향이 강하다. 『트렌드 코리아 2026』은 이를 '레디 코어'라고 하며 준비된 상태가 삶의 핵심이 된 시대 흐름을 말한다. 이들은 유년기부터 자기 주도 학습과 선행 교육을 반복하며 아직 오지 않은 미래를 현재로 끌어오는 훈련을 받아왔다. 이처럼 준비된 세대에게 사회는 어떤 방식으로 응답해야 할까? 단순한 응원이 아니라 실질적인 '기회의 구조'를 제공해야 한다. 예를 들어, 영국의 평생 개인저축계좌는 18~39세 청년이 첫 주택 구매나 은퇴 자금 마련에 활용할 수 있도록 정부가 매년 적립금에 25%를 보태주는 제도다. 이는 청년의 자산 형성 초기부터 속도를 붙여 주는 실용적인 장치다. 일본의 주니어 니사는 미성년자 투자 계좌로, 부모가 대신 돈을 내고 수익에는 세금을 매기지 않는다. 이는 단순한 용돈이 아니라 장기 복리의 원리를 체험하게 해 주는 제도다. 이처럼 청년기의 자산 형성에 실질적인 보상을 제공하고 그 자산이 복리로 성장할 수 있는 생태계를 설계해야 한다. 그래야 '청년'이라는 이름이 더 이상 불안의 다른 말이 되지 않는다.

① '레디 코어'가 삶의 방식이 된 시대에 대하여 설명하기 위해서
② '청년'이라는 이름과 불안이라는 말의 유사성을 증명하기 위해서
③ 첫 주택 구매나 은퇴 자금 마련은 스스로 해야 한다고 권장하기 위해서
④ 사회가 청년을 위한 경제적 제도와 구조를 마련해야 한다고 주장하기 위해서

8 화자와 인물의 심정 고르기

1 1인칭 시점의 성찰적 글에 나타난 화자의 심정 파악하기

TOPIK Ⅱ의 23번 문항에 해당하는 이 유형에서는 주어진 수필이나 에세이 형식의 1인칭 시점의 글을 읽고 화자인 '나'의 심정을 파악하여 4개의 주어진 보기에서 알맞은 것을 선택해야 합니다.

단어

- **긁히다**(被挠 / bị cào, bị cấu, bị trầy, bị xước) : 손톱이나 뾰족한 물건으로 문질러지다.
- **후들후들**(瑟瑟地 / bần bật, lẩy bẩy) : 팔다리나 몸이 자꾸 크게 떨리는 모양.
- **안도감**(安全感 / cảm giác bình yên) : 마음이 놓여 편안해지는 느낌.

기출문제 2024년 96회 TOPIK Ⅱ 23번

> 퇴직한 아빠는 매일 아침 운전을 해서 나를 직장까지 데려다주셨다. 출근길 대중교통이 불편했기 때문이다. 아빠는 운전하면서 잔소리를 많이 하셨다. "신입 사원은 인사를 잘해야 해. 돈 아껴 쓰고……." 출근할 때마다 잔소리를 듣는 것도 싫고 운전도 하고 싶어서 운전면허를 땄다. 나는 면허증을 받자마자 직접 운전해서 출근하기로 했다. 새 차를 샀다가 긁히기라도 할까 봐 당분간 아빠의 차를 빌려 쓰기로 했다. "사방을 잘 살피면서 운전해야 한다." 아빠에게 나도 그 정도는 안다고 큰소리를 치고 출발했다. 그러나 운전하는 내내 다리가 후들후들 떨렸다. 옆자리에 앉아 있을 때와는 달랐다. <u>운전대를 꼭 붙든 채 앞만 보고 도로를 달렸다.</u> 퇴근하고 집에 무사히 돌아왔을 때 안도감에 눈물이 날 정도였다. 매일 나를 데려다주신 아빠에게 새삼 감사함을 느꼈다.

밑줄 친 부분에 나타난 '나'의 심정으로 가장 알맞은 것을 고르십시오.

① 기대되다
② 긴장되다
③ 뿌듯하다
④ 창피하다

정답 ②

해설

①번에서 ④번까지 중에서 밑줄 친 부분에 나타난 '나'의 심정으로 알맞게 기술된 보기는 ②번입니다. 직접적인 감정이나 심정에 대한 표현은 없지만 화자의 행동으로 심정을 짐작할 수 있습니다.

윗글을 다시 살펴보며 등장인물의 심정이 어떻게 변하는지 분석해 보겠습니다.

퇴직한 아빠는 매일 아침 운전을 해서 나를 직장까지 데려다주셨다. 출근길 대중교통이 불편했기 때문이다. 아빠는 운전하면서 잔소리를 많이 하셨다. "신입 사원은 인사를 잘해야 해. 돈 아껴 쓰고……" 출근할 때마다 잔소리를 듣는 것도 싫고 운전도 하고 싶어서 운전면허를 땄다. 나는 면허증을 받자마자 직접 운전해서 출근하기로 했다. 새 차를 샀다가 긁히기라도 할까 봐 당분간 아빠의 차를 빌려 쓰기로 했다. "사방을 잘 살피면서 운전해야 한다." 아빠에게 나도 그 정도는 안다고 큰소리를 치고 출발했다. 그러나 운전하는 내내 다리가 후들후들 떨렸다. 옆자리에 앉아 있을 때와는 달랐다. 운전대를 꼭 붙든 채 앞만 보고 도로를 달렸다. 퇴근하고 집에 무사히 돌아왔을 땐 안도감에 눈물이 날 정도였다. 매일 나를 데려다주신 아빠에게 새삼 감사함을 느꼈다.

- 화자는 아빠가 회사에 데려다 줄 때마다 잔소리를 하는 것이 싫다.
- 또다시 잔소리를 하는 아빠에게 큰소리를 치며 출발한다. 화자의 자신감이 드러나 있다.
- 화자가 긴장하고 있다는 것을 알 수 있다.
- 화자는 잔뜩 긴장한 채로 운전하고 있다는 것을 알 수 있다.
- 직접적인 심정 표현.

- 이 글에서 화자인 '나'는 퇴직한 아빠가 출근길에 데려다주면서 잔소리를 하는 것에 답답함과 불만을 느끼고 운전면허를 땁니다. 그리고 아빠의 차를 빌려서 운전을 하기로 합니다.
- 또다시 잔소리하는 아빠에게 큰소리를 치며 자신 있게 출발하지만 운전하면서 긴장감에 다리가 후들후들 떨립니다. 두려움과 긴장에 운전대를 꼭 붙잡고 앞만 보고 운전을 하며 무사히 퇴근한 후에 안도합니다.
- 그러고는 그동안 수고해 주신 아빠에게 감사를 느낍니다.

주어진 보기의 뜻을 살펴보면 다음과 같습니다.

① 기대되다(期待 / được kỳ vọng) : 어떤 일이 이루어지기를 바라며 기다리게 되다.
② 긴장되다(緊張 / bị căng thẳng) : 마음을 놓지 못하고 정신을 바짝 차리게 되다. 💡
③ 뿌듯하다(滿足 / hãnh diện, sung sướng) : 기쁨이나 감격이 마음에 가득하다.
④ 창피하다(丢脸 / xấu hổ) : 체면이 깎이는 어떤 일이나 사실 때문에 몹시 부끄럽다.

밑줄 친 부분에 나타난 마음을 놓지 못하고 운전대를 꼭 붙든 채로 앞만 보며 정신을 바짝 차리고 운전하는 행동에서 '나'의 심정은 ②번 '긴장되다'라는 것을 알 수 있습니다.

단어
• **이끌리다**(被吸引 / bị lôi cuốn, bị thu hút): 다른 사람의 관심이나 시선 등이 한곳으로 집중되다.

기출문제

2023년 91회 TOPIK Ⅱ 23번

꽃집을 지나다가 꽃말에 이끌려 금잔화 꽃씨를 샀다. 화분에 심어 사무실의 내 책상 위에 두었더니 어느 날 싹이 텄다. 때맞춰 물도 주며 나는 수시로 들여다보았다. 신기했다. 작고 여린 싹은 눈에 띄게 쑥쑥 자랐다. 그런데 내가 상상한 모습이 아니었다. <u>도대체 여기서 어떻게 꽃이 핀다는 건지.</u> 무순처럼 길쭉하게 위로만 자라는 것이었다. 하루는 출근해 보니 금잔화가 쓰러져 있었다. 그럼 그렇지. 내가 무슨 식물을 키우나. 그날 나는 화분을 창가로 옮겨 놓았다. 죽을 것 같은 모습을 눈앞에서 보고 싶지 않았다. 그런데 어느 날부턴가 점점 줄기가 굵어지더니 잎도 제법 풍성해지기 시작했다. 어느 날에는 꽃망울도 올라와 있었다. 금잔화는 창문으로 들어오는 풍성한 햇볕 속에서 스스로 튼튼해졌다. 금잔화에게는 햇빛이 더 많이 필요했었나 보다. 사람도 식물도 사랑하려면 그 대상을 제대로 알아야 하는 건 똑같구나 싶었다. 씩씩하게 꽃피운 금잔화의 꽃말은 '반드시 올 행복'이다.

밑줄 친 부분에 나타난 '나'의 심정으로 가장 알맞은 것을 고르십시오.

① 의심스럽다
② 고통스럽다
③ 조심스럽다
④ 부담스럽다

정답 ①

해설

①번에서 ④번까지 중에서 밑줄 친 부분에 나타난 '나'의 심정으로 알맞게 기술된 보기는 ①번입니다. 양태 부사 '도대체'에서 의심스러워하는 필자의 심정을 짐작할 수 있습니다.

윗글을 다시 살펴보며 등장인물의 심정이 어떻게 변하는지 분석해 보겠습니다.

꽃집을 지나다가 꽃말에 이끌려 금잔화 꽃씨를 샀다. 화분에 심어 사무실의 내 책상 위에 두었더니 어느 날 싹이 텄다. 때맞춰 물도 주며 나는 수시로 들여다보았다. 신기했다. 작고 여린 싹은 눈에 띄게 쑥쑥 자랐다. 그런데 내가 상상한 모습이 아니었다. 도대체 여기서 어떻게 꽃이 핀다는 건지. 무순처럼 길쭉하게 위로만 자라는 것이었다. 하루는 출근해 보니 금잔화가 쓰러져 있었다. 그럼 그렇지. 내가 무슨 식물을 키우나. 그날 나는 화분을 창가로 옮겨 놓았다. 죽을 것 같은 모습을 눈앞에서 보고 싶지 않았다. 그런데 어느 날부턴가 점점 줄기가 굵어지더니 잎도 제법 풍성해지기 시작했다. 어느 날에는 꽃망울도 올라와 있었다. 금잔화는 창문으로 들어오는 풍성한 햇볕 속에서 스스로 튼튼해졌다. 금잔화에게는 햇빛이 더 많이 필요했었나 보다. 사람도 식물도 사랑하려면 그 대상을 제대로 알아야 하는 건 똑같구나 싶었다. 씩씩하게 꽃피운 금잔화의 꽃말은 '반드시 올 행복'이다.

- 직접적인 심정의 표현으로 꽃씨를 사서 심고 싹이 나자 꽃이 피기를 기다리는 설렘이 잘 드러난다.
- '도대체'는 화자의 태도를 표시하는 양태 부사로 상황이나 상대방에 대한 화자의 의심을 나타낸다.
- 금잔화가 쓰러져 있는 것에 대한 실망이 드러나 있다.
- 좌절과 회피의 심정을 느낄 수 있다.
- 금잔화가 필요했던 것을 알게 된 깨달음의 심정을 알 수 있다.
- 긍정적인 희망의 마음.
- 사랑한다는 것에 대한 성찰.

− 이 글에서 화자인 '나'는 금잔화 꽃씨를 심고서는 설레며 기다립니다. 싹이 텄을 때는 신기하기만 합니다.
− 하지만 정작 꽃을 기대하기에는 무순처럼 길게 자라기만 하는 모습에 정말로 꽃이 피는 것인지 의심을 품게 됩니다. 여기에서 '도대체'라는 양태 부사는 상황이나 상대방에 대한 의심을 나타냅니다.
− 그러다가 화자는 금잔화가 쓰러진 모습에 실망하며 자신이 식물을 키울 수 있는 것인지 생각하며 죽을 것 같은 모습을 보고 싶지 않아 화분을 창가로 옮겨 놓습니다.
− 그런데 그곳에서 금잔화는 튼튼하게 자라며 꽃망울까지 맺게 된 것입니다. 화자인 '나'는 금잔화에게 필요했던 것이 햇빛이었음을 깨닫고 사람이든 식물이든 사랑을 할 때에는 대상을 제대로 알아야 한다고 생각합니다.
− 그리고는 금잔화의 꽃말을 떠올리며 행복을 희망합니다.

주어진 보기의 뜻을 살펴보면 다음과 같습니다.

> ① **의심스럽다**(可疑 / đáng ngờ) : **불확실하여 믿지 못할 만한 데가 있다.** 💡
> ② **고통스럽다**(痛苦 / khó khăn, đau khổ) : 몸이나 마음이 괴롭고 아프다.
> ③ **조심스럽다**(小心 / thận trọng) : 잘못이나 실수를 하지 않도록 말이나 행동 등에 주의를 하는 태도가 있다.
> ④ **부담스럽다**(有負担 / đầy gánh nặng) : 어떤 일이나 상황이 감당하기 어려운 느낌이 있다.

'도대체 여기서 어떻게 꽃이 핀다는 것인지'에 드러난 '나'의 심정은 과연 꽃이 필 것인지 불확실하여 믿지 못하는 ①번 '의심스럽다'가 맞습니다.

기출 분석 1인칭 시점의 글과 화자의 심정

- 1인칭 시점의 글에서 화자는 곧 '나'이고 독자는 화자의 내적 세계를 직접 접하게 됩니다.
  - 화자의 심정은 기출문제에서 본 것과 같이 등장인물의 행동을 통해서 간접적으로 드러나거나 내적 발화를 통해서 직접 드러나기도 합니다.

- 화자의 심정을 짐작할 수 있는 표현은 다음과 같이 정리할 수 있습니다.
  - 직접 진술 : 화자가 스스로 진술하는 감정 표현.

  > 아르바이트가 처음이라 실수를 하지 않으려고 늘 <u>긴장하면서</u> 일을 했다.
  >
  > 출처 : 2019년 64회 TOPIK Ⅱ 23번 지문
  >
  > 때맞춰 물도 주며 나는 수시로 들여다보았다. <u>신기했다.</u>
  >
  > 출처 : 2023년 91회 TOPIK Ⅱ 23번 지문

  - 다른 사람에게 하는 말 : 화자가 선택한 어휘나 말투에서 읽을 수 있는 감정.

  > 나도 모르게 "<u>아버지, 애 좀 잘 보고 계시지 그러셨어요?</u>"라며 퉁명스럽게 말했다.
  >
  > 출처 : 2017년 52회 TOPIK Ⅱ 23번 지문

  → 화자는 상대방을 원망하거나 책망하는 말투를 사용하였습니다.

- 내적 발화·독백 : 화자가 속으로 하는 생각이나 혼잣말에 드러나는 심정.

> 나는 왜 아버지가 영화관에 가는 것을 안 좋아하실 거라고 생각했을까.
>
> 출처 : 2018년 60회 TOPIK II 23번 지문

→ 아버지를 잘못 이해한 것에 대한 후회와 죄송함이 드러나 있습니다.

- 행동과 태도 : 언어 외적 표현을 통해 알 수 있는 심정.

> 나는 아버지에게 홧김에 내뱉은 말을 생각하며 약을 발라 드렸다.
>
> 출처 : 2017년 52회 TOPIK II 23번 지문

→ 아버지를 보살피는 행동을 볼 수 있습니다.

> 일을 하는 내내 일이 손에 잡히지 않았다.
>
> 출처 : 2019년 64회 TOPIK II 23번 지문

→ 다른 생각이나 걱정으로 인해 초조하다는 것을 알 수 있습니다.

- 상황 맥락 : 화자가 처한 환경에서 짐작할 수 있는 심정.

> 내가 집안일을 하는 사이에 아버지는 큰애를 데리고 놀이터에 다녀온다며 나가셨다. 한 시간쯤 지났는데 아버지가 다급한 목소리로 전화를 하셨다. 아이가 다쳐서 병원 응급실로 데리고 가신다는 것이었다. 나는 너무 놀라 허둥지둥 응급실로 달려갔다. 아이는 이마가 찢어져 치료를 받고 있었다.
>
> 출처 : 2017년 52회 TOPIK II 23번 지문

→ 아이가 다쳤다는 연락을 받고 병원으로 달려가는 상황에서 화자가 놀라고 걱정할 것이라고 짐작할 수 있습니다.

- 비유적 표현 : 비유적으로 표현한 화자의 감정이나 심정.

> 안 그래도 물러 터진 내 마음은 완전히 물에 만 휴지처럼 흐물흐물해져서, 예쁘고 멋진데다 현명하기까지 한 박 선생님 앞에서 때 아닌 눈물까지 한 방울 선을 보일 뻔했다.
>
> 출처 : 2017년 52회 TOPIK II 42번 지문

→ 마음이 약해진 상태가 비유적으로 표현되어 화자가 느끼는 감정의 동요를 알 수 있습니다.

여기서 잠깐!

양태 부사에는 화자의 심적 태도가 드러나 있습니다. 양태 부사의 의미를 알면 화자나 등장인물의 심정을 추측할 수 있습니다. (예문 출처 : 국립국어원 한국어기초사전(CC BY-SA 2.0 KR))

• **설마** : 불신, 의심, 놀람.

> 설마 아이가 나에게 거짓말을 했을까?
> 나는 설마 그가 나한테 거짓말을 했을까 싶었지만, 그래도 의심이 가는 건 사실이었다.
> 약속 시간에 조금 늦긴 했지만 설마 그가 그렇게 금방 가 버릴 것이라고는 생각지 못했다.

• **하마터면** : 아슬아슬함, 안도.

> 계단에서 발을 헛디뎌서 하마터면 큰일 날 뻔했어.
> 나는 버스를 놓쳐서 하마터면 회사에 지각할 뻔했다.

• **과연** : 놀람과 확인, 때로는 감탄.

> 퀴즈 대회에서 일등을 하다니 승규는 과연 똑똑하다.
> 그 유명한 관광지는 소문대로 과연 대단하고 멋진 곳이었다.

• **역시** : 기대와 확신, 때로는 체념.

> 역시 대표팀은 우리의 기대를 저버리지 않고 우승을 차지하였다.
> 역시 이 방법밖에 없겠어.
> 역시 더 이상은 못 참겠어.

• **제발** : 간절한 소망, 애절함, 간청.

> 제발 제 말 좀 믿어 주세요.
> 시험이 내일인데 이제 제발 공부 좀 해라.

• **다행히** : 안도, 운이 좋음, 걱정 해소.

> 다행히 잘 끝났다.
> 동생은 아침에 늦게 일어났지만 다행히 지각은 하지 않았다.

• **도저히** : 불가능에 대한 답답함, 좌절, 난감함.

> 도저히 이해할 수 없다.
> 양이 너무 많아서 도저히 다 먹을 수가 없었어.

• **결코** : 강한 의지, 단호한 부정, 흔들리지 않는 결심.

> 나는 선생님께서 베풀어 주신 은혜를 결코 잊지 못할 것이다.
> 김 씨는 결코 약속을 어기지 않는 사람이니 꼭 올 것이다.
> 저는 어떤 어려움이 있더라도 결코 포기하지 않겠습니다.

• **아마** : 확실하지 않은 추측, 조심스러운 기대 또는 불안.

> 병원에 갔으니까 아마 곧 나아질 거예요.
> 일이 진행되는 과정을 보니 아마 다음 달이나 되어야 일이 완전히 끝날 것 같다.

• **부디** : 정중하면서도 간절한 바람, 상대에 대한 배려와 애정.

> 부디 나를 믿어 주세요.
> 부디 건강히 지내시길 바랍니다.
> 부디 이번 일을 잘 마무리해 주십시오.

• **도대체** : 강한 의문, 답답함, 혼란, 때로는 절망이나 분노 등 복합적이고 격앙된 심정.

> 도대체 제가 무엇을 잘못했다는 거예요?
> 승규가 무슨 생각을 하는지 도대체 알 수가 없다.
> 다들 자기 말이 맞다니 도대체 누구의 말을 믿어야 하는 거야?

연습 문제

정답 및 해설 p.163

1. 밑줄 친 부분에 나타난 '나'의 심정으로 가장 알맞은 것을 고르십시오.

신발장을 정리하면서 제일 먼저 눈에 띄는 것은 아버지의 운동화였다. 쓸 만한 구두가 제법 여러 켤레 있지만 아버지는 외출할 때면 꼭 이 운동화만을 고집하셨다. 엄숙한 느낌의 짙은 정장에 두꺼운 쿠션이 달린 흰색 운동화라니. 사람들의 시선이 아버지 발밑으로 향할까 봐 옆에 서 있는 내가 오히려 조바심을 내곤 하였다. 언젠가 슬쩍 말씀을 드려 보았다. "정장 차림에는 구두가 더 어울리지 않을까요?" 아버지는 혼잣말처럼 중얼거리셨다. "무릎이 아파. 허리도 안 좋고……" 하소연을 듣고서도 나는 아버지의 어색한 차림이 마음에 들지 않았다. 정장을 입고 나가실 때는 좀 불편하더라도 구두를 신으시면 좋으련만. 아버지를 이해하게 된 것은 내 무릎이 안 좋아져서 병원에 다니기 시작하면서부터이다. 무릎이 아프면서 언제부턴가 나도 무릎으로 전해지는 충격을 줄이기 위해 구두 대신 편한 신발을 신기 시작했다. 길거리에서 줄선 바지에 형광색 운동화를 신은 나이 많은 남자들을 보아도 이제는 우습지가 않고 신호등이 깜빡거리는 도로 한가운데서 허둥대는 노인을 보아도 도대체 남의 일 같지가 않다.

① 불안스럽다　　② 다행스럽다　　③ 감격스럽다　　④ 고통스럽다

2. 밑줄 친 부분에 나타난 '나'의 심정으로 가장 알맞은 것을 고르십시오.

새 학기 첫날 긴장감과 설렘을 담은 눈동자들이 나를 바라보고 있었다. 4학년 아이들은 신기할 정도로 나와 마음이 맞았다. 다소 실험적인 수업이나 행사를 준비해도 아이들은 내 기대보다 더 재미있는 결과를 만들어 냈다. 나는 아이들과 '하루에 한 명씩 선생님과 함께 점심 먹기'를 했다. 아이들과 친해질 겸 1번부터 돌아가며 한 명씩 내 책상에서 같이 밥을 먹었다. "요즘은 뭐가 제일 재미있니?" "학교 끝나면 뭐해?" 이런 이야기를 하며 밥을 먹었다. 아이들은 신기해서인지 나와 같이 식사하는 것을 좋아했다. 그날은 현수와 밥을 먹는 날이었다. 현수는 짧은 머리에 동그란 눈이 귀여운 아이였다. 현수는 장난을 좋아했지만 한편으로는 수줍음도 많았다. 현수는 급식을 받고는 가방에서 도시락을 꺼냈다. 과일과 잡채, 계란말이 같은 정성스러운 반찬들이 예쁘게 담겨 있었다. "어머, 이게 다 뭐야?" "엄마가 선생님이랑 같이 먹으라고 주셨어요." "진짜? 어머니 정말 감사하다. 근데 이거 싸느라고 엄마가 고생하셨을 것 같아." 나는 다음부터는 급식만 먹자고 현수에게 당부했지만 현수의 어머니께 감사하는 마음으로 즐겁게 먹었다.

① 아쉽고 걱정스럽다　　　② 기쁘고 자랑스럽다
③ 실망스럽고 미안하다　　④ 감사하면서 죄송하다

- **조바심**(焦急 / mối bận tâm, sự lo lắng) : 조마조마하여 마음을 졸임. 또는 그렇게 졸이는 마음.
- **혼잣말**(自言自语 / lời nói một mình, lời độc thoại) : 말을 들어 주는 사람이 없이 혼자서 하는 말.
- **하소연**(诉苦 / sự kêu ca) : 억울하고 딱한 사정 등을 다른 사람에게 간절하게 말함.
- **허둥대다**(手忙脚乱 / cuống cuồng) : 어찌할 줄을 몰라 이리저리 헤매며 다급하게 서두르다.

- **긴장감**(紧张感 / sự căng thẳng) : 마음을 놓지 못하고 정신을 바짝 차리고 있는 느낌.
- **당부하다**(嘱咐 / yêu cầu) : 꼭 해 줄 것을 말로 단단히 부탁하다.

2 서사적 글에 나타난 인물의 심정 파악하기

TOPIK Ⅱ의 42번 문항에 해당하는 이 유형에서는 주어진 서사적 글을 읽고 화자인 '나'의 심정을 파악하여 4개의 주어진 보기에서 알맞은 것을 선택해야 합니다.

기출문제　2017년 52회 TOPIK Ⅱ 42번

예쁘고 멋쟁이인 박영은 선생님을 새 담임으로 맞이한 것은 우리 모두에게 가슴 떨리는 일이었다. 먼젓번 담임 선생님의 말은 죽어라고 안 듣던 말썽꾸러기들이 박 선생님 앞에서는 고개도 제대로 못 들고 수줍어했다. 우리 반은 당장 전교에서 제일 말 잘 듣고 가장 깨끗한 반이 되었다. 나도 박 선생님에게 잘 보이고 싶은 마음이 태산 같았지만 늘 그렇듯이 머리가 따라 주지를 않았다. 아마 이번 시험에서도 모든 과목이 50점을 넘지 못했을 것이다. 아이들이 모두 떠난 교실에서 나는 몸을 비비 꼬며 창밖에서 놀고 있는 아이들에게 시선을 주고 있었다. (중략) 선생님이 마침내 입을 연 것은 20분이나 시간이 지나서였다. (중략) "동구를 가만히 보면, 아는데 말을 못 하는 적도 많은 것 같아. 그러다 보니 자신감도 없어지고."
　나의 간지럽고 아픈 부분을 이렇게나 간결하게 짚어 준 사람이 내 인생에 또 있으랴. 공부 못 하는 죄를 추궁당하는 것이 아니라 공부 못 하는 서러움을 이해받는 것은 생애 처음 있는 일이었다. 안 그래도 물러 터진 내 마음은 완전히 물에 만 휴지처럼 흐물흐물해져서, 예쁘고 멋진 데다 현명하기까지 한 박 선생님 앞에서 때 아닌 눈물까지 한 방울 선을 보일 뻔했다.

밑줄 친 부분에 나타난 '나'의 심정으로 알맞은 것을 고르십시오.

① 난처하다　　　② 담담하다　　　③ 감격스럽다　　　④ 의심스럽다

정답 ③

해설

①번에서 ④번까지 중에서 밑줄 친 부분에 나타난 '나'의 심정으로 알맞게 기술된 보기는 ③번입니다. 지문의 밑줄 친 문장에는 인물이 스스로 표현한 자신의 감정이 잘 드러나 있습니다. '간지럽고 아픈 부분'은 머리가 따라 주지 않아 50점도 넘지 못한 성적을 가진 내면의 콤플렉스와 상처를 의미하고 그런 부분을 '이렇게나 간결하게 짚어 준 사람이 내 인생에 또 있으랴'는 처음으로 경험하는 감동과 위로를 의미합니다. 따라서 '나'의 심정은 ③번 '감격스럽다'가 되겠지요.

단어

- **수줍어하다**(害羞 / nhút nhát, rụt rè) : 다른 사람 앞에서 말이나 행동을 하는 것을 어려워하거나 부끄러워하다.
- **태산**(泰山 / núi Thái Sơn (cách nói ẩn dụ)) : (비유적으로) 크고 많음.
- **꼬다**(扭 / uốn éo, vắt chéo) : 몸의 일부를 뒤틀다.
- **간결하다**(简洁 / cô đọng) : 글이나 말이 군더더기가 없이 간단하고 깔끔하다.
- **추궁하다**(追究 / hỏi cung) : 잘못한 일을 샅샅이 따져서 밝히다.
- **무르다**(软弱 / mềm oặt, yếu ớt) : 마음이 여리거나 힘이 약하다.
- **선**(面世 / sự chào hàng, sự giới thiệu) : 물건이나 사람이 처음 모습을 드러내는 일.

윗글을 다시 살펴보며 등장인물의 심정이 어떻게 변하는지 분석해 보겠습니다.

예쁘고 멋쟁이인 박영은 선생님을 새 담임으로 맞이한 것은 우리 모두에게 가슴 떨리는 일이었다. 먼젓번 담임 선생님의 말은 죽어라고 안 듣던 말썽꾸러기들이 박 선생님 앞에서는 고개도 제대로 못 들고 수줍어했다. 우리 반은 당장 전교에서 제일 말 잘 듣고 가장 깨끗한 반이 되었다. 나도 박 선생님에게 잘 보이고 싶은 마음이 태산 같았지만 늘 그렇듯이 머리가 따라 주지를 않았다. 아마 이번 시험에서도 모든 과목이 50점을 넘지 못했을 것이다. 아이들이 모두 떠난 교실에서 나는 몸을 비비 꼬며 창밖에서 놀고 있는 아이들에게 시선을 주고 있었다. (중략) 선생님이 마침내 입을 연 것은 20분이나 시간이 지나서였다. (중략)

"동구를 가만히 보면, 아는데 말을 못 하는 적도 많은 것 같아. 그러다 보니 자신감도 없어지고."

나의 간지럽고 아픈 부분을 이렇게나 간결하게 짚어 준 사람이 내 인생에 또 있으랴. 공부 못 하는 죄를 추궁당하는 것이 아니라 공부 못 하는 서러움을 이해받는 것은 생애 처음 있는 일이었다. 안 그래도 물러 터진 내 마음은 완전히 물에 만 휴지처럼 흐물흐물해져서, 예쁘고 멋진 데다 현명하기까지 한 박 선생님 앞에서 때 아닌 눈물까지 한 방울 선을 보일 뻔했다.

예쁘고 멋진 담임 선생님을 맞이해 설레는 마음이 드러나 있다.

주인공도 마음은 선생님에게 잘 보이고 싶지만 성적이 좋지 않다.

불안, 초조, 긴장, 기대, 두려움 등의 심정이 간접적으로 드러난다. 주인공은 선생님과 단둘이만 있는 상황에서 안 좋은 성적에 대한 불안과 선생님께 잘 보이고 싶은 마음과 기대 등이 섞인 채로 몸을 비틀고 있다.

주인공은 성적 때문에 혼나는 것이 아니라 그간의 서러움을 이해해 주는 선생님의 말에 놀라며 감격한다.

주인공은 선생님에게 이해받으며 결국 물에 푹 잠긴 휴지처럼 연약해져 마음이 흔들리고 눈물이 날 정도로 감동받았다.

- 1인칭 시점으로 서술된 이 글에서 주인공인 화자는 예쁘고 멋진 새 담임 선생님을 만나 설레는 마음과 반 학생들이 모두 수줍어하며 선생님께 잘 보이고 싶어하는 상황으로 이야기를 시작합니다.

- 화자도 선생님께 잘 보이고 싶지만 머리가 좋지 않고 이번 시험에서도 성적이 좋지 않아 걱정하고 있습니다.

- 우연히 둘만 교실에 남게 된 상황에서 주인공은 긴장과 기대와 걱정과 두려움 등의 감정에 어색함을 이기려 몸을 비비 꼬고 있습니다.

- 마침내 듣게 된 선생님의 한마디는 주인공의 걱정과 달리 그동안 서러움을 이해해 주는 감동적인 말이었고 주인공은 너무나 감격하여 마음이 흔들리고 눈물까지 날 뻔합니다.

주어진 보기의 뜻을 살펴보면 다음과 같습니다.

① **난처하다**(爲難 / khó xử): 어떻게 행동해야 할지 결정하기 어려운 불편한 상황에 있다.
② **담담하다**(沉着 / trầm lặng, trầm tĩnh, êm đềm): 차분하고 편안하다.
③ **감격스럽다**(激動 / cảm kích): **마음에 느끼는 감동이 크다.** ✅
④ **의심스럽다**(可疑 / đáng ngờ, đáng nghi ngờ): 불확실하여 믿지 못할 만한 데가 있다.

밑줄 친 부분에 나타난 '나'의 심정은 ④번 '감격스럽다'가 맞겠지요.

기출문제

2022년 83회 TOPIK Ⅱ 42번

올해 서른두 살인 준은 어렸을 때부터 특출나게 뛰어난 재능이 없다는 점이 큰 불만이었다. 공부도 그럭저럭, 외모도 그럭저럭, 이었다. (중략) 특이한 재능이 있긴 했다. 준은 본능적으로 동서남북을 감지할 수 있었다. 어느 장소에 가든지 북쪽과 동쪽이 어디인지 본능적으로 느낄 수 있는 감각이었다. 이게 남들은 못하는 특이한 재능이란 걸 알게 된 건 가족들과 3박 4일 일정으로 포항에 놀러 갔던 중학생 때였다. 부모님은 유명하다는 포항 바닷가의 해돋이를 꼭 보고 싶어했다. (중략)

"여보, 이쪽으로 걸어가면 되겠지? 동쪽이 저쪽인가?"

"아냐, 자기야. 호텔 지배인이 선착장으로 가라고 했잖아. 그러니까 저기가 동쪽이지!"

"아냐, 엄마. 동쪽은 이쪽이잖아."

준은 후드 주머니에 꼼지락거리고 있던 손을 꺼내 반대편으로 가려는 부모를 잡았다. 준이 심드렁한 표정으로 반대쪽을 턱짓으로 가리키자 부모님은 고개를 갸웃했다.

"<u>네가 그걸 어떻게 알아?</u>"

"이 방향이 북쪽이잖아. 그러니까 동쪽은 이쪽이지." (중략)

처음에 부모님은 반신반의했지만, 준이 물어볼 때마다 오차 없이 정확히 맞추는 걸 확인하고는 자기들이 천재를 낳았다며 즐거워했다.

밑줄 친 부분에 나타난 '부모님'의 심정으로 알맞은 것을 고르십시오.

① 후회스럽다　　　② 의심스럽다　　　③ 실망스럽다　　　④ 짜증스럽다

정답 ②

해설

"네가 그걸 어떻게 알아?"라고 묻는 부모님의 심정은 준의 말에 확신을 갖지 못하고 의심합니다. 바로 앞 문장의 '부모님은 고개를 갸웃했다.'에서도 믿지 못하는 모습은 드러납니다. 따라서 답은 ②번입니다.

윗글을 다시 살펴보며 부모님의 심정이 어떻게 변하는지 분석해 보겠습니다.

> 　올해 서른두 살인 준은 어렸을 때부터 특출나게 뛰어난 재능이 없다는 점이 큰 불만이었다. 공부도 그럭저럭, 외모도 그럭저럭, 이었다. (중략) 특이한 재능이 있긴 했다. 준은 본능적으로 동서남북을 감지할 수 있었다. 어느 장소에 가든지 북쪽과 동쪽이 어디인지 본능적으로 느낄 수 있는 감각이었다. 이게 남들은 못하는 특이한 재능이란 걸 알게 된 건 가족들과 3박 4일 일정으로 포항에 놀러갔던 중학생 때였다. 부모님은 유명하다는 포항 바닷가의 해돋이를 꼭 보고 싶어했다. (중략)
> 　"여보, 이쪽으로 걸어가면 되겠지? 동쪽이 저쪽인가?"
> 　"아냐, 자기야. 호텔 지배인이 선착장으로 가라고 했잖아. 그러니까 저기가 동쪽이지!"
> 　"아냐, 엄마. 동쪽은 이쪽이잖아."
> 　준은 후드 주머니에 꼼지락거리고 있던 손을 꺼내 반대편으로 가려는 부모를 잡았다. 준이 심드렁한 표정으로 반대쪽을 턱짓으로 가리키자 부모님은 고개를 갸웃했다.
> 　"네가 그걸 어떻게 알아?"
> 　"이 방향이 북쪽이잖아. 그러니까 동쪽은 이쪽이지." (중략)
> 　처음에 부모님은 반신반의했지만, 준이 물어볼 때마다 오차 없이 정확히 맞추는 걸 확인하고는 자기들이 천재를 낳았다며 즐거워했다.

이 글의 도입에 해당하며 인물을 소개하고 특출난 재능이 없다는 불만족스러운 상황을 강조한다.

이야기의 전환. 준이 가지고 있는 특이한 재능에 대하여 소개한다.

그 재능을 발견하게 된 사건을 구체적으로 전개한다. 포항으로 떠난 가족 여행은 준의 방향 감각에 대한 특별한 재능을 발견하게 된 계기가 된다.

부모님은 맞는 방향을 가리키는 준의 말을 믿지 못하고 고개를 갸웃하며 어떻게 아느냐며 의심을 드러낸다.

준의 방향 감각에 대하여 반복적으로 확인하며 준의 능력을 인정하게 된다.

준의 특별한 능력에 대하여 자랑스러움과 기쁨을 느낀다.

- 이 이야기는 평범한 준의 특별할 것 없는 자기 불만에서 시작하여 방향 감지 능력에 대하여 소개하며 그 재능을 알게 된 사건을 구체적으로 전개합니다.
- 포항으로 떠난 가족 여행에서 방향을 가리키는 준의 말을 믿지 못하던 부모님은 점차 준의 재능을 확인하게 되고 자랑스러움과 기쁨을 느낍니다.
- 이 이야기 속에서 준에 대한 부모님의 심정은 의심에서 확신, 그리고 자부심으로 바뀝니다.

주어진 보기의 뜻을 살펴보면 다음과 같습니다.

> ① **후회스럽다**(悔恨 / đầy ân hận) : 이전에 자신이 한 일이 잘못임을 깨닫고 스스로 자신의 잘못을 꾸짖는 데가 있다.
> ② **의심스럽다**(可疑 / đáng ngờ) : **불확실하여 믿지 못할 만한 데가 있다.** 🔖
> ③ **실망스럽다**(失望 / thất vọng) : 기대하던 대로 되지 않아 희망을 잃거나 마음이 몹시 상한 데가 있다.
> ④ **짜증스럽다**(煩人 / nổi giận) : 귀찮고 성가셔서 싫다.

밑줄 친 부분에 나타난 '부모님'의 심정은 ②번 '의심스럽다'가 맞겠지요.

여기서 잠깐!

- 성찰적 글과 서사적 글에 대하여 살펴보도록 하겠습니다.
  - TOPIK Ⅱ의 23번 문항에서 볼 수 있는 지문은 주로 성찰적이며 대체로 1인칭 시점의 수필로 분류할 수 있는 글이 제시됩니다.
  - 반면 TOPIK Ⅱ의 42번 문항은 서사적이며 대개는 3인칭 시점의 소설로 분류할 수 있는 글이 제시됩니다.
- 성찰적 글과 서사적 글의 특징 및 등장인물의 심정 표현 방식을 대비하여 정리하면 다음과 같습니다.

	성찰적 글	서사적 글
내용	글쓴이 자신의 경험, 생각, 감정을 돌아보는 글.	인물, 사건, 배경을 중심으로 이야기를 전개하는 글.
목적	자기 이해, 깨달음, 교훈을 얻는 것.	사건을 전달하고 독자가 이야기를 따라가도록 하는 것.
형식	자유롭고 개인적.	발단 – 위기 – 갈등 – 절정 – 대단원의 구조.
특징	• 나의 경험과 느낌을 중심으로 씀. • 사건보다 내면의 생각과 성찰을 강조 • 독자에게 교훈이나 공감을 주는 경우가 많음.	• 인물과 사건이 있고 대화와 묘사가 포함됨. • 시간의 흐름에 따라 사건이 이어짐. • 독자가 이야기를 읽고 경험할 수 있도록 구성됨.
예	일기, 회고록, 수필 등.	소설, 이야기체 수필 등.
인물의 심정	주로 글쓴이 자신의 내면적 감정과 생각이 직접적이고 고백적으로 드러남.	화자가 직접 설명하기도 하지만, 주로 인물들의 행동과 대사, 상황 묘사를 통해 인물의 심정이 간접적으로 드러남.

  - 즉, 등장인물의 심정은 성찰적 글에서는 대체로 화자인 '나'의 내면적 감정과 생각이 직접적이고 고백적으로 드러납니다.
  - 그에 반해 서사적 글에서는 화자가 직접 설명하는 경우도 있지만, 대개는 인물의 행동과 대사, 상황 묘사를 통해 인물의 심정이 간접적으로 드러납니다.
  - 물론 성찰적 글에서도 화자의 심정이 행동이나 대사에 간접적으로 암시되기도 합니다.

여기서 잠깐!

- 화자나 등장인물의 심정은 직접적으로 기술되는 경우도 종종 있습니다.

- 감정을 표현하는 한국어의 어휘는 의미에 따라 다음과 같이 정리할 수 있습니다.

의미	어휘 용례
감동	가슴을 울리다, 감탄, 감격스럽다, 감개하다, 감탄하다, 놀라다, 뿌듯하다, 찡하다
감사	감사하다, 감지덕지하다, 고마움, 고맙다
괴로움	가슴앓이, 갈등, 갑갑하다, 거북하다, 걱정하다, 겸연쩍다, 경황없다, 고뇌하다, 고민하다, 고심하다, 고통스럽다, 곤욕스럽다, 괴롭다, 권태롭다, 근심하다, 긴장하다, 껄끄럽다, 낙담하다, 난감하다, 난처하다, 노심초사, 답답하다, 당황하다, 따분하다, 모욕감, 미안하다, 민망하다, 번거롭다, 번뇌하다, 번민하다, 불안하다, 불편, 불행, 상실감, 상심, 서먹하다, 속상하다, 실망하다, 심란하다, 심심하다, 안쓰럽다, 안타깝다, 어색하다, 열등감, 염려하다, 우울하다, 절망하다, 절박하다, 조마조마하다, 죄송하다, 죄책감, 지겹다, 지루하다, 초조하다, 패배감, 편찮다, 황당하다, 힘들다
슬픔	가엾다, 눈물겹다, 눈물짓다, 동정하다, 딱하다, 불쌍하다, 비애, 비참하다, 뼈아프다, 뼈저리다, 서글프다, 서럽다, 섭섭하다, 슬프다, 시원섭섭하다, 아깝다, 아쉽다, 애절하다, 연민, 울다, 자책하다, 좌절하다, 충격, 측은하다, 한숨짓다, 허무하다
미움	가증스럽다, 거부감, 거슬리다, 경멸하다, 경시하다, 괘씸하다, 꺼리다, 못마땅하다, 밉다, 반항심, 불만족스럽다, 비웃음, 샘내다, 서운하다, 싫다, 씁쓸하다, 얄밉다, 우습다, 원망하다, 정떨어지다, 지겹다, 질리다, 질투하다, 짜증스럽다, 책망하다, 탓하다, 토라지다, 혐오하다
기쁨	감미롭다, 감흥, 개운하다, 경쾌하다, 기막히다, 기쁘다, 달다, 대견하다, 만족하다, 반갑다, 보람차다, 뿌듯하다, 살맛, 상쾌하다, 상큼하다, 설레다, 성취감, 시원섭섭하다, 시원하다, 신바람, 싱글거리다, 싱글벙글하다, 열광하다, 예쁘다, 우습다, 울다, 웃음꽃, 웃음바다, 유쾌하다, 자기만족, 자랑스럽다, 재미, 좋다, 즐겁다, 쾌적하다, 통쾌하다, 행복하다, 환송하다, 환영하다, 환희, 흐뭇하다, 흥겹다
두려움	겁, 겁나다, 공포, 두렵다, 무섭다
화	격분하다, 골나다, 괘씸하다, 기막히다, 노엽다, 노하다, 분개하다, 분노하다, 분하다, 불평하다, 섭섭하다, 신경질, 억울하다, 유감스럽다, 투덜거리다, 화나다, 화풀이하다, 흥분하다
놀람	경악하다, 경이롭다, 기겁하다, 놀라다, 두근거리다, 신기하다, 어이없다, 어처구니없다, 질리다, 펄쩍, 혼나다
사랑	경애하다, 끌리다, 매료되다, 반하다, 사랑하다, 선호하다, 애정, 애착, 열정, 예쁘다, 온정, 정, 좋다, 짝사랑하다, 호감, 호기심
외로움	고독하다, 공허하다, 덧없다, 막막하다, 소외감, 쓸쓸하다, 외롭다, 적적하다, 허전하다
안정	괜찮다, 넉넉하다, 느긋하다, 달콤하다, 담담하다, 덤덤하다, 아늑하다, 안심하다, 안정하다, 태연하다, 편안하다, 편하다, 평안하다, 평온하다, 평화롭다, 포근하다, 한가하다
그리움	그립다, 동경하다, 향수

부끄러움	남부끄럽다, 머쓱하다, 멋쩍다, 부끄럽다, 수줍어하다, 쑥스럽다, 창피하다
바람	남부럽다, 부럽다, 소망하다, 욕심나다, 원하다, 체념하다, 탐내다, 희망하다
근심	수심
걱정	걱정하다, 우려하다, 한숨짓다

− 서로 비슷한 의미로 해석되는 어휘들을 함께 기억하면 좋겠지요.

여기서 잠깐!

• 이번에는 글의 시점에 대하여 알아보도록 하겠습니다.

• TOPIK Ⅱ의 23번 문항은 대체로 1인칭 시점의 글이고, 42번 문항은 3인칭 시점의 글입니다.

• 시점에 따라 글의 특징과 감정이나 심정의 표현이 어떻게 달라지는지 살펴보도록 하겠습니다.

• 시점이란 글 속에서 이야기하는 사람, 즉 화자의 위치를 조정하여 이야기의 전달 방식을 구성하는 것을 말합니다.
  − 이때 1인칭은 화자가 '나'가 되어 이야기를 하는 시점입니다.
  − 3인칭은 화자가 작품 밖에 있는 제3자로서 이야기 속의 인물들을 지칭하며 서술하는 시점입니다.

• 1인칭 시점의 글에서는 다음과 같이 화자인 '나'를 확인할 수 있습니다.

> 친정아버지가 손자들이 보고 싶다며 오랜만에 우리 집에 오셨다. 내가 집안일을 하는 사이에 아버지는 큰애를 데리고 놀이터에 다녀온다며 나가셨다. 한 시간쯤 지났는데 아버지가 다급한 목소리로 전화를 하셨다. 아이가 다쳐서 병원 응급실로 데리고 가신다는 것이었다. 나는 너무 놀라 허둥지둥 응급실로 달려갔다. 아이는 이마가 찢어져 치료를 받고 있었다. 나도 모르게 "아버지, 애 좀 잘 보고 계시지 그러셨어요?"라며 퉁명스럽게 말했다. 아버지는 아무 말씀 없이 치료받는 아이의 손만 꼭 잡고 계셨다. 집에 와서 아이를 재우고 나서야 아버지 손등의 상처가 눈에 들어왔다. 아이의 상처에는 그렇게 가슴 아파하면서 아버지의 상처는 미처 살피지 못했다. 나는 아버지에게 홧김에 내뱉은 말을 생각하며 약을 발라 드렸다.
>
> 출처 : 2017년 52회 TOPIK Ⅱ 23번

  − 이 글에서는 '내가', '나는', '나도', '나는'의 순서로 직접 이야기를 하는 '나'의 존재를 확인할 수 있습니다.
  − 이와 같이 '나'라는 존재가 직접 등장하여 이야기를 이어 가는 것을 1인칭 시점에서 서술한다고 합니다.
  − 대개는 일기나 기록문, 수필, 에세이, 자전적 소설, 회고록 등에서 1인칭 시점을 볼 수 있습니다.

• 1인칭 시점의 글에서는 화자인 '나'의 심정을 직접 말로 표현하는 경우가 많습니다. 또는 화자의 말투, 어휘 선택, 행동 묘사에서 감정이 생생하게 전달되기도 합니다.
  − 사건과 인물들을 화자의 눈으로만 바라보기 때문에 감정이 편향되거나 제한적으로 드러날 수 있으며 독자가 화자의 내면을 바로 접하기 때문에 몰입도가 높습니다.

- 이에 반해 3인칭 시점의 글에는 화자가 글 속에 직접 등장하지 않습니다.
  - 화자는 이야기의 밖에서 관찰하거나 등장인물의 마음과 사건에 대한 모든 것을 아는 상태에서 서술합니다.

- 3인칭 시점의 글에서는 이야기를 하는 '나'의 존재는 드러나지 않습니다.
  - 등장인물만이 나타납니다.

- 3인칭 시점의 글은 다시 3인칭 관찰자 시점과 전지적 작가 시점의 글로 구분할 수 있습니다.
  - 3인칭 관찰자 시점은 관찰만 할 수 있기 때문에 과거나 미래 같은 것은 알 수 없고 인물의 속마음이나 기분도 알 수 없습니다.
  - 그에 반해 전지적 작가 시점의 글은 모든 것을 아는 입장에서 서술되기 때문에 등장인물의 과거나 미래, 속마음 등을 전부 서술합니다.
  - 예를 들어, '진수는 몸이 안 좋아 집에 가고 싶었다.'라고 하면 진수의 속마음을 알고 있는 것이기 때문에 전지적 작가 시점이지만 '진수는 몸이 안 좋다며 집에 가고 싶다고 말했다.'라고 한다면 관찰한 모습을 서술한 것이므로 3인칭 관찰자 시점이 됩니다.

- 먼저 3인칭 관찰자 시점의 글을 살펴보겠습니다.

> 　그때 소희네는 이사를 앞두고 있었는데 엄마는 그렇게 집을 나가 돌아오지 않았다. 작별 인사는커녕 아무 신호도 낌새도 없이 휙 사라졌다. (중략) 엄마가 집 나가고 열흘쯤 지났을 땐가, 소희가 텔레비전을 보고 있는데 본희가 현관에서 신을 신으며 잠깐 나갔다 오겠다고 했다.
>
> 　"잠깐 어디?" "친구네." "친구 누구?" 소희가 눈을 맞추려 했지만 본희는 돌아보지 않았다. "늦으면 친구네서 자고 올지도 몰라. 기다리지 말고 자." 돌아서 나가는 본희가 멘 가방이 이상하게 커 보여 소희는 자리에서 벌떡 일어났다. 가만히 서 있다가 갑자기 맨발로 뛰어나가 계단을 올라가는 본희 뒷모습에 대고 외쳤다. "언니야, 올 거지?" 본희는 멈춰 섰지만 돌아보지 않았다. 소희는 묻고 또 물었다. (중략)
>
> 　한참 있다가, 몇 년은 지난 것 같은데 몇 시간쯤밖에 안 지난 한밤중에 언니가 문자를 했다. 소희는 언니가 올 때까지 휴대 전화를 손에 꼭 쥐고 문자를 보고 또 보았다. 그러지 않으면 문자가 감쪽같이 날아갈 것 같았다.
>
> 　삼겹살 사가지고 가께. 라면 끓여먹지 말고 기다려.
>
> 　　　　　　　　　　　　　　　　출처 : 2019년 64회 TOPIK II 42번

- 이 글에서 독자가 소희나 본희의 마음을 직접 알 수 있는 부분은 없습니다.
- 다만 소희의 엄마가 이사를 앞두고 말도 없이 사라졌다는 것을 알 수 있고 언니인 본희가 커다란 가방을 메고 나가며 친구네 간다고 할 때 "언니야, 올 거지?" 하고 '묻고 또 묻는' 모습에서 소희가 불안해한다는 것을 짐작할 수 있습니다.
- 또 '언니가 올 때까지 휴대 전화를 꼭 쥐고 보고 또 보았다'는 모습에서도 소희가 불안해한다는 것을 알 수 있습니다.
- 이와 같이 3인칭 관찰자 시점의 글에서 독자는 등장인물의 심정을 간접적으로 이해할 수 있습니다.

• 이번에는 전지적 작가 시점의 글을 보겠습니다.

> 어머니와 아버지가 프랜차이즈 빵집을 연다고 했을 때, <u>주영은 언젠가는 두 사람이 자기를 가게로 부를 것임을 알았다. 그러나 여름에 있을 지방직 9급 시험일까지는 기다려 줄 줄 알았다.</u> (중략)
>
> <u>실제로 벌어진 일은 그런 예상과는 전혀 달랐다.</u> 부모님이 주영에게 빵집으로 나와 일하라는 말을 한 것은 가게 문을 정식으로 연 당일 오후였다. 어머니는 주영에게 전화를 걸어 이렇게 말했다.
>
> 네가 우리 가족 맞냐?
>
> 그러고는 바로 전화를 끊어 버렸다. (중략)
>
> 매장은 사람들로 북적였다. 개장 기념으로 식빵을 반값에 팔고, 어떤 제품을 사든지 아메리카노를 한 잔 무료로 제공하는 행사를 벌이는 중이었다. 프랜차이즈 본사에서 나온 지원 인력들이 손님을 맞고 질문에 답변하고 카드를 받고 계산을 했다. 아버지와 어머니는 하인들처럼 겁먹은 눈으로 예, 예, 굽실거리며 지원 인력들의 지시에 따랐다.
>
> 주영의 아버지와 어머니는 카드 결제조차 제대로 하지 못했다. 빵에는 바코드가 없었다. 제품이 어느 카테고리에 속하는지, 이름이 뭔지를 전부 외워야 단말기에 가격을 입력할 수 있었다. 아버지는 단말기 옆에서 빵을 봉투에 담으며 로프, 캄파뉴, 치아바타, 푸카스 같은 낯선 이름들을 외우려 애썼다.
>
> 출처: 2018년 60회 TOPIK Ⅱ 42번

- 이 글에서 작가, 즉 서술자는 모든 것을 알고 있습니다.
- 그래서 '주영은 언젠가는 두 사람이 자기를 가게로 부를 것임을 알았다. 그러나 여름에 있을 지방직 9급 시험일까지는 기다려 줄 줄 알았다.'와 같이 인물의 생각을 직접 설명하고 있습니다.
- 또 '실제로 벌어진 일은 그런 예상과는 전혀 달랐다.'는 사건의 흐름을 작가가 직접 평가하고 설명하는 부분으로, 인물의 시각이 아니라 작가의 시점에서 작가 직접 개입해서 상황을 정리해서 말해 주고 있습니다.

연습 문제

정답 및 해설 p.164

1. 밑줄 친 부분에 나타난 '김 씨 어머니'의 심정으로 알맞은 것을 고르십시오.

원주동 거리에는 겨울이 깊어가고 있었다. 바람은 매서웠고 사람들은 목도리를 깊이 감싼 채 종종걸음을 쳤다. 그 틈을 비집고 김 씨는 과일을 트럭에서 내리며 외쳤다.

"우리 것도 좀 먹어 주세요. 이번엔 우리 것도 좀 사 보세요!"

그의 목소리는 바람에 실려 퍼졌지만 돌아보는 이는 드물었다. 김 씨의 어머니는 가게 앞에서 지나가는 사람들을 향해 손을 흔들었다.

"쌀도 팔아요. 품질 좋아요. 가격도 싸고요!"

여든이 넘은 김 씨의 어머니는 허리를 잔뜩 구부린 채 추위를 아랑곳하지 않고 사람들 뒤를 따라갔다. 작은 목소리였지만 쉬지 않고 말했다.

<u>"우리 것도 팔아 주라니까……"</u>

하지만 원주동 여자들은 망설였다. 경수네 슈퍼마켓이 문을 열던 날 그들이 무심코 던졌던 말이 마음에 걸렸다.

"부디 잊지 말고 들러 주십시오. 성의껏 모시겠습니다."

경수 아버지가 이렇게 인사할 때 여자들은 은박지 쟁반에 담긴 팥떡을 집어 먹으며 "경수네를 잊고 살 수는 없지." 하고 말했었다. 또 슈퍼마켓에 갈 때마다 고맙다며 덤으로 준 비누나 치약이 김 씨네로 가는 발걸음을 막았다. 짐을 다 내린 김 씨는 입술을 깨물며 다시 트럭에 탔다. 김 씨는 사람들 사이를 헤매듯 바라보았다. 그의 숨은 공기 중에 하얗게 흩어졌다. 원주동의 겨울은 그렇게 조용히 사람들의 마음을 얼리고 있었다.

---

① 감사하다

② 편안하다

③ 간절하다

④ 덤덤하다

단어

- **종종걸음**(快步 / bước đi gấp gáp) : 발을 가까이 자주 떼면서 급히 걷는 걸음.
- **비집다**(扒开 / cạy) : 좁은 틈이나 맞붙어 틈이 없는 데를 억지로 벌리다.
- **아랑곳하다**(理会 / bận tâm) : 어떤 일에 관심을 갖거나 신경을 쓰다.
- **무심코**(无意地 / một cách vô tâm) : 아무런 생각이나 의도가 없이.
- **성의껏**(诚意地 / hết sức thành ý) : 정성스러운 뜻을 다하여.
- **덤**(附赠 / sự khuyến mại) : 제값을 치른 물건 외에 공짜로 물건을 조금 더 주는 일. 또는 그렇게 주는 물건.
- **덤덤하다**(淡漠 / điềm tĩnh) : 특별한 감정이나 느낌을 드러내지 않고 보통 때와 같다.

2. 밑줄 친 부분에 나타난 '소년'의 심정으로 알맞은 것을 고르십시오.

별을 바라보면 고향이 그립고 누나가 보고 싶다. 소년에게 고향과 누나는 뗄 수 없는 것이다. 소년은 유난히 밝게 빛나는 별 하나를 누나별로 정해 두고, 밤마다 이렇게 언덕배기에 누워, 누나별을 바라보고 고향을 그린다. (중략)

머리 위로 별똥이 흘러간다. 별똥이 떨어진 곳은 아무래도 소년의 고향 쪽이라고 생각된다. 고향의 여름은 꼭 이런 밤이다. 이런 밤엔 마당에 모깃불을 놓고 밀짚 방석을 폈다. 누나는 이웃 동무들과 늘 다리미질을 했다. 소년은 감자를 묻어 놓고 방석에 누워 별을 바라보고 별똥을 세었다. 소년은 별똥을 세다가도 다리미질이 끝나면 빨래를 걷어오곤 했다.

"누나, 별똥 봤나?"

"아니, 못 봤다!"

"별똥 참말 맛있나?"

"그렇대!"

"우리 마당에도 별똥 하나 떨어졌으면 좋겠다!"

감자가 푸우하고 김을 뿜을 때는 구수한 냄새가 풍겼다. 호박 덩굴이 얽힌 울타리 너머로 반딧불이 넘어오고 넘어갔다. (중략)

소년은 밤마다 별을 센다. 누나별을 바라보고 고향을 그린다. <u>소년은 고향에 모든 것을 두고 왔다.</u> 누나가 보고 싶다. 고향이 그립다. 누나별을 바라보고 고향을 그리는 소년의 눈시울에 끝내는 별이 잠긴다.

---

① 설레고 즐겁다

② 외롭고 그립다

③ 기쁘고 감사하다

④ 괴롭고 걱정된다

- **언덕배기**(坡顶 / đỉnh đồi) : 언덕의 꼭대기. 또는 언덕의 몹시 비탈진 곳.
- **별똥**(流星 / sao băng) : 우주에서 지구로 들어와 공기에 부딪쳐 밝은 빛을 내며 떨어지는 물체.
- **모깃불**(蚊香火 / lửa đuổi muỗi) : 모기를 쫓기 위해 풀 등을 태워서 연기를 내는 불.
- **동무**(朋友 / bạn bè) : 친하게 어울리는 사람.
- **밀짚**(麦秆 / rơm) : 밀알을 떼어 내고 난 밀의 줄기.
- **방석**(坐垫 / cái đệm ngồi) : 방바닥, 의자, 소파 등에 앉을 때에 엉덩이 아래에 깔고 앉는 네모지거나 둥근 모양의 깔개.
- **참말**(真的 / thật là, đúng là) : 사실과 조금도 다르지 않게 말 그대로.
- **뿜다**(喷 / phun, xịt) : 속에 있는 기체나 액체 등을 밖으로 세게 밀어내다.
- **얽히다**(绕 / bị quấn rối) : 끈이나 줄 등이 이리저리 엇갈려서 묶이거나 감기다.
- **울타리**(栅栏 / hàng rào) : 풀이나 나무 등을 엮어서 만든, 담 대신 일정한 지역의 경계를 표시하는 시설.
- **반딧불**(萤火 / ánh đèn đom đóm) : 반딧불이의 꽁무니에서 나는 불빛.
- **눈시울**(眼眶 / tròng mắt) : 속눈썹이 있는 눈의 주위.

9 안내문과 그래프 읽기

1 안내문 읽기

TOPIK II의 9번 문항에 해당하는 이 유형에서는 주로 게시판에 게시되는 형태의 안내문이나 공지문, 포스터 등을 보고 전체적인 내용을 파악하여 4개의 주어진 보기에서 같은 내용을 선택해야 합니다.

기출문제   2023년 91회 TOPIK II 9번

다음 글 또는 그래프의 내용과 같은 것을 고르십시오. (각 2점)

① 성인과 학생의 버스 요금이 같다.
② 이 버스는 별빛공원에서 출발한다.
③ 매일 오전에 이 버스를 탈 수 있다.
④ 이 버스를 타려면 미리 신청해야 한다.

정답 ④

해설

①번에서 ④번까지 중에서 글의 내용과 같은 보기는 ④번입니다. 글에 나타난 핵심 정보를 파악하고 그 내용을 보기에 주어진 정보와 비교하는 것이 중요합니다.

● 핵심 정보 파악하기
  - 전략에 따라 먼저 제목, 날짜, 장소, 대상, 요금, 신청 방법 등의 핵심 정보를 파악하면 '제목'은 '인주시 야경 관광버스 운행 안내'입니다.
  - '관광 장소'는 '인주역 광장'에서 출발하여 '인주산 전망대'를 거쳐 '달빛공원'으로 이어집니다.
  - '출발 시간'은 '매일 18:00', '요금'은 '성인 10,000원 / 학생 5,000원'입니다.
  - '예약 방법'은 출발 하루 전에 인터넷으로 하는 것입니다.

- 보기를 하나씩 비교하며 검토하기
  - 보기(①~④)를 하나씩 안내문의 내용과 대조합니다.
  - 보기 ①은 버스 요금에 관한 것인데 안내문에는 성인과 학생의 요금이 다르므로 오답입니다.
  - 보기 ②는 출발 장소에 관한 것인데 안내문에는 인주역 광장에서 출발한다고 되어 있으므로 오답입니다.
  - 보기 ③은 출발 시간에 관한 것인데 안내문에는 오후 6시에 되어 있으므로 오답입니다.
  - **보기 ④는 "미리 신청해야 한다"는 조건을 말하고 있는데 안내문에 "출발 하루 전까지 신청"이라고 되어 있으므로 정답입니다. '출발 하루 전까지'라는 말이 '미리'로 바뀌어 있으나 서로 비슷한 의미이므로 같은 내용, 즉 정답이 됩니다.** ✔

기출문제

2022년 83회 TOPIK II 9번

다음 글 또는 그래프의 내용과 같은 것을 고르십시오. (각 2점)

인주시의 과거 모습을 찾습니다

- **기간** : 2022년 9월 1일(목)~9월 30일(금)
- **대상** : 1980년 이전에 찍은 사진
- **방법** : 인주 시청 홍보실로 방문 제출

※ 사진을 제출하신 분께는 문화 상품권(3만 원)을 드립니다.

① 이 행사는 한 달 동안 진행된다.
② 사진은 이메일로 제출해야 한다.
③ 인주시에서 올해 찍은 사진을 내면 된다
④ 이 행사에 참여하면 인주시의 옛날 사진을 받는다.

정답 ①

해설

①번에서 ④번까지 중에서 글의 내용과 같은 보기는 ①번입니다. 글에 나타난 핵심 정보를 파악하고 그 내용을 보기에 주어진 정보와 비교하는 것이 중요합니다.

- 핵심 정보 파악하기
  - 전략에 따라 먼저 제목, 기간, 대상, 방법, 보상 등의 핵심 정보를 파악하면 '제목'은 '인주시시의 과거 모습을 찾습니다'입니다.
  - '기간'은 '2022년 9월 1일'부터 '9월 30일'까지입니다.
  - '대상'은 '1980년 이전에 찍은 사진'입니다.
  - '인주 시청 홍보실'에 직접 방문하여 제출하면 감사의 표시로 '문화 상품권(3만 원)'을 줍니다.

- 보기를 하나씩 비교하며 검토하기
  - 보기(①~④)를 직접 안내문 내용과 대조합니다.
  - **보기 ①은 행사 기간에 관한 것으로 안내문에 9월 1일부터 30일까지 한 달 동안 진행하는 것으로 되어 있으므로 정답입니다.** 💡
  - 보기 ②는 사진 제출 방법에 관한 것인데 안내문에는 직접 방문하여 제출하는 것으로 되어 있어 오답입니다.
  - 보기 ③은 대상에 관한 것인데 이 행사는 인주시의 과거 모습, 즉 1980년 이전의 모습이 담긴 사진을 모으고자 하는 것이므로 오답입니다.
  - 보기 ④는 행사 참여에 대한 보상에 관한 것으로 안내문에서는 상품권(3만 원)을 준다고 되어 있으므로 오답입니다.

기출 분석 글의 정보와 보기 비교

- 안내문이나 공지문, 포스터의 내용을 파악하고 같은 내용을 고르기 위해서는 주어진 글의 정보를 파악하고 주어진 보기와 세부 내용을 비교해야 합니다.

- 먼저 핵심 정보 파악하기
  - 제목, 날짜, 장소, 대상, 요금, 신청 방법, 보상, 특전 등의 핵심 키워드를 빠르게 훑어봅니다.

- 보기를 하나씩 비교하며 검토하기
  - 보기(①~④)를 직접 안내문의 내용과 대조합니다.
  - 틀린 보기는 보통 숫자, 장소, 시간, 조건 같은 세부 정보가 살짝 바뀌어 있습니다.

- 자주 나오는 보기의 유형 파악하기
  - 숫자 바꾸기: 요금, 거리, 날짜 등이 바뀌어 있기도 합니다.
  - 장소 바꾸기: 출발지나 도착지 등이 바뀌어 있기도 합니다.
  - 시간 바꾸기: 오전과 오후가 바뀌어 있기도 합니다.
  - 조건 바꾸기: '미리/현장에서/당일 신청해야 한다'와 같은 조건이 바뀌어 있기도 합니다.

- 정답의 근거를 명확히 하기
  - 정답을 선택할 때는 반드시 본문의 내용과 연결하여 근거를 확인합니다.

1. 다음 글과 같은 내용을 고르십시오.

인주시 책 축제

- 행사 일시 : 10월 11일(토)
- 행사 장소 : 인주시 별빛공원 광장
- 프로그램 : 개막식[사물놀이 공연, 마술쇼 등] 13:00~15:00
  박현서 작가와의 만남 15:00~17:00
  책놀이터, 체험 행사, 이동 서점, 벼룩시장 10:00~18:00

※ 벼룩시장 참여 안내 : 070-123-4567 / 도서관 홈페이지 신청

① 개막식에서는 마당극과 탈춤을 볼 수 있다.
② 행사 장소는 별빛공원 광장에서 모여 이동하면 된다.
③ 인주시 책 축제는 10월 11일 하루 동안 참여할 수 있다.
④ 벼룩시장은 별도의 신청 없이 행사 당일에 판매할 물건을 가지고 가면 된다.

2. 다음 글과 같은 내용을 고르십시오.

- 행사 장소 : 인주시 민속촌
- 문화 공연 : 판소리 뮤지컬 「흥부와 놀부」(무료입장)
- 전통 놀이 체험 : 윷놀이, 딱지치기, 연날리기 등
- 소원 카드 만들기, 보름달 그리기 : 소원을 적어 보름달 그림에 붙이기
- 수공예품 만들기 체험 : 한지로 만드는 부채, 엽서, 종이접기 등
- 명절 음식 체험 : 송편, 전, 한과, 식혜 등 시식 및 판매

① 판소리 뮤지컬을 보려면 입장료를 내야 한다.
② 인주시 추석 행사장에 가면 송편을 먹을 수 있다.
③ 행사장에서는 전통 놀이로 불꽃놀이를 할 수 있다.
④ 인주시 추석 행사에는 참가하려면 한복을 입어야 한다.

2 그래프 읽기

TOPIK II의 10번 문항에 해당하는 이 유형에서는 다양한 형태의 그래프를 보고 구조와 항목별 수치를 파악한 후 4개의 주어진 보기의 문장을 하나씩 대조하며 그 내용이 그래프와 같은지 판단해야 합니다.

기출문제 2014년 36회 TOPIK II 10번

다음 글 또는 그래프의 내용과 같은 것을 고르십시오. (각 2점)

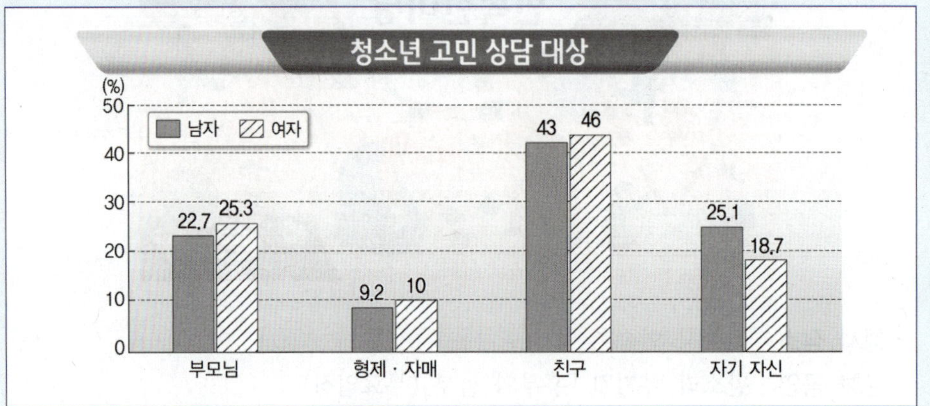

① 남녀 모두 부모님보다 친구에게 고민 상담을 많이 한다.
② 남녀 모두 형제와 자매에게 고민 상담을 많이 한다.
③ 혼자서 고민을 해결하는 청소년은 여자보다 남자가 더 적다.
④ 부모님에게 고민을 말하는 청소년은 남자보다 여자가 더 적다.

정답 ①

해설

①번에서 ④번까지 중에서 그래프의 내용과 같은 보기는 ①번입니다. 그래프에 나타난 핵심 정보를 파악하고 항목별 수치와 내용을 보기에 주어진 정보와 비교하는 것이 중요합니다.

- 그래프에서 항목별 수치를 빠르게 파악하기
  - 이 그래프는 청소년이 고민을 상담하는 대상에 대하여 조사한 결과를 남자와 여자로 나누어 막대 그래프로 표시하고 있습니다.
  - 그래프에서 가장 높이 솟은 막대는 '친구' 항목이며 남자와 여자 모두 친구로 응답한 비율이 각각 43%와 46%로 가장 높다는 것을 알 수 있습니다.
  - 이어서 두 번째 고민 상담 대상이 갈리는데 남자는 혼자서 고민을 해결하는 비율이 25.1%인 데 반해 여자는 부모님께 고민을 상담하는 비율이 25.3%로 높게 나타납니다.
  - 형제나 자매와 상담하는 비율은 남자와 여자 모두 가장 낮은 것으로 나타났습니다.

- 보기의 문장을 하나씩 대조하며 참/거짓 판단하기
  - **보기 ①은 그래프의 내용과 일치하므로 정답입니다.** 💡
  - 보기 ②는 남자와 여자 모두 형제나 자매와 고민을 상담하는 비율이 10% 이하로 나타나 비교적 적으므로 오답입니다.
  - 보기 ③은 혼자서 고민을 해결하는 비율이 남자가 25.1%로 18.7%인 여자보다 더 높으므로 오답입니다.
  - 보기 ④는 부모님에게 고민을 말하는 청소년은 여자가 25.3%로 22.7%인 남자보다 높아 오답입니다.

기출문제

2014년 36회 TOPIK II 10번

다음 글 또는 그래프의 내용과 같은 것을 고르십시오. (각 2점)

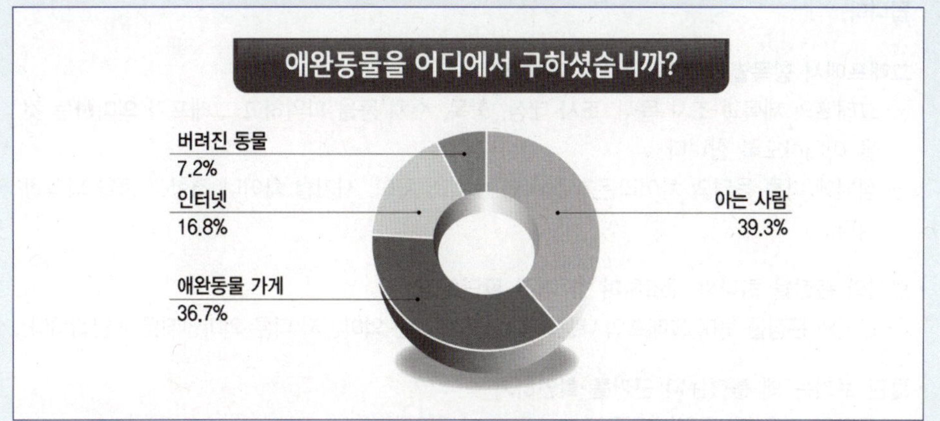

① 주인 없는 동물을 데려와 키우는 사람이 가장 적다.
② 인터넷에서 산 사람이 가게에서 산 사람보다 더 많다.
③ 가게에서 산 사람보다 아는 사람한테서 받은 사람이 더 적다.
④ 아는 사람에게서 동물을 데리고 온 사람은 전체의 반이 넘는다.

정답 ①

해설

①번에서 ④번까지 중에서 그래프의 내용과 같은 보기는 ①번입니다. 그래프에 나타난 핵심 정보를 파악하고 항목별 수치와 내용을 보기에 주어진 정보와 비교하는 것이 중요합니다.

- 그래프에서 항목별 수치를 빠르게 파악하기
  - 이 그래프는 애완동물을 어디에서 구했는지를 묻는 질문에 대한 응답을 비율로 나타낸 도넛 그래프입니다.
  - 가장 많은 비율을 차지하고 있는 응답은 아는 사람에게서 받았다는 것으로 전체의 39.3%에 달합니다.
  - 두 번째로 많은 응답은 애완동물 가게에서 샀다는 것으로 36.7%, 이어서 인터넷에서 산 사람이 16.8%, 끝으로 버려진 동물을 데리고 왔다고 응답한 사람이 7.2%입니다.

- 보기의 문장을 하나씩 대조하며 참/거짓 판단하기
  - **보기 ①은 그래프의 내용과 일치하므로 정답입니다.** 💡
  - 보기 ②는 인터넷에서 산 사람이 16.8%로 가게에서 산 사람인 36.7%보다 적으므로 오답입니다.
  - 보기 ③은 아는 사람에게서 동물을 데리고 온 사람이 39.3%로 가게에서 산 사람인 36.7%보다 많으므로 오답입니다.
  - 보기 ④번 아는 사람에게서 동물을 데리고 온 사람은 39.3%뿐이므로 절반인 50%에 달하지 않아 오답입니다.

기출 분석 그래프의 내용과 보기 비교

- 문제를 풀 때에는 다음의 순서대로 그래프의 내용을 해석하고 보기에서 같은 내용을 고르면 됩니다.

- 그래프에서 항목별 수치를 빠르게 파악하기
  - 그래프의 제목과 조사 목적, 조사 대상, 항목, 수치 등을 파악하고 그래프가 의미하는 것을 이해하도록 합니다.
  - 성별에 따른 응답의 차이라든가 항목별 수치의 차이, 시기별 차이나 경향성 등을 파악합니다.

- 보기의 문장을 하나씩 대조하며 참/거짓 판단하기
  - 보기의 문장을 보며 그래프의 내용과 대조하며 같은 의미인지 다른 의미인지를 판단합니다.

- 틀린 보기는 왜 틀렸는지 근거를 확인하기
  - 오답인 경우 왜 틀렸는지를 그래프를 보며 확인합니다.

여기서 잠깐!

다양한 종류의 그래프에 대하여 살펴보겠습니다.

- **막대그래프**
  - 여러 종류의 대상들 사이에 나타나는 양적인 차이나 시간에 따른 양의 변화 등을 한눈에 알아볼 수 있기 때문에 일상생활이나 업무에서 많이 사용됩니다.
  - 일반적으로 가로축은 시간이나 비교할 대상의 항목이고 세로축은 수량이나 비율 등의 비교 단위입니다.
  - 다음의 예를 보겠습니다(출처: 2018년 60회 TOPIK Ⅱ 10번).

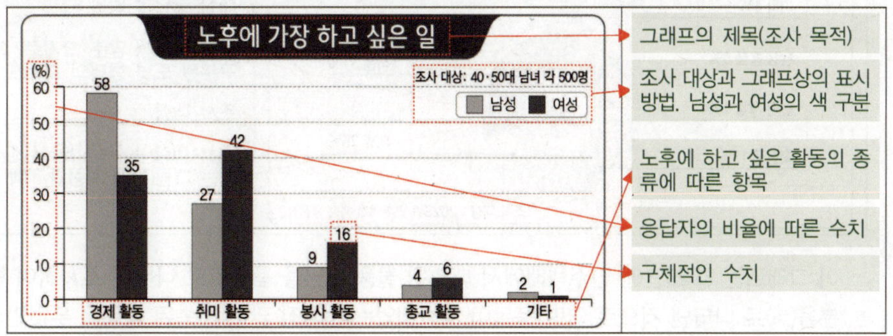

  - 이 그래프에서는 40대와 50대 남녀 각 500명의 노후에 가장 하고 싶은 일에 대한 응답을 비율로 알 수 있습니다.
  - 응답 항목은 경제 활동, 취미 활동, 봉사 활동, 종교 활동, 기타로 나뉘며 남성 응답자는 경제 활동이 58%로 가장 높고, 이어서 취미 활동(27%), 봉사 활동(9%), 종교 활동(4%), 기타(2%)의 순으로 응답하였습니다.
  - 이에 반해 여성 응답자는 취미 활동이 42%로 가장 높고, 이어서 경제 활동(35%), 봉사 활동(16%), 종교 활동(6%), 기타(1%)의 순으로 응답하였습니다.
  - 남성과 여성의 응답 비율을 나타내는 막대를 나란히 붙여 놓음으로써 성별에 따른 선호도가 잘 비교되고 동시에 성별에 따라 어떤 활동을 가장 선호하는지 등도 한눈에 파악할 수 있습니다.
  - 하나 더 살펴보겠습니다(출처: 2023년 91회 TOPIK Ⅱ 10번).

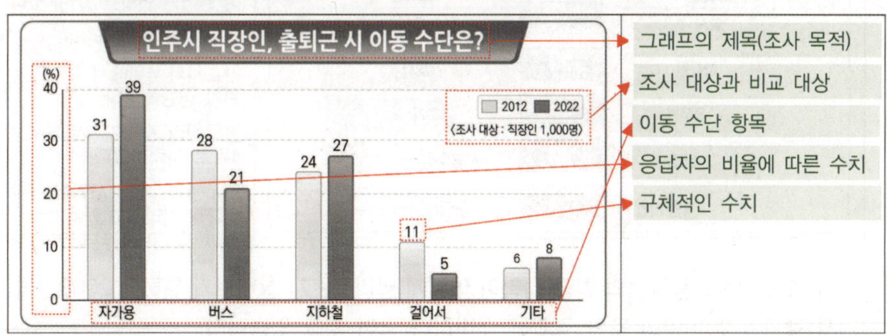

  - 인주시의 직장인은 출퇴근 시 2012년과 2022년 모두 자가용을 이용하는 비율이 가장 높고 대중교통으로는 2012년에는 버스를 더 선호하였으나 2022년에는 지하철을 더 선호하는 것으로 보입니다.

- **도넛 그래프(원형 그래프)**
  - 중앙에 아이콘이 들어가 있고 가운데가 비어 있는 원형 디자인의 그래프입니다. 원형그 래프처럼 전체 비율을 나타내지만 가운데가 뚫려 있는 형태입니다.
  - 시각적으로 깔끔하고 중앙 공간을 활용해 강조 요소나 설명을 넣기 좋기 때문에 자주 사용됩니다. 주로 비율을 나타내는 데 용이합니다.
  - 전체 중에서 각 항목이 차지하는 비율을 시각적으로 보여줄 때 사용합니다.
  - 다음의 예를 보겠습니다(출처 : 2024년 96회 TOPIK II 10번).

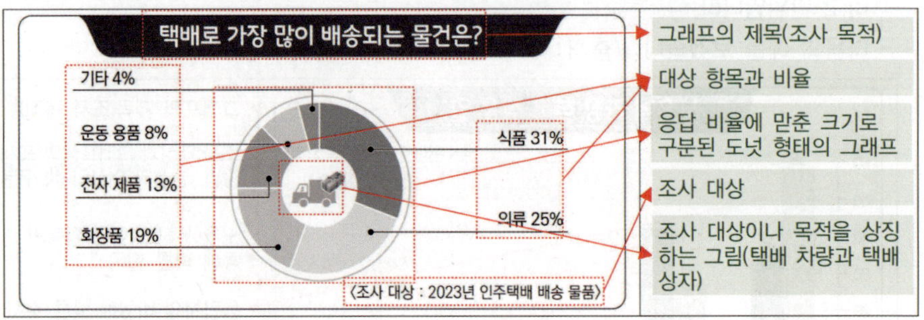

  - 이 그래프는 2023년에 인주택배에서 배송된 물품의 양을 품목별로 나누어 조사하여 백 분율(%)로 나타낸 것으로 어떤 품목이 배송되었는지 가장 많이 배송된 품목은 무엇인지 등을 알 수 있습니다.
  - 전체적으로 식품이 31%로 가장 많이 배송되었고 이어서 의류(25%), 화장품(19%), 전자 제품(13%), 운동 용품(8%), 기타(4%)의 순으로 나타났습니다.

- **좌우 대칭 그래프 (피라미드형 그래프)**
  - 주로 두 개의 서로 다른 데이터 세트를 비교할 때 사용하며, 인구 통계학적 데이터를 남 녀 또는 연령별로 비교하는 데에도 많이 쓰입니다.
  - 혹은 두 시점의 순위 등을 비교하는 데에도 효과적입니다.
  - 다음의 예를 보겠습니다(2019년 64회 TOPIK II 10번).

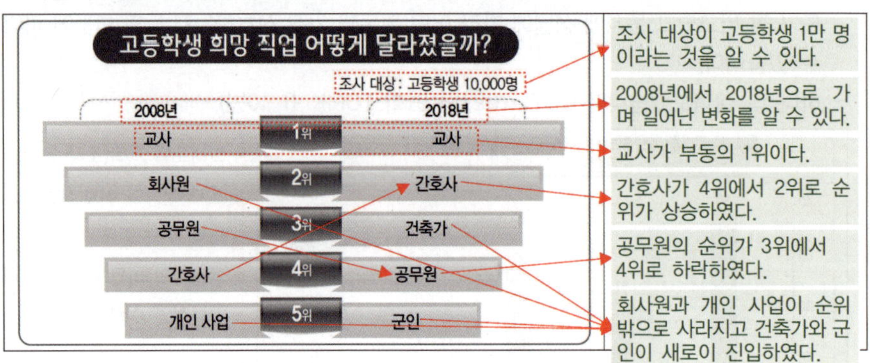

  - 이 그래프는 고등학생의 희망 직업이 어떻게 달라졌는지 살펴보기 위하여 2008년의 조 사 결과와 2018년의 조사 결과를 대비하여 보여 주고 있습니다.
  - 조사 대상은 고등학생 1만 명으로 2008년과 2018년 모두 교사가 1위의 자리를 차지하고 있다는 것을 알 수 있습니다.
  - 공무원의 순위는 다소 하락하였고 간호사의 순위가 매우 상승한 것을 확인할 수 있습니다.
  - 회사원과 개인 사업이 모두 순위 밖으로 밀려나고 건축가와 군인이 새롭게 순위권에 진 입한 것을 볼 수 있습니다.

연습 문제 정답 및 해설 p.166

1. 다음 그래프의 내용과 같은 것을 고르십시오.

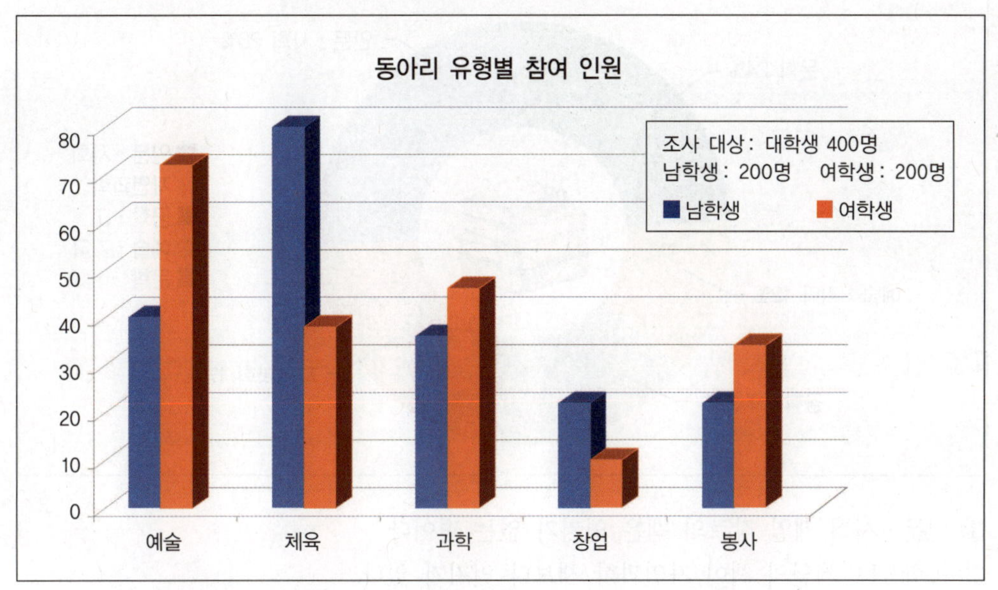

① 남학생은 체육 동아리 참여 인원이 가장 많다.

② 과학 동아리에 대한 선호도는 남학생이 더 높다.

③ 여학생이 가장 선호하는 동아리는 봉사 동아리이다.

④ 전체적으로는 남녀 모두 창업 동아리 참여 인원이 가장 많다.

단어

• **체육**(体育 / thể dục thể thao) : 운동을 통해 몸을 튼튼하게 만드는 일. 또는 그런 목적으로 하는 운동.

• **창업**(创业 / sự khởi nghiệp) : 사업 등을 처음으로 시작함.

• **선호도**(好感度 / mức độ thích sử dụng) : 여럿 가운데서 어떤 것을 특별히 더 좋아하는 정도.

• **선호하다**(偏爱 / ưa thích) : 여럿 가운데서 어떤 것을 특별히 더 좋아하다.

2. 다음 그래프의 내용과 같은 것을 고르십시오.

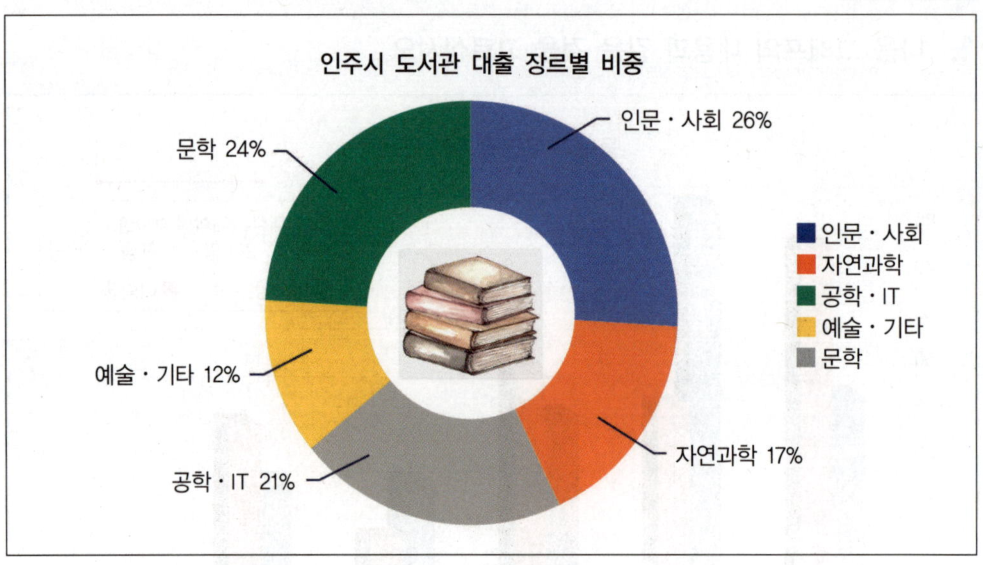

① 인문·사회 계열 장르의 책은 인기가 없는 편이다.
② 공학·IT 계열의 책이 자연과학 책보다 인기가 있다.
③ 예술·기타 장르의 책은 대출 비율이 10%도 안 된다.
④ 인주시 도서관에서 가장 많이 대출되는 장르는 문학이다.

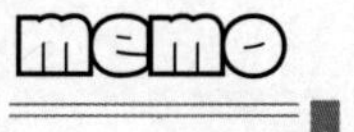

실전 모의고사

TOPIK **II** 읽기

제1회 실전 모의고사
제2회 실전 모의고사

PART 2 실전 모의고사

제1회 실전 모의고사

정답 및 해설 p.167

※ [1~2] (   )에 들어갈 가장 알맞은 것을 고르십시오. (각 2점)

1. 아침에 수영을 (   ) 늦잠을 자 버렸다.

① 하려고　　　　　　　　　　② 하다가
③ 하려다가　　　　　　　　　④ 하느라고

2. 영수는 어젯밤에 친구와 (   ) 숙제를 다 못 했다.

① 통화하느라고　　　　　　　② 통화했는데도
③ 통화하는 김에　　　　　　　④ 통화하려고

※ [3~4] 다음 밑줄 친 부분과 바꾸어 쓸 수 있는 것을 고르십시오. (각 2점)

3. 그 사람의 실수를 보고 <u>웃지 않을 수 없었다</u>.

① 웃을 리가 없었다　　　　　② 웃을 수밖에 없었다
③ 웃지 않기로 했다　　　　　④ 웃지 않을 수도 있었다

4. 급하게 <u>나온 탓에</u> 노트북을 집에 놓고 나왔다.

① 나온 채로　　　　　　　　　② 나온 김에
③ 나오는 만큼　　　　　　　　④ 나오는 바람에

※ [5~8] 다음은 무엇에 대한 글인지 고르십시오. (각 2점)

5.

> 시간을 더 정확하게,
> 소중한 순간을 함께합니다.

① 안경　　　② 시계　　　③ 신발　　　④ 사진

6.

> 안정된 내일을 위해!
> 고객님의 자산을 소중히 지키겠습니다.

① 병원　　　② 도서관　　　③ 은행　　　④ 여행사

7.

> 잠들기 전 스마트폰 멀리하기!
> 충분한 수면으로 하루를 준비하세요.

① 건강 관리　　　② 안전 운전　　　③ 전기 절약　　　④ 전화 예절

8.

> 이 기계는 가볍고 가지고 다니기 편리합니다.
> 사용이 간단하여 누구나 쉽게 사용할 수 있습니다.

① 관람 규칙　　　② 제품 소개　　　③ 이용 후기　　　④ 예약 문의

※ [9~12] 다음 글 또는 그래프와 같은 내용을 고르십시오. (각 2점)

9.

개별 판매자 신청 방법

접수 일시: 2025. 11. 5.(수) 09:00부터 선착순 접수

접수 장소: 인주시 청소년센터 4층 소극장

유의 사항: 인주시 거주 시민만 신청 가능(접수 시 신분증 필수 지참)
　　　　　 판매 수익금의 10% 이상 자율 기부

① 개별 판매자는 추첨으로 결정된다.

② 판매 수익금은 모두 기부해야 한다.

③ 인터넷으로 인주시 시청에 접속하여 접수한다.

④ 신분증으로 인주시 거주 시민이라는 것을 보여 주어야 한다.

10.

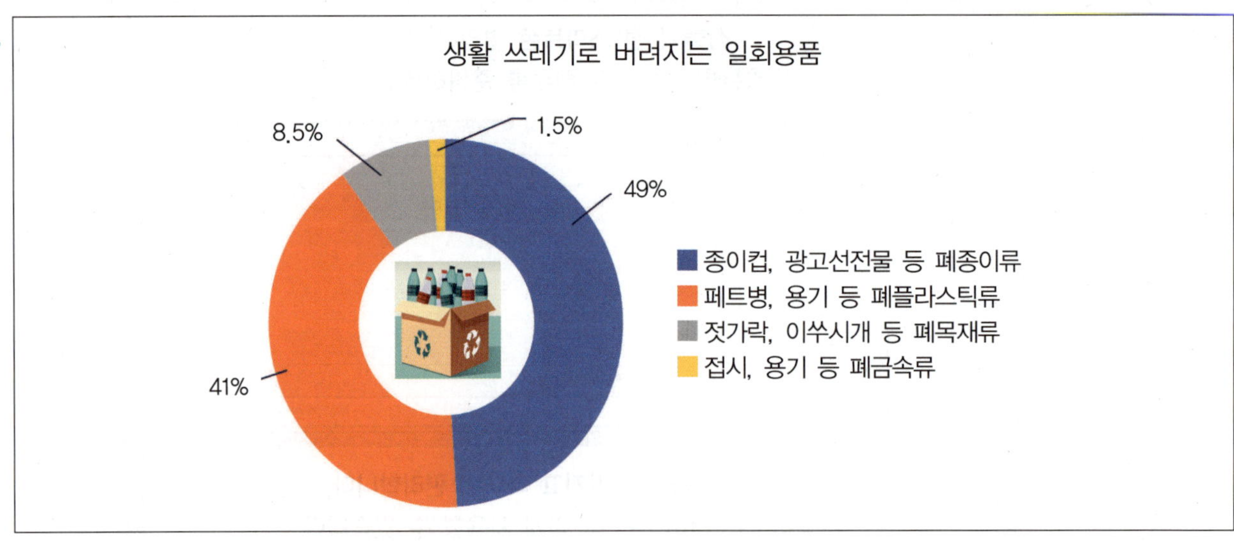

① 플라스틱으로 된 일회용품은 없다.

② 종이 쓰레기의 배출량이 가장 적다.

③ 폐금속류는 대부분 숟가락과 젓가락이다.

④ 일회용품에는 종이류, 플라스틱류, 목재류, 금속류가 있다.

※ [10~12] 다음 글 또는 그래프와 같은 내용을 고르십시오. (각 2점)

11.

> 인주시립도서관은 겨울 방학을 맞아 인주시 초등학생들을 위한 독서·창작 프로그램을 운영한다. 이번 프로그램에 참여하는 학생들은 도서관에서 직접 책을 읽고 토론하며, 자신만의 이야기를 글과 그림으로 표현하는 활동을 경험할 수 있다. 특히 책 읽기를 좋아하거나 작가를 꿈꾸는 학생들에게 큰 호응을 얻고 있다. 도서관은 이번 프로그램을 통해 어린이들이 책과 더욱 가까워지고 창의력을 키울 수 있기를 기대하며, 내년 겨울 방학에도 이 프로그램을 지속적으로 운영할 계획이다.

① 이 프로그램은 이번 겨울 방학에만 운영된다.
② 이 프로그램은 초등학생과 중학생을 대상으로 한다.
③ 작가를 꿈꾸는 학생들이 이 프로그램에 관심이 많다.
④ 도서관에서는 이 프로그램을 통해 큰 수익을 내기를 기대한다.

12.

> 반려동물에 이어 '반려 식물'이 부상했다. 그중에서도 동그란 녹색 공 모양의 '마리모'가 독특한 매력으로 주목받고 있다. 마리모는 물에서 사는 녹조류의 일종으로, 1년에 5~10mm 정도 자라는 수경식물이다. 약 1cm의 마리모가 야구공 크기로 성장하는 데는 무려 150년에서 200년이 걸린다고 한다. 마리모는 특별한 관리가 필요 없어 초보자에게도 이상적인 반려 식물로 꼽혀 왔다. 마리모를 키우고 있는 A씨는 "아이와 함께 할 수 있는 작은 취미를 찾아 시작했다."라며 "초록빛이 주는 힐링 효과가 있다. 마음이 편안해진다."라고 밝혔다.

① 마리모는 물에서 사는 동물이다.
② 마리모는 섬세한 관리가 필요한 식물이다.
③ 마리모는 초록색을 비롯하여 다양한 색을 지닌다.
④ 마리모가 야구공 크기로 성장하는 데는 100년 이상이 걸린다.

※ [13~15] 다음을 순서에 맞게 배열한 것을 고르십시오. (각 2점)

13.

(가) 직원들은 개인 컵을 사용하고, 종이 대신 전자 문서를 활용하기 시작했다.
(나) 이러한 노력으로 회사 안의 쓰레기 양이 눈에 띄게 줄었다.
(다) 다른 기업들도 이 캠페인에 관심을 가지며 참여를 확대하고 있다.
(라) 회사에서는 일회용품 사용을 줄이기 위한 환경 보호 캠페인을 시작했다.

① (라) − (가) − (나) − (다)
② (라) − (나) − (다) − (가)
③ (가) − (나) − 라) − (다)
④ (가) − (라) − (다) − (나)

14.

(가) 그런데 그 말을 들은 친구의 표정이 갑자기 굳어졌다.
(나) 그래서 나는 내 말이 오히려 오해를 낳았다는 것을 깨달았다.
(다) 얼마 전 나는 친구를 위로하려는 마음으로 조언을 했다.
(라) 내 의도와 달리 그 말이 친구의 상황을 충분히 고려하지 못한 것이었기 때문이다.

① (가) − (나) − (다) − (라)
② (가) − (나) − (라) − (다)
③ (다) − (가) − (나) − (라)
④ (다) − (가) − (라) − (나)

15.

(가) 이러한 변화는 피부를 보호하려는 자연스러운 반응이다.
(나) 피부가 햇빛에 오래 노출되면 자외선의 영향을 받게 된다.
(다) 그래서 피부가 어두워지거나 탄 것처럼 보이게 된다.
(라) 그러나 자외선이 너무 강할 경우에는 피부에 부담을 줄 수 있다.

① (나) − (다) − (가) − (라)
② (나) − (다) − (라) − (가)
③ (라) − (다) − (가) − (나)
④ (라) − (다) − (나) − (가)

※ [16~18] 다음을 읽고 (   )에 들어갈 내용으로 가장 알맞은 것을 고르십시오. (각 2점)

16.

요즘 많은 회사들이 회의 시간을 줄이기 위해 '서서 하는 회의'를 도입하고 있다. 회의를 앉아서 할 때보다 서서 할 때 활기차고 논쟁이 적었다는 연구결과가 발표되었다. 핵심만 빠르게 정리하게 되고, 불필요한 이야기도 줄어든다고 한다. 그래서 직원들은 같은 내용을 (   ) 끝낼 수 있다고 말한다.

① 더 천천히
② 더 길게
③ 더 복잡하게
④ 더 짧은 시간에

17.

비가 오는 날에는 습도가 높아져 옷이 잘 마르지 않는다. 이때 빨래를 널기 전에 수건으로 (   ) 물기가 줄어 마르는 시간이 단축된다. 동시에 빨래 표면의 얼룩 제거와 남새 완화에 도움이 된다. 또한 창문을 조금 열어 공기가 흐르게 하면 효과가 더 좋다.

① 한 번 문지르면
② 한 번 접어 두면
③ 잘 뒤집으면
④ 밖에서 얼리면

18.

어떤 사람은 공부를 시작하기 전에 완벽한 계획을 세우려고 한다. 계획을 세우는 과정에서 방향을 잡을 수 있다는 장점도 있다. 하지만 계획에만 시간을 쓰다 보면 정작 실천을 못 할 수도 있다. 그래서 처음에는 (   ) 시작하는 것이 더 중요하다고 한다.

① 한 번에 큰 목표를 세워서
② 작은 행동부터 차근차근
③ 결과가 보일 때까지 기다렸다가
④ 남들이 사용하는 방법을 그대로 따라하며

※ [19~20] 다음을 읽고 물음에 답하십시오. (각 2점)

> 최근 재택근무가 확산되면서 근무 방식에 큰 변화가 나타나고 있다. 집에서 일하는 시간이 늘어나면서 직원들은 출퇴근 시간 부담이 줄어들고 업무 공간을 자유롭게 구성할 수 있게 되었다. (　　) 사무실에서 이루어지던 팀 회의나 교육이 온라인 중심으로 바뀌었고 화상 회의 프로그램 사용이 필수가 되었다. 전문가들은 이러한 변화가 앞으로 근무 문화 전반에 지속적인 영향을 줄 것으로 보고 있다.

19. (　　　)에 들어갈 알맞은 것을 고르십시오.

① 그래도　　　　　　　　　　　② 또한
③ 그러나　　　　　　　　　　　④ 그래서

20. 윗글의 중심 생각을 고르십시오.

① 재택근무 확산으로 근무 환경과 업무 방식이 변화하고 있다.
② 재택근무로 인해 출퇴근 시 교통 스트레스가 크게 줄어들었다.
③ 온라인 회의 프로그램은 특정 기업만 사용하고 있다.
④ 재택근무는 단기적으로만 시행될 예정이다.

※ [21~22] 다음을 읽고 물음에 답하십시오. (각 2점)

> 친환경 소비에 대한 관심이 증가하면서 불필요한 소비를 줄이려는 움직임이 확산되고 있다. 특히 장기적인 경기 침체로 인해 많은 가정이 생활비 부담을 줄이기 위해 (　　　) 지출을 최소화하려는 노력을 기울이고 있다. 이러한 변화는 단순히 절약을 넘어, 환경을 보호하고 책임 있는 소비를 실천하려는 시민 의식이 반영된 것으로 볼 수 있다. 다만, 과도한 비용 절감은 지역 상권 위축이나 경제 활동 감소로 이어질 수 있다는 우려도 나오고 있다. 따라서 소비자는 상황에 맞게 지출 균형을 유지하는 것이 중요하다.

21. (　　　)에 들어갈 알맞은 것을 고르십시오.

① 담을 쌓고　　　　　　　　　　② 콧대가 높고
③ 귀가 솔깃하고　　　　　　　　④ 허리띠를 졸라매고

22. 윗글의 중심 생각을 고르십시오.

① 절약 소비는 환경 보호에 도움이 되기 때문에 반드시 필요하다.
② 친환경 소비는 경제 활동 감소로 이어질 수 있다.
③ 불필요한 소비는 지역 상권을 위축시키는 원인이 된다.
④ 절약은 중요하지만 상황에 맞게 균형 잡힌 소비가 필요하다.

※ [23~24] 다음을 읽고 물음에 답하십시오. (각 2점)

> 광주에서 진도까지 가는 직행버스가 있길래 다리로 섬이 육지에 이어진 줄 알았더니 그게 아니었다. 거기서 버스가 큰 배를 타고 바다를 건너 진도로 들어서는 것이었다. 진도는 전체적으로 기름지고 넉넉해 보였다. 산과 들의 나무와 풀들은 싱싱하고 윤기가 있었다. 학교 같은 공공건물 주위에 유달리 크고 잘 뻗은 나무들이 많이 서 있는 것도 눈길을 끌었다. 땅이 비옥해서, 1년 농사해서 3년을 먹는 곳이 진도라고 한다. 나중에 들은 얘기지만, 진도에서는 주민들 거의가 농업에 종사하고 있으며, 수산업 전문은 거의 없다. 진도읍에 닿으니 6시가 다 되어 있다. 지인이 기다리고 있었다.
>
> "내가 진도 사람이라서 그러는 게 아니라 진도에는 진도만의 독특한 문화가 아직 명맥을 유지하고 있습니다. 다리가 생기면 이것도 외부에서 일방적으로 흘러 들어오는 문화에 의해서 완전히 깨지겠지요."
>
> 그는 우리를 집으로 데리고 들어가 저녁을 먹이고 진도를 구경시키기 위해서 다시 밖으로 데리고 나왔다. 우리는 택시를 타고 바닷가를 향해서 갔다. 구름이 잔뜩 끼어 별 하나 보이지 않는 하늘이었지만, 바다에서 불어오는 바람은 찝찔하면서도 상쾌했다.

23. 밑줄 친 부분에 나타난 '나'의 심정으로 가장 알맞은 것을 고르십시오.

① 자랑스럽다　　　　　　　　② 고민스럽다
③ 걱정스럽다　　　　　　　　④ 고생스럽다

24. 윗글의 내용과 같은 것을 고르십시오.

① 진도에는 고유한 문화가 없다.
② 진도에는 아름다운 나무와 풀이 많다.
③ 진도 사람들은 거의 수산업에 종사한다.
④ 광주에서 진도를 가려면 비행기를 타야 한다.

※ [25~27] 다음 신문 기사의 제목을 가장 잘 설명한 것을 고르십시오. (각 2점)

25.

> 기후 변화 대책 부재, 매년 수백만 명 희생

① 정부의 기후 대응 정책이 강화되면서 극심한 기후 재난 피해가 줄어들었다.
② 기후 변화로 인한 인명 피해가 심각하지만 효과적인 정책덕분에 해결되었다.
③ 기후 변화 대책이 없으므로 수백만 명이 매년 그 영향으로 희생되고 있다.
④ 기후 변화에 대비한 국제 협력 강화로 재난 피해 복구가 이뤄지고 있다.

26.

> 외식 물가 껑충, 재료비와 인건비 상승에 서민 부담 가중

① 외식업체 수가 줄어들어 경쟁이 완화되었다.
② 외식 가격이 내려가 소비자 만족도가 높아졌다.
③ 외식 물가가 오르면서 생활비 부담이 커지고 있다.
④ 재료비 하락으로 외식업체 상황이 나아지고 있다.

27.

> 대규모 개발 사업 속도 내는 동안 청년 주거 문제는 여전히 뒷전

① 청년들이 개발 사업에 적극 참여하고 있다.
② 청년 주거 정책이 개발 사업보다 우선 추진되고 있다.
③ 개발 사업이 중단되면서 주거 문제가 해결되고 있다.
④ 개발에 집중해서 청년 주거 문제는 충분히 다뤄지지 않고 있다.

※ [28~31] 다음을 읽고 (   )에 들어갈 내용으로 가장 알맞은 것을 고르십시오. (각2점)

28.

　　최근 많은 국가에서 청소년의 스마트폰 사용 시간을 제한하는 정책을 도입하고 있다. 스마트폰이 학습과 정보 습득에 도움이 된다는 긍정적 측면이 있음에도 불구하고 지나친 사용은 수면 부족, 주의력 저하, 사회적 고립 등 여러 부작용을 초래한다는 연구 결과가 보고되고 있다. 따라서 전문가들은 청소년이 스마트폰을 사용할 때 (　　　　　　　　) 필요가 있다고 강조한다.

① 모든 앱을 차단할　　　　　　　　　② 최신 기기를 활용할
③ 친구들과 경쟁하게 할　　　　　　　④ 체계적인 규칙을 설정할

29.

　　과거 대형 구조물을 건설할 때에는 무거운 자재를 옮기는 것이 큰 어려움이었다. 이를 해결하기 위해 사람들은 바닥의 재질을 바꾸거나 이동 경로를 정비하는 방법을 사용했다. 이렇게 하면 자재를 끌 때 필요한 힘이 줄어들었다. 이러한 사례는 (　　　　　　　　　) 이용한 결과라고 볼 수 있다.

① 사람 수를 늘린 것을　　　　　　　② 자재의 크기를 줄인 것을
③ 이동 시 저항을 줄이는 원리를　　　④ 운반 속도를 높이는 기술을

30.

　　많은 사람들은 기억력이 나빠지는 원인을 나이에서만 찾으려 한다. 하지만 연구에 따르면 기억력은 나이보다 정보가 제시되는 방식과 밀접한 관련이 있다. 여러 정보를 한꺼번에 접하면 뇌가 이를 정리하는 데 어려움을 겪게 된다. 따라서 기억을 잘하기 위해서는 정보를 (　　　　　　　　) 받아들이는 것이 중요하다.

① 한 번에 많이　　　　　　　　　　② 나누어 단계적으로
③ 가능한 한 빠르게　　　　　　　　④ 감각적으로 자극적으로

31.

　　최근 새로움과 익숙함을 함께 추구하는 소비 경향이 나타나고 있다. 과거에 사용되던 디자인이나 제품이 시간이 지나 다시 주목받는 현상은 특별한 일이 아니다. 실제로 예전에 유행했던 음악, 놀이 문화, 음식 등이 새로운 형태로 재등장하며 관심을 끌고 있다. 이러한 흐름은 사람들이 단순히 새로운 것만을 추구하기보다 (　　　　　　　　) 성향이 있음을 보여 준다. 이를 활용해 기업들은 과거의 이미지를 현대적으로 재해석한 상품을 출시하고 있다.

① 유행을 빠르게 바꾼다는　　　　　　② 시간의 흐름을 중시한다는
③ 오래된 물건을 그대로 보존한다는　　④ 과거를 떠올리며 정서적 만족을 느낀다는

※ [32~34] 다음을 읽고 글의 내용과 같은 것을 고르십시오. (각 2점)

32.

> 달팽이는 몸이 부드럽고 수분이 많아 외부 환경에 쉽게 영향을 받는다. 그래서 단단한 껍질을 가지고 다니며 몸을 보호한다. 주로 습기가 많은 밤이나 비가 온 뒤에 활동하지만, 건조하거나 햇빛이 강할 때에는 움직임이 거의 없다. 또 온도가 너무 낮거나 높으면 껍질 속으로 들어가 오랫동안 머무른다. 이처럼 달팽이는 주변 환경의 조건에 따라 행동을 조절하며 생존하는 동물이다.

① 달팽이는 껍질이 없어 외부 자극에 약하다.
② 달팽이는 온도가 높을수록 더 자주 활동한다.
③ 달팽이는 밤보다 낮에 더 활발히 움직인다.
④ 달팽이는 환경의 변화에 맞추어 행동을 조절한다.

33.

> 초파리는 유전학 실험에 자주 사용되는 곤충이다. 몸집이 작아 사육 공간이 많이 필요하지 않고, 한 세대의 기간이 매우 짧아 실험 결과를 빠르게 확인할 수 있다. 또한 유전 정보가 비교적 단순해 변화 과정을 관찰하기 쉽다. 관리가 간편하고 비용이 적게 들어 반복 실험에도 적합하다. 이러한 특징 때문에 초파리는 오랫동안 유전 연구에서 중요한 실험 대상으로 활용되고 있다.

① 초파리는 크기가 커서 넓은 사육 공간이 필요하다.
② 초파리는 세대 기간이 짧아 연구 결과를 빨리 얻을 수 있다.
③ 초파리는 유전 정보가 복잡해 관찰에 많은 시간이 걸린다.
④ 초파리는 관리가 어려워 반복 실험에 적합하지 않다.

34.

> 아이들은 말을 배우는 과정에서 질문을 적극적으로 활용한다. 무엇인지, 왜 그런지 묻는 질문을 통해 주변 사물과 상황의 의미를 파악한다. 이때 어른의 대답은 아이가 새로운 단어와 표현을 이해하는 데 중요한 역할을 한다. 반복적인 질문과 대답을 거치며 아이는 자연스럽게 언어 사용 범위를 넓혀 간다. 이러한 상호작용은 언어 발달을 촉진하는 핵심 요인으로 알려져 있다.

① 아이는 질문을 통해 단어와 상황의 의미를 이해한다.
② 아이는 질문 없이 어른의 말을 따라 하며 언어를 배운다.
③ 아이의 질문은 언어 발달과 큰 관련이 없다.
④ 아이는 질문보다 혼잣말을 통해 언어를 익힌다.

※ [35~38] 다음을 읽고 글의 주제로 가장 알맞은 것을 고르십시오. (각 2점)

35.

> 무지개는 비가 내린 뒤 햇빛이 비칠 때 하늘에 나타나는 대표적인 자연 현상이다. 햇빛이 공기 중의 작은 물방울에 들어가면 빛이 꺾이는 굴절이 일어나고, 물방울 안에서 한 번 이상 반사된다. 이 과정에서 파장의 길이에 따라 굴절되는 각도가 달라지기 때문에 빛이 여러 색으로 분리된다. 결국 빨강, 주황, 노랑, 초록, 파랑, 남색, 보라색의 일곱 가지 색이 하늘에 아치 모양으로 나타나게 된다. 따라서 무지개는 햇빛의 굴절과 반사가 함께 일어나면서 만들어지는 빛의 분산 현상이라고 할 수 있다.

① 비가 그친 뒤 햇빛이 비칠 때 하늘에 나타나는 무지개를 설명하고 있다.
② 무지개가 생기는 이유를 빛의 굴절과 반사로 설명하고 있다.
③ 빛의 세기와 날씨가 무지개의 색에 영향을 준다고 말하고 있다.
④ 무지개의 색 순서가 시기나 장소에 따라 달라진다고 설명하고 있다.

36.

> 예전에는 반찬을 직접 만들어 먹는 것이 일반적이었지만, 요즘은 반찬을 사 먹는 사람이 빠르게 늘고 있다. 특히 1인 가구와 맞벌이 부부가 많아지면서 요리를 할 시간이나 여유가 부족하기 때문이다. 이런 흐름에 맞춰 반찬 전문점이 생기고, 온라인으로 주문해 배달받는 서비스도 확대되고 있다. 이처럼 반찬 판매는 단순한 식품 거래를 넘어 현대인의 생활 방식을 반영하는 새로운 소비 문화로 자리 잡고 있다.

① 반찬 판매는 현대인의 생활 변화에 따라 증가하고 있다.
② 반찬을 사 먹는 것은 경제적으로 비효율적이다.
③ 맞벌이 부부는 요리를 통해 가족의 시간을 보낸다.
④ 온라인 배달 서비스는 식품 안전에 문제가 있다.

※ [35~38] 다음을 읽고 글의 주제로 가장 알맞은 것을 고르십시오. (각 2점)

37.

> 전 세계적으로 플라스틱 사용이 늘어나면서 해양 오염과 생태계 파괴 문제가 심각해지고 있다. 재활용률이 낮은 일회용 플라스틱은 자연에 오래 남아 미세 플라스틱으로 분해되며 인간의 건강에도 영향을 줄 수 있다. 일부 국가에서는 사용을 제한하는 정책을 시행하고 있으나, 불편함을 이유로 반대 의견도 존재한다. 그래도 환경 보호와 지속 가능한 사회를 위해 플라스틱 사용에 대한 규제를 강화할 필요가 있다.

① 플라스틱 사용 증가는 생활의 편리함을 크게 높이고 있다.
② 재활용 기술 발전이 플라스틱 문제의 해결책이 될 수 있다.
③ 플라스틱 사용 규제는 소비자의 불편을 키울 수 있다.
④ 환경 보호를 위해 플라스틱 사용 규제를 강화해야 한다.

38.

> 기업들은 새로운 기술을 통해 더 나은 가치를 제공하려 한다. 그러나 기술이 아무리 뛰어나도 사용 방법이 복잡하거나 큰 행동 변화를 요구하면 소비자는 쉽게 거부감을 느낀다. 반대로 기능이 완전히 새롭지 않더라도 사용이 직관적이고 익숙하면 빠르게 받아들여지는 경우가 많다. 이러한 이유로 최근에는 기술의 혁신성뿐 아니라 사용자의 경험을 고려한 설계가 성공의 핵심 요소로 강조되고 있다.

① 기술 혁신은 기능의 다양성이 많을수록 성공한다.
② 사용이 어려운 기술일수록 전문성을 인정받는다.
③ 사용자 경험을 고려한 기술이 시장에서 더 잘 정착한다.
④ 새로운 기술은 시간이 지나면 자연스럽게 받아들여진다.

※ [39~41] 주어진 문장이 들어갈 곳으로 가장 알맞은 것을 고르십시오. (각 2점)

39.

그러나 운전자가 순간적으로 주의를 놓치면 큰 사고로 이어질 수 있다.

최근 자동차에는 운전자의 안전을 지키기 위한 여러 기술이 적용되고 있다. (㉠) 예를 들어, 차선 이탈 방지 장치는 자동차가 차선을 벗어나면 경고음을 울려 운전자에게 알려 준다. (㉡) 또한 앞차와의 거리를 자동으로 유지해 주는 시스템도 있다. (㉢) 이런 기술들은 운전자의 실수를 줄여 교통사고를 예방하는 데 도움이 된다. (㉣) 기술이 발전했더라도 운전자의 주의가 가장 중요하다는 점을 잊어서는 안 된다.

① ㉠　　　　② ㉡　　　　③ ㉢　　　　④ ㉣

40.

하지만 산불이 지나치게 자주 발생하면 어린 나무가 자라기 어려워 숲의 회복 속도가 크게 늦어질 수 있다.

산불은 큰 피해를 일으키는 자연재해이지만, 산림 생태계의 순환 과정에서 일정한 역할을 하기도 한다. (㉠) 산불로 오래된 나무가 제거되면 햇빛이 지표면까지 도달해 새로운 식물의 성장을 촉진한다. (㉡) 이러한 변화는 숲의 세대 교체가 자연스럽게 이루어지는 데 도움이 된다. (㉢) 산불의 발생 빈도가 높아지면 생태계가 오히려 큰 피해를 입을 수 있다. (㉣)

① ㉠　　　　② ㉡　　　　③ ㉢　　　　④ ㉣

41.

그러나 작은 습관을 꾸준히 실천하면 시간이 지나 큰 변화를 얻게 된다.

『아주 작은 습관의 힘』은 눈에 띄는 성과가 갑자기 만들어지는 것이 아니라 작은 변화가 오랜 시간 축적된 결과라고 설명한다. (㉠) 많은 사람들은 초기에 변화가 잘 보이지 않는다는 이유로 쉽게 포기한다. (㉡) 그래서 이 책은 작은 행동이라도 꾸준히 유지하는 것이 중요하다고 강조한다. (㉢) 예를 들어, 하루에 1%씩 나아지는 습관을 유지하면 1년 뒤에는 전혀 다른 성장으로 이어질 수 있다고 말한다. (㉣) 이러한 메시지는 꾸준함의 가치를 다시 생각하게 한다.

① ㉠　　　　② ㉡　　　　③ ㉢　　　　④ ㉣

※ [42~43] 다음을 읽고 물음에 답하십시오. (각 2점)

자신의 삶을 스스로 바꿔 나가는 종류의 사람들이 있다. 다른 사람들은 쉽게 생각해 내기 어려운 선택을 척척 저지르고는 최선을 다해 그 결과를 책임지는 이들이다. 그래서 나중에 어떤 길을 밟아간다 해도 더 이상 주변에서 놀라게 되지 않는 사람들 말이다. 대학에서 사진을 전공한 지선은 이십대 후반부터 다큐멘터리 영화에 관심을 가졌고, 생계에 도움이 되지 않는 그 일을 십 년 동안 끈기 있게 했다. 벌이가 되는 촬영 일을 닥치는 대로 하며 수입이 생기면 자신의 영화 작업에 모두 쏟아부었다. 지선은 조금 먹고 적게 쓰고 많이 일했다. 어디든 간소한 도시락을 준비해 다녔고, 화장은 전혀 하지 않았고, 머리도 직접 잘랐다. 단벌 솜 패딩과 코트는 안쪽에 카디건을 덧대 꿰매어서 따뜻하게 만들어 몇 년째 계속해서 입고 있다. <u>신기한 점은 그런 일들이 마치 일부러 그렇게 하는 듯 자연스럽고 멋스러워 보인다는 것이었다.</u> 그러던 지선은 쉬는 날이면 집 근처 목공방에 드나들며 자신이 쓸 가구를 직접 만들더니 목수학교를 다니고는 정말로 전문 목수가 되었다. 영화를 촬영할 때는 자기보다 큰 촬영 장비를 야무지게 나르고 다루더니 이제는 대패와 끌, 전기 그라인더 등을 손쉽게 다루었다.

42. 밑줄 친 부분에 나타난 '나'의 심정으로 가장 알맞은 것을 고르십시오.

① 당황스럽다　　　　　　　　② 걱정스럽다
③ 감탄스럽다　　　　　　　　④ 우려스럽다

43. 윗글의 내용으로 알 수 있는 것을 고르십시오.

① 지선은 대학에서 영화를 전공했다.
② 지선은 목수 일로 수입을 마련하여 영화를 만든다.
③ 지선은 자신의 삶을 스스로 바꿔 나가는 종류의 사람이다.
④ 지선은 가구 만드는 사람들에 대한 다큐멘터리를 제작하고 있다.

※ [44~45] 다음을 읽고 물음에 답하십시오. (각 2점)

> 광고는 상품의 차별성을 알리는 데 중요한 역할을 한다. 판매자는 광고를 통해 상품 정보를 전달하거나, 고급스럽고 비용이 많이 든 것처럼 보이는 광고를 사용해 상품이 특별하다는 인식을 심어 준다. 소비자는 "이 정도로 광고를 했다는 건 자신 있는 상품이겠지."라고 생각하게 되고, 그 결과 그 상품에 대한 믿음이 생기며 선호하게 된다. 이렇게 특정 상품이 다르다고 느끼면 (   ) 경향이 생기는데, 이를 수요의 가격 탄력성이 감소한다고 한다. 즉, 가격이 올라도 수요가 줄지 않는 것이다. 이런 소비자의 충성도는 판매자에게 유리하게 작용해 시장에서 더 강한 위치를 차지하게 해 준다. 광고의 이러한 효과로 인해 새로 시장에 들어오는 판매자들도 광고를 통해 자기 상품의 특징을 알려 독점적인 위치를 얻고자 한다.

44. (   )에 들어갈 말로 가장 알맞은 것을 고르십시오.

① 가격의 변화에 민감해지는
② 가격이 올라가도 계속 구매하려는
③ 가격과 상품의 차별성을 분석하려는
④ 가격이 떨어져도 더 이상 사지 않게 되는

45. 윗글의 주제로 가장 알맞은 것을 고르십시오.

① 광고는 판매자를 심한 경쟁으로 몰아넣는다.
② 광고는 상품의 차별성을 강조하여 소비자의 충성도를 높인다.
③ 광고는 소비자의 판단을 흐리게 하므로 그대로 믿으면 안 된다.
④ 광고는 판매자의 시장 지위를 강화하므로 물건을 살 때 잘 판단해야 한다.

※ [46~47] 다음을 읽고 물음에 답하십시오. (각 2점)

> 국립중앙박물관이 내년부터 입장료를 받을 계획이라는 발표에 찬반 의견이 갈렸다. 박물관은 누구나 이용할 수 있지만 사람이 많으면 관람이 어려워지는 '혼잡 공공재'로 분류된다. 이를 두고 국민 다수의 문화 향유권을 위해 무료로 운영되는 현 정책을 유지해야 한다는 측과 세계적 추세에 맞추어 전시의 수준과 독립성을 높이기 위한 유료화를 해야 한다는 측이 대립하고 있다. 문제는 이러한 이분법으로 접근할 만큼 간단치 않다. 영국은 국립 박물관이 대부분 무료이며 시민들이 박물관을 자주 방문하면서 문화에 대한 이해도가 높아졌다고 한다. 반면 입장료를 내면 사람들이 문화의 가치를 더 높게 평가하고 적극적으로 관람한다는 의견도 있다. 또한 유료화가 되더라도 어떻게 사회적 약자들이 이용할 수 있을지 방안을 구체적으로 마련해야 할 것이다. 경복궁 등 주요 고궁은 성인 대상 입장료를 받고 있지만 청소년이나 노년층 등은 무료이고 매달 마지막 수요일인 '문화가 있는 날'엔 전면 무료로 개방하고 있다.

46. 윗글에 나타난 필자의 태도로 가장 알맞은 것을 고르십시오.

① 영국의 박물관 관련 정책을 도입하고 따라야 한다.
② 국립중앙박물관의 유료화는 신중하게 결정해야 할 문제이다.
③ 국민의 문화 향유권은 가치를 정할 수 없으므로 무료로 운영되어야 한다.
④ 유료화를 해야 하지만 사회적 약자는 항상 무료로 관람할 수 있어야 한다.

47. 윗글의 내용과 같은 것을 고르십시오.

① 경복궁은 매달 마지막 수요일에 무료로 개방한다.
② 입장료를 내면 사람들은 박물관 관람을 꺼리게 될 것이다.
③ 박물관이 무료여야 사람들은 문화에 대한 이해가 높아진다.
④ 국립중앙박물관의 유료화 계획에 사람들은 모두 찬성하고 있다.

※ [48~50] 다음을 읽고 물음에 답하십시오. (각 2점)

흔히들 미술을 '자본의 꽃'이라고 하는데 그 온도 차이는 다른 영역과 비교할 수 없이 크다. 미술은 유독 돈의 논리가 많이 작용하는 분야이기 때문에 작품의 미적 가치보다는 대중의 기호와 (　　　　　)에 따라 등급이 매겨지곤 한다. 대중이 열광하는 작가와 작품도 있지만 혼을 담아 만들어도 팔리지 않는 작품도 있다. 최근 서울의 아트페어는 대중적 축제로 자리 잡으며 미술이 엘리트의 전유물이라는 인식을 깨뜨렸다. 그러나 부르디외의 이론에 따르면 미술은 경제·문화·상징자본이 얽혀 있는 공간이며 VIP 초대, SNS 인증, 셀럽의 참여는 개인의 사회적 입지를 재구성하는 수단이 된다. 경험의 향유가 자산처럼 소비되며 문화자본이 경제자본으로 전환되는 현상이 나타나는 것이다. 미술의 확장은 긍정적이지만 과시욕과 유행 추종은 작품의 본질을 흐리고 미적 체험의 진정성을 약화시킬 가능성이 있다. 따라서 중요한 것은 진정한 예술 향유를 위해 '진짜 경험이란 무엇인가'를 스스로 묻고 답해 보는 일이다.

48. 윗글을 쓴 목적으로 가장 알맞은 것을 고르십시오.

① 아트페어를 홍보하기 위해서
② 미적 체험의 진정성을 설명하기 위해서
③ 진정한 예술 향유에 대하여 생각하도록 하기 위해서
④ 대중이 열광하는 작가의 아트페어 참가를 알리기 위해서

49. (　　　)에 들어갈 말로 가장 알맞은 것을 고르십시오.

① 작품의 가격　　　　　　　　　　② 작품의 온도
③ 작품의 본질　　　　　　　　　　④ 작품의 진정성

50. 윗글의 내용과 같은 것을 고르십시오.

① 대중이 열광하는 작가는 대체로 등급이 낮다.
② 미술은 돈의 논리가 크게 작용하는 분야이다.
③ 부르디외는 진정한 예술 향유에 대하여 주장하였다.
④ 과시욕과 유행 추종은 미적 체험의 진정성과 관계가 깊다.

제2회 실전 모의고사

정답 및 해설 p.186

※ [1~2] (   )에 들어갈 가장 알맞은 것을 고르십시오. (각 2점)

1. 내일 영화 상영식이 (   ) 사람들이 많이 올 것 같다.

① 열리듯이   ② 열리든지
③ 열리는데   ④ 열리도록

2. 결혼기념일을 잊어버리지 않으려고 달력에 (   ).

① 표시한 척했다   ② 표시해 놓았다
③ 표시해 버렸다   ④ 표시한 셈이었다

※ [3~4] 다음 밑줄 친 부분과 바꾸어 쓸 수 있는 것을 고르십시오. (각 2점)

3. 그 소식은 사람들의 마음을 <u>움직일 정도로</u> 큰 충격을 주었다.

① 움직일 만큼   ② 움직이기 때문에
③ 움직일 뿐이다   ④ 움직일 덕분이다

4. 음악을 <u>듣고 있어서</u> 전화 소리를 못 들었다.

① 듣자마자   ② 듣더라도
③ 들으려고   ④ 듣느라고

※ [5~8] 다음은 무엇에 대한 글인지 고르십시오. (각 2점)

5.

> 하루의 피로를 깨끗이 씻어 내고
> 상쾌한 기분으로 하루를 마무리하세요!

① 수건 　　　　　　　　　② 바디워시
③ 칫솔 　　　　　　　　　④ 안경

6.

> 매일 정성을 담아 더 아름답게~
> 신선한 향기와 색으로 사랑하는 사람의 마음을 전합니다.

① 공원 　　　　　　　　　② 식당
③ 꽃집 　　　　　　　　　④ 서점

7.

> 일회용품 줄이기! 전기 아껴 쓰기!
> 지구를 위해 실천하세요.

① 건강 관리 　　　　　　　② 안전 운전
③ 공공 질서 　　　　　　　④ 환경 보호

8.

> 차가 완전히 멈출 때까지 자리에서 일어나지 마세요.
> 출입문 앞에 서 있지 마세요.

① 안전 규칙 　　　　　　　② 신청 방법
③ 이용 후기 　　　　　　　④ 교환 안내

※ [9~12] 다음 글 또는 그래프와 같은 내용을 고르십시오. (각 2점)

9.

일시 : 2025. 11. 22.(토) 10:00~18:00
장소 : 인주시 체육관 남쪽 광장
할인 행사 : 김치와 김장 재료, 우수 가공식품을 저렴한 가격으로 판매
　　　　　　직거래 장터, 무료 택배 서비스, 사전 예약 판매
문의 : 홈페이지(www.inju-kimchi.com)

① 행사 장소는 체육관 1층 로비이다.
② 인주시 김치 대축제는 일요일에 참여할 수 있다.
③ 김치나 김장 재료를 사면 택배비를 받지 않고 보내 준다.
④ 행사장에서 김치는 살 수 있지만 김장 재료는 살 수 없다.

10.

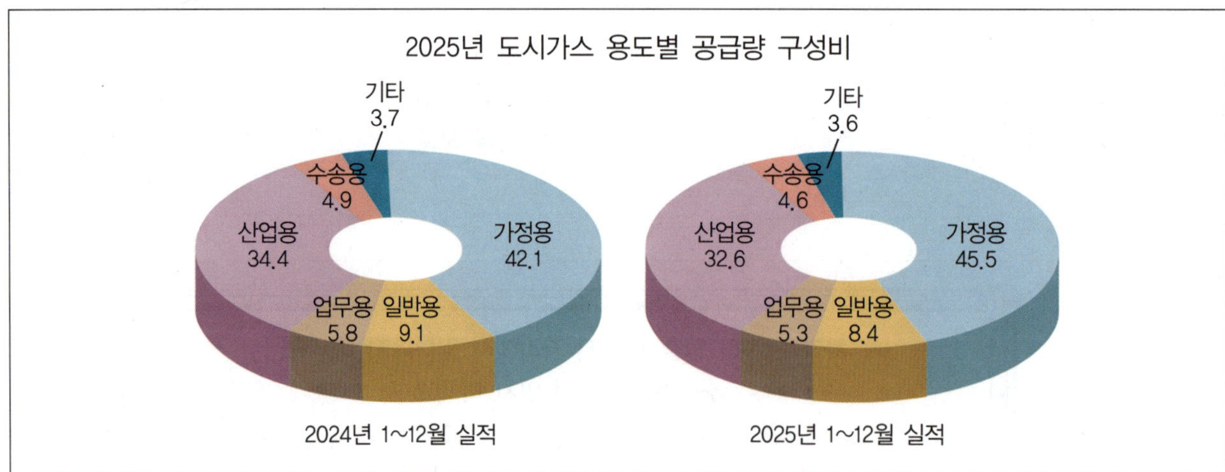

① 전년도 대비 업무용 도시가스 공급량은 증가하였다.
② 2024년에 비하여 공급량이 감소한 것은 가정용뿐이다.
③ 수송용 도시가스 공급량은 전년도와 비교하여 변화가 없다.
④ 2025년에는 2024년보다 산업용 도시가스 공급량이 감소하였다.

※ [9~12] 다음 글 또는 그래프와 같은 내용을 고르십시오. (각 2점)

11.

> 인주시가 올봄에도 '찾아가는 생활용품 수리 서비스'를 운영한다. 이 서비스는 평일에는 각 동 주민센터에서 제공되며, 주말에는 인주문화광장에서 진행된다. 전문 수리 기사가 시민들이 가져온 전기 포트, 선풍기, 조명 기구 등 생활용품을 무료로 점검하고, 간단한 고장은 현장에서 바로 수리해 준다. 부품 교체가 필요한 경우에는 저렴한 비용으로 교체가 가능하다. 인주시는 이 서비스를 통해 시민들의 생활 편의를 높이고, 자원 재활용과 환경 보호에도 기여하고자 한다고 밝혔다.

① 평일에는 인주문화광장에서 이 서비스를 받을 수 있다.
② 인주시는 올봄에도 생활용품 수리 서비스를 무료로 제공한다.
③ 부품을 교체해야 하는 경우 제품과 함께 새로운 부품을 가지고 가야 한다.
④ 생활용품을 수리해서 사용함으로써 자원 활용과 환경 보호에 기여할 수 있다.

12.

> 겨울철 주택 화재가 증가하고 있는 가운데 택배 기사가 침착하게 대처하여 대형 화재를 막은 사실이 전해졌다. 택배 기사 김철수 씨는 지난 13일 배송 업무를 수행하던 중 한 원룸 건물 2층에서 연기가 피어오르는 것을 목격했다. 화재 경보음을 따라 불이 난 집을 찾아낸 그는 곧바로 119에 신고하고 집집마다 문을 두드리며 상황을 알렸다. 대피를 도운 후에는 소방관들에게 불이 난 집을 직접 안내했다. 김 씨의 빠른 판단과 조치 덕분에 화재는 20분 만에 큰 피해 없이 조기 진압될 수 있었다.

① 화재 경보기를 설치하는 것은 매우 중요하다.
② 김철수 씨는 택배 일을 하다가 화재를 발견하고 119에 신고했다.
③ 김 씨가 좀 더 빠르게 대처했더라면 큰 화재를 막을 수 있었을 것이다.
④ 겨울철 주택 화재는 위험하므로 모든 택배 기사는 주의하며 살펴보아야 한다.

※ [13~15] 다음을 순서에 맞게 배열한 것을 고르십시오. (각 2점)

13.

> (가) 한정 판매는 정해진 기간이나 수량만 판매하는 방식이다.
> (나) 이 때문에 소비자는 제품을 놓칠 수 있다는 생각에 관심을 갖게 된다.
> (다) 기업은 이러한 판매 방식을 통해 제품의 가치를 높이려 한다.
> (라) 또한 구매를 빠르게 결정하도록 유도하는 효과도 있다.

① (가) − (나) − (다) − (라)
② (가) − (다) − (라) − (나)
③ (다) − (라) − (가) − (나)
④ (다) − (가) − (라) − (나)

14.

> (가) 주변 사람들은 안정적인 길을 포기하지 말라고 조언했다.
> (나) 그래서 새로운 선택에 대한 기대와 함께 걱정도 커졌다.
> (다) 지금의 삶에 만족하지 못하고 있다는 생각이 들었기 때문이다.
> (라) 얼마 전 나는 지금까지와는 다른 진로를 고민하게 되었다.

① (다) − (라) − (나) − (가)
② (다) − (나) − (가) − (라)
③ (라) − (나) − (가) − (다)
④ (라) − (다) − (가) − (나)

15.

> (가) 나침반은 지구의 자기장을 이용해 방향을 알려 주는 도구이다.
> (나) 그래서 바늘의 한쪽 끝은 항상 북쪽을 가리키게 된다.
> (다) 지구에는 남극과 북극을 잇는 자기장이 형성되어 있다.
> (라) 이 성질을 이용하면 이동할 때 방향을 쉽게 알 수 있다.

① (가) − (다) − (나) − (라)
② (가) − (나) − (다) − (라)
③ (다) − (가) − (나) − (라)
④ (다) − (나) − (가) − (라)

※ [16~18] 다음을 읽고 (   )에 들어갈 내용으로 가장 알맞은 것을 고르십시오. (각 2점)

16.

스마트폰은 생활을 편리하게 해 주지만 잦은 알림은 집중력을 떨어뜨릴 수 있다. 연구에서는 알림을 꺼 둔 사람들이 같은 일을 더 정확하게 처리했다고 한다. 따라서 중요한 일을 할 때는 알림을 (   ) 것이 효과적이다.

① 켜 두는
② 잠시 끄는
③ 더 많이 받는
④ 더 자주 확인하는

17.

'천천히 걷는 것이 건강에 좋다'는 말이 있다. 이는 빠르게 걷지 않아도 꾸준히 움직이는 것 자체가 몸에 긍정적인 영향을 준다는 뜻이다. 실제로 최근에는 무리한 운동보다 일상 속에서 자연스럽게 걷는 사람들이 늘고 있다. 이러한 현상에는 (   ) 생활 방식의 변화가 반영되어 있다.

① 남보다 더 많이 운동하려는
② 짧은 시간에 효과를 보려는
③ 무리하지 않고 꾸준히 하려는
④ 운동은 힘들수록 좋다고 생각하는

18.

많은 사람이 잠을 줄이면 하루를 더 길게 쓸 수 있다고 생각한다. 하지만 수면 시간이 부족하면 집중력이 떨어지고 감정 조절도 어려워진다. 충분한 잠은 뇌를 쉬게 할 뿐만 아니라 (   ) 하루의 컨디션을 유지하려는 데 중요한 역할을 한다. 따라서 수면은 시간을 낭비하는 것이 아니다.

① 더 많은 일을 하기 위해
② 여가 시간을 늘리기 위해
③ 기분을 좋게 만들기 위해
④ 건강한 생활을 하기 위해

※ [19~20] 다음을 읽고 물음에 답하십시오. (각 2점)

> 최근 많은 사람들이 건강을 위해 식습관을 바꾸고 있다. 인스턴트 음식 대신 집에서 직접 요리하는 경우가 늘고 있으며, 제철 재료를 사용하는 사람들도 많아졌다.
>
> (   ) 이런 변화는 개인의 건강뿐만 아니라 환경 보호에도 긍정적인 영향을 준다. 식재료 낭비가 줄어들고 포장 쓰레기도 함께 감소하기 때문이다. 이로 인해 식습관 개선의 중요성이 더욱 강조되고 있다.

19. (   )에 들어갈 알맞은 것을 고르십시오.

① 비록　　　　　　　　　　② 특히
③ 이처럼　　　　　　　　　④ 차라리

20. 윗글의 중심 생각을 고르십시오.

① 집에서 요리하는 사람이 줄어들고 있다.
② 식습관 변화는 개인의 건강에만 영향을 준다.
③ 건강을 위해 인스턴트 음식을 더 많이 먹게 되었다.
④ 식습관의 변화가 환경 보호에도 도움이 된다.

※ [21~22] 다음을 읽고 물음에 답하십시오. (각 2점)

> 최근 인공지능으로 만든 광고가 빠르게 늘고 있다. 유명인 얼굴이나 목소리를 자연스럽게 합성한 영상이 온라인에 퍼지면서, 실제로 해당 인물이 추천하는 것처럼 보이기도 한다. 이 때문에 소비자들은 광고가 진짜인지 가짜인지 구별하는데 (　　　　　). 이에 따라 한국에서는 가까운 시기에 AI로 만든 광고는 표시를 의무화하는 등 제도 정비를 추진하고, 플랫폼에도 관리 책임을 강화하려는 움직임이 나타나고 있다. 이런 조치가 제대로 작동한다면 허위 광고가 시장 신뢰를 발목을 잡는 상황을 줄이는 데 도움이 될 수 있다.

21. (　　　　　)에 들어갈 알맞은 것을 고르십시오.

① 앞뒤를 잰다　　　　　　② 골치가 아프다
③ 고개를 숙인다　　　　　④ 열을 올린다

22. 윗글의 중심 생각을 고르십시오.

① 인공지능 광고는 이미 법적으로 전면 금지되었다.
② 소비자들은 인공지능으로 만든 광고를 쉽게 구별할 수 있다.
③ 정부는 인공지능 광고에 대한 관리 제도를 강화하려고 한다.
④ 유명인이 등장하는 광고는 모두 인공지능으로 제작된다.

※ [23~24] 다음을 읽고 물음에 답하십시오. (각 2점)

> 그이는 언제나 흰 가운을 입고 묵묵히 김밥을 만든다. 아침 아홉 시에 일터에 나와 저녁 아홉 시가 되면 가운을 벗고 집으로 돌아간다. 하루 종일 무뚝뚝한 얼굴로 일만 하며 남들과 가벼운 이야기를 나누는 일도 거의 없다. 잘 웃지도 않고 오히려 늘 화가 난 듯 보이지만 그 표정 속에는 오직 김밥을 향한 집중과 고집이 담겨 있다. 사람들은 그이를 '김밥 아줌마'라 부른다. 그이가 만든 김밥은 담백하고 구수한 맛으로 누구도 흉내 낼 수 없다. 하지만 그이는 김밥을 말 때 누가 지켜보거나 말을 걸면 성질을 내며 일손을 놓는다. 누군가의 시선이 마음을 흔들어 실패작을 만든다고 믿기 때문이다. 그래서 파는 일에는 관심이 없고 오직 김밥을 만드는 행위 자체에 몰두한다. 나 역시 무심코 구경하다가 혼난 적이 있다. 김밥 옆구리가 터진다며 신경질을 내는 모습에 겁이 나 멀찍이 떨어져 있었지만, 집에 돌아와 먹은 김밥은 그 기억을 잊게 할 만큼 훌륭했다. <u>그 김밥은 돈벌이를 위한 음식이 아니라 진심과 고집이 담긴 하나의 '작품'이다.</u> 그래서 나는 주저 없이 그 김밥을 예술이라 부른다.

23. 밑줄 친 부분에 나타난 '나'의 심정으로 가장 알맞은 것을 고르십시오.

① 존경스럽다 ② 고집스럽다
③ 당황스럽다 ④ 걱정스럽다

24. 윗글의 내용과 같은 것을 고르십시오.

① 김밥 아줌마는 상냥하게 웃으며 김밥을 만든다.
② 김밥 아줌마는 늘 화를 내서 사람들이 싫어한다.
③ 나는 김밥 아줌마의 김밥을 예술이라고 생각한다.
④ 김밥 아줌마는 김밥 옆구리가 터져도 화를 내지 않는다.

※ [25~27] 다음 신문 기사의 제목을 가장 잘 설명한 것을 고르십시오. (각 2점)

25.

친환경 산업 성장세 훨훨 날다, 정부 지원 확대에 수출도 청신호

① 친환경 규제로 기업 활동이 크게 위축되었다.
② 수출 감소로 산업 전반이 어려움을 겪고 있다.
③ 친환경 산업이 성장하며 수출 전망도 좋아졌다.
④ 정부 지원이 중단되면서 성장 가능성이 낮아졌다.

26.

집값 상승 장기화에 시민 불만 부글부글, 정책 효과는 미지수

① 주택 가격 하락으로 거래가 활발해졌다.
② 집값 상승이 이어지면서 시민들의 불만이 커졌다.
③ 집값 안정으로 시만들의 불만이 해소되고 있다.
④ 부동산 정책에 대한 관심이 줄어들고 있다.

27.

따뜻한 날씨에 봄바람 톡톡, 야외 활동 늘며 소비 심리 회복

① 야외 활동 증가로 관련 소비가 늘고 있다.
② 실내 소비가 늘어나며 외출이 많이 줄었다.
③ 날씨와 소비 심리는 큰 관련이 없다.
④ 소비자 지출이 전반적으로 감소하고 있다.

※ [28~31] 다음을 읽고 (   )에 들어갈 내용으로 가장 알맞은 것을 고르십시오. (각 2점)

28.

사람들은 보통 집중력이 개인의 의지에 달려 있다고 생각한다. 그러나 연구에 따르면 집중력은 환경의 영향을 크게 받는다. 주변에 불필요한 자극이 많으면 의식적으로 노력하더라도 집중을 유지하기 어렵다. 그래서 학습이나 업무 공간에서는 (   ) 환경을 조성하는 것이 중요하다.

① 자극이 풍부한　　　　　　　　② 소음이 일정한
③ 방해 요소가 적은.　　　　　　　④ 긴장감을 주는

29.

최근 일부 도시에서는 보행자 사고를 줄이기 위해 도로 설계를 변경하고 있다. 차선의 색을 눈에 잘 띄게 하거나 보행자 신호를 바닥에 표시하는 방식이 그 예이다. 이러한 변화는 보행자가 자신의 위치와 이동 방향을 빠르게 판단하도록 돕는다. 이는 사람들이 (   ) 상황에서 더 안전하게 행동하기 때문이다.

① 익숙한　　　　　　　　　　　② 시각적 정보가 많은
③ 빠르게 판단해야 하는　　　　　④ 주의가 분산된

30.

사람들은 일반적으로 향수가 좋은 냄새를 내기 위해 만들어졌다고 생각한다. 그러나 향수는 단순히 향을 내는 제품이 아니라, 상류층이 자신들의 (   ) 위해 사용해 온 도구이기도 했다. 과거에는 향료가 매우 비싸 왕실과 귀족만 사용할 수 있었고, 병의 재료나 장식 또한 신분에 따라 달랐다. 반면 서민들은 값비싼 향을 쉽게 접할 수 없었으며, 향을 쓰는 것 자체가 '특별한 사람'의 상징으로 여겨지기도 했다.

① 계급과 신분을 드러내기　　　　② 실용성을 높이기
③ 기술력을 증명하기　　　　　　④ 위생을 완벽히 지키기

31.

최근 '스몰 럭셔리' 소비가 늘고 있다. 큰돈을 한 번에 쓰기보다 부담되지 않는 범위에서 만족감을 주는 소비를 하는 경향이다. 예를 들어 평소보다 좋은 원두 커피를 마시거나 고급 향 제품을 소량 구매하는 사람들이 있다. '작지만 확실한 만족'을 주는 상품들이 인기라는 점도 특징이다. 그만큼 사람들은 (   ) 것이다. 기업들은 이를 반영해 소용량 프리미엄 제품을 다양하게 내놓고 있다.

① 유행이 지나면 바로 버리려는
② 소비를 무조건 줄여야 한다고
③ 일상 속에서 작은 만족을 얻고 싶어 하는
④ 가격이 비싸야만 가치가 있다고 생각하는

※ [32~34] 다음을 읽고 글의 내용과 같은 것을 고르십시오. (각 2점)

32.

> 합창단은 여러 사람이 동시에 노래를 부르기 때문에 박자와 호흡을 맞추는 것이 매우 중요하다. 이 과정에서 지휘자는 손과 몸짓을 사용해 노래의 속도와 박자를 알려 준다. 또한 노래가 시작되고 끝나는 시점을 정해 단원들이 혼란 없이 따라갈 수 있도록 한다. 특히 각 파트의 소리가 한쪽으로 치우치지 않도록 조절해 전체 노래가 조화롭게 들리게 한다. 이러한 역할 덕분에 합창단은 안정적인 연주를 할 수 있다.

① 지휘자는 단원들에게 노래 가사를 반복해서 연습시킨다.
② 지휘자는 합창단의 박자와 흐름을 조절하는 중심 역할을 한다.
③ 지휘자는 무대 뒤에서 소리를 확인한 뒤 지시를 내린다.
④ 지휘자는 각 파트의 연습이 끝난 후에만 무대에 등장한다.

33.

> 선인장은 비가 거의 내리지 않는 건조한 지역에서도 잘 자라는 식물이다. 줄기가 두껍고 내부에 많은 물을 저장할 수 있어 오랜 기간 물이 없어도 생존이 가능하다. 또한 잎이 가시로 변해 수분이 증발하는 것을 줄이고, 강한 햇빛이나 외부 자극으로부터 몸을 보호하는 역할을 한다. 이러한 구조적 특징 덕분에 선인장은 물이 부족한 환경에서도 효율적으로 자랄 수 있다.

① 선인장은 잎이 넓어 많은 물을 빠르게 흡수한다.
② 선인장은 수분이 충분해야만 생존할 수 있다.
③ 선인장은 햇빛이 약한 지역에서만 자랄 수 있다.
④ 선인장은 줄기에 물을 저장해 건조한 환경에 적응한다.

34.

> 신발의 밑창 구조는 사용 목적에 따라 다르게 설계된다. 등산화는 울퉁불퉁한 길에서도 미끄러지지 않도록 밑창이 두껍고 홈이 깊다. 발에 전달되는 충격을 줄여 장시간 이동 시 안정성을 높이기 위한 것이다. 반면 러닝화는 평평한 길에서 빠르게 움직일 수 있도록 가볍고 탄성이 좋은 밑창을 사용한다. 이러한 차이는 각각의 활동에 맞는 움직임을 돕기 위한 것이다.

① 등산화는 가벼운 밑창으로 속도를 높이기 위해 만들어진다.
② 러닝화는 충격 흡수보다 미끄럼 방지를 더 중요하게 한다.
③ 등산화는 안정성을 높이기 위해 두껍고 홈이 깊은 밑창을 사용한다.
④ 러닝화는 울퉁불퉁한 산길에서 사용하기에 적합하다.

※ [35~38] 다음을 읽고 글의 주제로 가장 알맞은 것을 고르십시오. (각 2점)

35.

> 전 세계적으로 에너지 소비가 빠르게 증가하면서 화석 연료에 대한 의존이 큰 문제로 떠오르고 있다. 자원 고갈과 환경 오염에 대한 우려가 커지자, 일부 국가들은 태양광과 풍력 같은 재생 에너지 활용을 확대해 일정한 성과를 거두고 있다. 그러나 아직 안정적인 공급과 기술적 한계가 남아 있다. 그럼에도 미래 에너지 안보를 확보하고 환경 부담을 줄이기 위해서는 재생 에너지에 대한 지속적인 투자와 기술 개발이 필요하다.

① 미래 에너지를 확보하기 위해 재생 에너지 개발에 지속적인 노력이 필요하다.
② 화석 연료 사용이 늘어나면서 환경 오염 문제가 심각해지고 있다.
③ 재생 에너지는 아직 안정적으로 공급되기 어려운 현실에 놓여 있다.
④ 일부 국가들은 재생 에너지 정책을 통해 일정한 성과를 거두고 있다.

36.

> 자연환경을 인위적으로 조절하려는 시도가 점점 늘고 있다. 숲에 외래종을 들여오거나 강의 흐름을 바꾸는 사업이 그 예이다. 이러한 방법은 단기간에는 성과가 있는 것처럼 보일 수 있다. 그러나 생태계의 균형이 무너지면 예상하지 못한 문제가 발생할 가능성이 크고, 한 번 변화한 자연은 되돌리기 어렵다. 따라서 자연에 대한 개입은 장기적인 영향을 충분히 고려해 신중하게 이루어져야 한다.

① 한 번 변화한 자연은 원래 상태로 되돌리기 어렵다는 지적이 있다.
② 외래종 도입이나 하천 개발은 단기적인 성과를 가져올 수 있다.
③ 생태계의 균형이 무너지면 예측하기 어려운 문제가 발생할 수 있다.
④ 자연환경에 대한 인위적 개입은 장기적 영향을 고려해 신중하게 이루어져야 한다.

※ [35~38] 다음을 읽고 글의 주제로 가장 알맞은 것을 고르십시오. (각 2점)

37.

> 인류는 오랜 시간 동안 집단을 이루어 생활하며 다양한 위협에 대응해 왔다. 혼자서는 감당하기 어려운 외부의 공격이나 환경 변화에 맞서기 위해 서로 협력하고 역할을 나누었다. 이러한 집단생활은 식량 확보와 위험 감시를 효율적으로 만들었고, 구성원 간의 보호와 신뢰를 강화했다. 그 결과 집단을 이루어 생활한 인류는 더 안정적으로 생존할 수 있었고, 사회를 발전시키는 기반을 마련할 수 있었다.

① 집단생활은 개인의 자유를 제한하는 결과를 낳았다.
② 인류는 환경 변화에 혼자 대응하며 생존해 왔다.
③ 집단생활은 인류 생존과 사회 발전에 중요한 역할을 했다.
④ 집단을 이루는 것은 식량 문제를 해결하는 데에만 필요했다.

38.

> 사회가 다양해질수록 정치에는 여러 집단의 목소리가 고르게 반영될 필요가 있다. 특정 집단의 의견만 반복되면 정책이 현실과 동떨어질 수 있기 때문이다. 반대로 다양한 세대와 계층이 정치 과정에 참여하면 사회적 갈등을 완화하고 정책에 대한 공감도 높아진다. 이러한 이유로 정치 제도는 대표성을 강화해 다양한 의견이 제도적으로 반영될 수 있도록 지속적으로 보완되어야 한다.

① 정치 제도는 다양한 집단의 의견이 고르게 반영될 수 있도록 대표성을 강화할 필요가 있다.
② 다양한 세대와 계층이 정치 과정에 참여하면 정책에 대한 공감도가 높아질 수 있다.
③ 특정 집단의 의견만 반복되면 정책이 현실과 동떨어질 수 있다.
④ 사회적 갈등을 완화하기 위해 정치 참여의 범위를 넓히려는 논의가 점차 확대되고 있다.

※ [39~41] 주어진 문장이 들어갈 곳으로 가장 알맞은 것을 고르십시오. (각 2점)

39.

> 이 때문에 유리 속에서는 빛이 산란되지 않고 그대로 통과하게 된다.

> 유리는 모래를 높은 온도에서 녹여 만든 물질이다. (㉠) 일반적인 고체는 입자들이 불규칙하게 배열되어 빛이 산란된다. (㉡) 그러나 유리는 액체 상태에서 빠르게 식기 때문에 입자들이 규칙적으로 배열되지 못한다. (㉢) 그 결과 유리 표면은 매끄럽고 투명하게 보인다. (㉣) 지금은 다양한 색을 내기 위해 금속 산화물을 섞은 유리도 사용되고 있다.

① ㉠　　　　② ㉡　　　　③ ㉢　　　　④ ㉣

40.

> 해수면이 높아지면서 강한 파도가 절벽을 더 빠르게 깎아내리고 있다.

> 해안 절벽은 오랜 시간 동안 바람과 파도에 의해 깎이며 독특한 지형을 형성한다. 최근 연구에서는 절벽의 침식 속도가 과거보다 빨라지고 있는 현상이 관찰되고 있다. (㉠) 이러한 현상은 지난 수십 년간 해수면이 지속적으로 상승해 파도가 절벽의 더 높은 부분까지 도달하게 되었기 때문이다. (㉡) 이러한 변화는 절벽의 구조적 안정성을 떨어뜨려 붕괴 위험을 높일 수 있다. (㉢) 이에 일부 지역에서는 보호 펜스를 설치하거나 접근을 제한하는 등 관리가 강화되고 있다. (㉣) 장기적으로는 해안 생태계 보전과 주변 마을의 안전을 위해 지속적인 관찰이 필요하다.

① ㉠　　　　② ㉡　　　　③ ㉢　　　　④ ㉣

41.

> 그러나 그녀의 변화는 단순한 식습관의 문제가 아니라, 내면의 감정이 축적되어 터져 나온 것에 가까웠다.

> 한강의 소설 『채식주의자』는 평범한 주부 영혜가 갑자기 고기를 먹지 않겠다고 선언하는 장면으로 시작된다. (㉠) 가족들은 이를 잠시 스쳐 지나갈 결심 정도로 받아들이며 큰 의미를 두지 않는다. (㉡) 시간이 흐르며 영혜는 식습관을 넘어 삶 전반에서 극단적인 변화를 드러내기 시작한다. (㉢) 주변 사람들은 이런 변화를 이해하지 못하고 오히려 더 강하게 통제하려 한다. (㉣) 작품은 개인의 내면과 사회적 억압의 충돌을 섬세하게 보여 준다.

① ㉠　　　　② ㉡　　　　③ ㉢　　　　④ ㉣

※ [42~43] 다음을 읽고 물음에 답하십시오. (각 2점)

> 주인 여자가 진열된 과일들 가운데 부드러워 보이는 복숭아 한 상자를 손님에게 보여 준다.
> "완전 꿀이야 꿀. 입에 들어가면 사르르 녹아요. 씹을 필요도 없어요."
> 한 상자에는 열두 개가 들어 있다. 민서는 고개를 젓는다.
> "아, 너무 많아요. 네 개면 돼요."
> 실은 집에 가서 강아지와 하나씩 나눠 먹으려면 두 개면 충분하지만 민서는 물건 파는 사람이 두 개만 팔고 싶어하지는 않을 것이라고 짐작한다.
> "입이 몇 갠데 네 개만 드셔. 이거 보기보다 얼마나 오래 가는데요. 두고 드시지."
> 그렇게 말하면서도 주인 여자는 비닐봉지에 복숭아 네 개를 담아 내밀다가 서비스라며 한 개를 더 담는다. 민서는 지갑에서 깨끗한 지폐 몇 장을 골라 건네고 봉지를 받으면서 주인 여자의 얼굴을 물끄러미 바라본다. 바람이 찬 계절로 접어들었는데도 가게에는 난방 기구가 하나도 보이지 않는다. <u>하지만 이런 날씨에 땀을 흘리고 있는 것으로 보아 건강이 좋은 편은 아니다.</u> 주인 여자의 전체적인 인상과 몸 상태를 보며 자식을 공부시키느라 자신은 돌보지 않는 어머니들의 희생정신이 떠오른다. 고작 복숭아 네 개를 샀을 뿐인데 거기에 한 개를 더 주는 시장 상인의 정은 오랫동안 지속된 경기 침체와 재래시장의 붕괴 이후 좀체 보지 못한 일이다.

42. 밑줄 친 부분에 나타난 '민서'의 심정으로 가장 알맞은 것을 고르십시오.

① 괴롭고 슬프다
② 즐겁고 행복하다
③ 걱정되고 안쓰럽다
④ 상쾌하고 개운하다

43. 윗글의 내용으로 알 수 있는 것을 고르십시오.

① 민서는 집에 고양이를 키운다.
② 과일 가게의 주인 여자는 계산을 잘한다.
③ 경기가 좋아 재래시장의 과일 장사가 잘된다.
④ 민서는 복숭아를 두 개만 사도 되지만 주인 여자를 생각해서 네 개를 산다.

※ **[44~45] 다음을 읽고 물음에 답하십시오. (각 2점)**

> 시각 자료는 글의 목적에 따라 예시적, 설명적, 보충적 자료로 나뉜다. 예시적 시각 자료는 글의 내용을 시각화하여 보여 주는 데 목적이 있고 설명적 시각 자료는 내용을 시각화하여 전달하면서 글의 내용을 보완하는 역할을 한다. 보충적 시각 자료는 글의 주제와 관련은 있지만 (　　　　　　　　) 내용을 추가하여 보충한다. 글을 읽을 때 독자는 시각 자료와 글의 관계를 파악하고 자료가 강조하는 정보를 이해해야 한다. 또한 시각 자료가 설명 대상이나 개념을 적절히 표현하고 있는지 글의 내용과 잘 어우러지는지를 판단해야 한다. 이를 통해 독자는 글과 시각 자료를 종합하여 의미를 구성하게 된다. 매력적인 시각 자료에만 집중하지 않고, 낯설거나 복잡한 자료가 있을 때는 능동적으로 읽어 내는 태도가 필요하다.

44. (　　　　　)에 들어갈 말로 가장 알맞은 것을 고르십시오.

① 글에서 다루지 않은
② 글에서 이미 강조한
③ 글의 결론을 반복하는
④ 글의 주제를 축소하는

45. 윗글의 주제로 가장 알맞은 것을 고르십시오.

① 지나친 시각 자료의 사용은 글의 내용 파악을 방해하는 요소가 된다.
② 예시, 설명, 보충은 모든 글에 반드시 포함되어야 하는 설명 방법이다.
③ 글의 내용을 정확하게 파악하기 위해서 시각 자료는 나중에 보도록 한다.
④ 글과 시각 자료의 관계를 이해하고 효과적으로 활용하는 태도가 필요하다.

※ [46~47] 다음을 읽고 물음에 답하십시오. (각 2점)

> 지금까지는 사람이 할 수 있는 일만 정리했는데 그게 더는 유효하지 않다. 사람과 AI가 각각 잘할 수 있는 일을 구분해서 인간은 AI가 잘하는 일은 피해야 한다. AI는 크게 두 가지를 잘한다. 하나는 거대한 일, 다른 하나는 엄두가 안 나는 엄청난 양의 단순 반복 업무다. 예를 들어 구글 딥마인드의 데미스 허사비스는 단백질 3차원 구조 모델링 예측을 풀어 노벨상을 받았다. 그런가 하면 화장품 8억 5000만 개의 성분표를 전부 분석한 후 이를 소비자 구매 패턴과 연결한 화장품 회사도 있다. 이렇게 사람이 할 일, AI가 할 일을 구분해서 인간이 할 일을 택해야 한다. 그리고 오랜 경험 등 과거의 성공 방식이 유효하지 않다는 인정을 바탕으로 끊임없이 내가 하는 일을 다시 정의해야 한다. 특히 중장년층이라면 더더욱 "내가 하는 업의 본질이 뭐냐"는 질문을 끊임없이 던져야 한다. 기술의 발전이든 트렌드 변화든 그 업을 잘하기 위한 역량이 계속 빠르게 바뀌기 때문에 여기 적응하려면 지금껏 우리가 말로만 외쳐 온 평생 교육을 진짜로 해야 한다. 열린 마음으로 새로운 걸 받아들이는 학습 능력이 지금 당장의 지식이나 업무 기술보다 훨씬 중요하다.

46. 윗글에 나타난 필자의 태도로 가장 알맞은 것을 고르십시오.

① 과거의 성공 방식은 여전히 유효하다.
② AI는 단순 반복 업무를 잘하니까 인간은 복잡한 일을 해야 한다.
③ 중장년층은 청년층과 달리 AI로 인한 시대의 변화에 대응할 필요가 없다.
④ AI로 인한 기술 발전의 시대에 우리는 새로운 것을 학습하는 능력을 키워야 한다.

47. 윗글의 내용과 같은 것을 고르십시오.

① AI의 등장으로 인해 교육과 학습에 대한 정의가 바뀌었다.
② AI는 거대하고 엄청난 양의 단순 반복이 필요한 일을 잘한다.
③ 기술의 발전이나 트렌드의 변화를 AI에게 정리해 달라고 하면 된다.
④ 화장품의 성분을 분석하여 소비자의 구매 패턴과 연결해야 성공한다.

※ [48~50] 다음을 읽고 물음에 답하십시오. (각 2점)

> "명문대에 대한 열정이 부족했다."라고 털어놓은 A씨는 5명 중 입시 난이도가 가장 낮은 대학에 다니고 있다. 하지만 그의 말투나 사고방식은 가장 어른스럽고 당당해 보였다. 과연 얼마나 훌륭한 부모가 키워 주셨는지 궁금했다.
>
> 공부가 잘 안됐을 때의 에피소드가 있느냐는 질문이 나오자 A씨는 이렇게 답했다.
>
> "입시가 실패로 끝나면서 부모님께 죄송하다는 메일을 보냈어요. 그랬더니 '건강하게 잘 살아 주기만 하면 된다'는 답장이 와서 (   )."
>
> 결과와 상관없이 부모가 따뜻하게 받아 준 덕분에 긍정적으로 살아갈 힘을 얻었던 것이다. 그는 또 다음과 같이 말했다.
>
> "인생은 즐기는 것이라고 생각해요. 웃으며 살아가면 좋은 일이 생길 거라고 믿어요. '웃으면 복이 온다'고 하지 않습니까?"
>
> 대학 입시 결과는 봄이 되기 전에 나온다. 어떤 나라에서는 험하고 긴 겨울을 극복하고 포근한 봄을 맞이한다는 의미로 합격의 기쁜 소식을 '벚꽃이 핀다'고 표현한다. 어떤 결과가 나오더라도 "건강하게 잘 마무리된 것만으로 충분히 '벚꽃이 피었다'고 생각해."라고 말할 수 있는 부모가 될 수 있을까. 고3 엄마가 되는 내년에는 A씨의 모습을 가슴에 새기며 보내야 할 것 같다.

48. 윗글을 쓴 목적으로 가장 알맞은 것을 고르십시오.

① 웃으면 복이 온다는 것을 알려 주려고
② 명문대에 입학하는 것의 중요성을 강조하려고
③ 자녀의 대학 입시를 바라보는 부모의 어려움을 설명하려고
④ 입시 성패와 상관없이 긍정적인 삶의 태도가 필요하다고 말하려고

49. (   )에 들어갈 말로 가장 알맞은 것을 고르십시오.

① 큰 위로가 됐어요　　　　　　　② 상처를 받았어요
③ 정말 답답했어요　　　　　　　④ 많이 슬펐어요

50. 윗글의 내용과 같은 것을 고르십시오.

① 필자는 내년에 고3 엄마가 된다.
② A씨는 최고 명문대에 합격하였다.
③ A씨의 부모는 자녀의 성공이 가장 중요하다.
④ A씨는 인생은 도전하고 성공하는 것이라고 생각한다.

정답 및 해설

TOPIK Ⅱ 읽기

PART 1 전략 연습 문제 정답 및 해설

PART 2 실전 모의고사 정답 및 해설

1 알맞은 문법 표현 고르기

1 빈칸에 알맞은 문법 고르기

1. ④   2. ③   3. ①   4. ②

1. **정답** ④　　　　　　　　　　　　　　　　　　　　　≫ p.22

해설

① '보거든'의 '-거든'은 조건이나 배경 설명을 나타내는 표현으로 뒤에 결과나 요청이 와야 하므로 문맥에 맞지 않습니다.
② '보도록'의 '-도록'은 목적이나 지시를 나타내는 표현으로 잠이 들게 하려는 의미가 되어 문장이 어색합니다.
③ '보든지'의 '-든지'는 선택이나 무관함을 나타내는 표현으로, 뒤의 상황과 의미 연결이 되지 않습니다.
④ '보다가'의 '-다가'는 어떤 행동을 하던 중 다른 상태로 바뀌는 것을 나타내며 영화를 보던 중 잠이 들었다는 의미로 문맥에 가장 자연스럽습니다. ✅

2. **정답** ③　　　　　　　　　　　　　　　　　　　　　≫ p.22

해설

① '않기에'의 '-기에는'은 평가·판단을 나타내는 표현으로 조건을 나타내는 이 문장과 의미가 맞지 않습니다.
② '않을수록'의 '-(으)ㄹ수록'은 비례 관계를 나타내는 표현으로 시험에 떨어지지 않을수록 복습한다는 의미가 되어 어색합니다.
③ '않으려면'의 '-(으)려면'은 어떤 결과를 피하거나 이루기 위한 조건을 나타내는 표현으로 문맥에 가장 알맞습니다. ✅
④ '않으니까'의 '-(으)니까'는 원인·이유를 나타내는 표현으로 조건 의미가 필요한 이 문장과 맞지 않습니다.

3. **정답** ①　　　　　　　　　　　　　　　　　　　　　≫ p.22

해설

① '먹곤 한다'의 '-곤 하다'는 과거부터 현재까지 반복되는 습관을 나타내는 표현으로 시험 기간마다 자주 그런 행동을 했다는 의미가 되어 가장 자연스럽습니다. ✅
② '먹는 중이다'의 '-는 중이다'는 현재 진행을 나타내므로 반복적인 상황을 말하는 이 문장과 맞지 않습니다.
③ '먹는 셈이다'의 '-는 셈이다'는 어떤 사실을 간접적으로 판단하거나 비유할 때 쓰는 표현으로 문맥에 맞지 않습니다.
④ '먹는 둥 마는 둥하다'의 '-는 둥 마는 둥하다'는 대충 하거나 제대로 하지 않음을 나타내어 문장의 의미와 다릅니다.

4. 정답 ②　　　≫ p.22

해설

① '하게 되었다'의 '–게 되다'는 어떤 변화나 결과를 나타내는 표현으로, 오랜 기간의 지속을 나타내기에는 적절하지 않습니다.

② '해 왔다'의 '–아/어 오다'는 과거부터 현재까지 이어진 상태나 경험을 나타내는 표현으로 문맥에 가장 잘 맞습니다. ✔

③ '하는 법이다'의 '–는 법이다'는 일반적인 사실이나 습관을 나타내는 표현으로, 특정 개인의 과거 경험을 말하는 이 문장과 맞지 않습니다.

④ '하려던 참이다'의 '–(으)려던 참이다'는 지금 막 하려는 의도를 나타내는 표현으로, 30년 동안이라는 시간 표현과 의미상 맞지 않습니다.

2 의미가 비슷한 문법 고르기

1. ③　　2. ④　　3. ③　　4. ②

1. 정답 ③　　　≫ p.25

해설

① '퇴근하는 길에'의 '–는 길에'는 어떤 장소로 이동하는 도중을 나타내는 표현으로 동작이 바로 이어지는 상황을 강조하지 못해 문맥과 맞지 않습니다.

② '퇴근하기는커녕'의 '–기는커녕'은 앞의 내용이 이루어지지 않음을 강조하는 표현으로 뒤의 행동과 의미가 어울리지 않습니다.

③ '퇴근하기가 바쁘게'의 '–기가 바쁘게'는 어떤 일이 끝나자마자 곧바로 다른 일이 일어남을 나타내는 표현으로 문맥에 가장 알맞습니다. ✔

④ '퇴근하는 한'의 '–는 한'은 조건을 나타내는 표현으로 시간적 즉시성을 나타내는 이 문장과 맞지 않습니다.

2. 정답 ④　　　≫ p.25

해설

① '물어보기에'에서 '–기에'는 이유나 판단의 근거를 나타내는 표현으로 문맥과 맞지 않습니다.

② '물어보거나'에서 '–거나'는 선택이나 나열을 나타내는 표현으로, 의미가 연결되지 않습니다.

③ '물어보는 것보다'에서 '–는 것보다'는 비교를 나타내는 표현으로, 이 문장과 의미가 맞지 않습니다.

④ '물어보지 않아도'에서 '–지 않아도'는 하지 않아도 결과가 같음을 나타내는 표현으로, '물어보나 마나'와 의미가 같아 문맥에 가장 알맞습니다. ✔

3. 정답 ③ ≫ p.25

해설

① '올 뿐이다'의 '-(으)ㄹ 뿐이다'는 한정·단정의 의미로 추측을 나타내는 이 문장과 맞지 않습니다.

② '오기 나름이다'의 '-기 나름이다'는 조건이나 상황에 따라 달라짐을 나타내는 표현으로 문맥과 맞지 않습니다.

③ **'올 모양이다'의 '-(으)ㄹ 모양이다'는 상황을 보고 추측하는 표현으로 문맥에 가장 자연스럽습니다.** ✅

④ '올 리가 없다'의 '-(으)ㄹ 리가 없다'는 강한 부정을 나타내어, 앞의 상황과 의미가 반대입니다.

4. 정답 ② ≫ p.25

해설

① '만날수록'에서 '-(으)ㄹ수록'은 비례 관계를 나타내는 표현으로, 반복 상황을 나타내는 이 문장과 맞지 않습니다.

② **'만날 때마다'에서 '-(으)ㄹ 때마다'는 어떤 일이 반복될 때마다 일어나는 상황을 나타내는 표현으로 문맥에 가장 알맞습니다.** ✅

③ '만나고도'에서 '-고도'는 기대와 다른 결과를 나타내는 표현으로, 의미가 맞지 않습니다.

④ '만나곤 하면'에서 '-곤 하다'는 습관을 나타내지만, 조건 형태인 '-하면'과 함께 쓰는 것은 문맥상 어색합니다.

2 알맞은 주제 고르기

1 주제어 고르기

1. ②   2. ④   3. ①   4. ③

1. 정답 ② ≫ p.28

해설

① 로션

– 로션은 피부를 촉촉하게 해 주는 제품으로, 손에 묻은 세균을 제거하는 기능과는 관련이 없습니다.

② **손 소독제** ✅

– **손에 묻은 세균을 빠르게 제거하고 깨끗함을 유지한다는 지문의 내용과 가장 잘 맞는 제품입니다.**

③ 세제

– 세제는 옷이나 물건의 오염을 제거하는 데 사용하는 제품으로, 손 위생을 위한 용도는 아닙니다.

④ 핸드크림

– 핸드크림은 손의 보습을 목적으로 하는 제품으로, 세균 제거와는 목적이 다릅니다.

2. 정답 ④   ≫ p.28

해설

① 은행

– 은행은 예금, 대출 등 금융 업무를 처리하는 곳으로, 편지나 택배와는 관련이 없습니다.

② 서점

– 서점은 책을 판매하는 장소로, 우편 서비스와는 목적이 다릅니다.

③ 유치원

– 유치원은 어린이를 교육 · 보육하는 기관으로, 지문의 내용과 전혀 맞지 않습니다.

④ 우체국 ✅

– **편지와 택배를 한곳에서 이용할 수 있다는 설명은 우체국의 기능을 가장 잘 나타냅니다.**

3. 정답 ①   ≫ p.28

해설

① 환경 보호 ✅

– **쓰레기를 줄이고 일회용품 사용을 줄이자는 내용은 지구를 지키기 위한 실천으로, 환경 보호와 가장 잘 맞습니다.**

② 금연 캠페인

– 흡연과 관련된 내용은 제시되지 않아 지문의 주제와 맞지 않습니다.

③ 금융 상품

– 금융이나 상품 소개에 대한 언급이 없어 관련이 없습니다.

④ 교통 안내

– 교통 이용이나 안내와 관련된 내용이 아니므로 적절하지 않습니다.

4. 정답 ③   ≫ p.28

해설

① 사용 방법

– 어떤 물건이나 서비스를 사용하는 방법에 대한 설명이 아니라서 지문의 내용과 맞지 않습니다.

② 제품 소개

– 특정 제품을 소개하거나 홍보하는 내용이 아니므로 적절하지 않습니다.

③ 관람 규칙 ✅

– **공연장 안에서 지켜야 할 행동 수칙을 안내하고 있으므로 관람 규칙에 대한 글로 보는 것이 가장 적절합니다.**

④ 예약 문의

– 예약이나 문의 방법에 대한 내용이 전혀 제시되지 않았습니다.

2 주제 문장 고르기

1. ④   2. ③

1. **정답** ④ ≫ p.31

해설

① 심해 광물은 이미 상업적 채굴이 활발히 이루어지고 있다.

– 일부 국가는 시범 채취에 성공했지만, 상업적 채굴이 활발하다고 보기는 어렵습니다.

② 심해 자원 개발은 기술적, 경제적 한계로 실현이 쉽지 않다.

– 비용과 기술 부족은 언급되지만, 이는 개발의 어려움을 설명한 부분으로 주제의 중심은 아닙니다.

③ 심해 개발을 위해 국제 협력보다는 개별 국가의 단독 활동이 더 효과적이다.

– 국제 협력이나 국가 간 전략에 대한 내용은 지문에 제시되지 않았습니다.

④ **미래 자원 확보를 위해 심해 탐사와 기술 투자가 필요하다.** ✔

– **지문에서는 심해 자원의 가능성과 한계를 제시한 뒤, 향후 안정적인 자원 확보를 위해 탐사와 기술 개발에 대한 투자가 필요하다는 결론으로 이어집니다.**

2. **정답** ③ ≫ p.31

해설

① 경쟁이 심해질수록 기업의 구조 조정이 줄어든다.

– 지문에서는 비용 절감을 위해 구조 조정이 반복된다고 설명하고 있으므로 내용과 반대됩니다.

② 가격 인하는 소비자 신뢰를 높이는 가장 효과적인 전략이다.

– 가격 인하가 단기적 효과는 있을 수 있으나, 장기적으로는 소비자 신뢰가 감소할 수 있다고 하여 맞지 않습니다.

③ **과도한 비용 절감은 장기적으로 기업의 경쟁력을 약화시킬 수 있다.** ✔

– **지문에서는 무리한 비용 절감이 품질 저하와 신뢰 감소로 이어져 결국 기업과 산업 전반에 부정적 영향을 미친다고 설명하고 있습니다.**

④ 산업 전반의 악순환은 소비자의 과소비에서 비롯된다.

– 소비자의 과소비에 대한 언급은 없으므로 지문의 주제와 관련이 없습니다.

3 일치하는 내용 고르기

1. ②   2. ③

1. 정답 ② ≫ p.36

해설

① 고랭지 감자는 병해충에 약해 재배가 어렵다.
– 지문에서는 병해충이 적어 농약 사용량이 줄어든다고 설명하고 있으므로 내용과 다릅니다.
② **고랭지 감자는 일반 감자보다 항산화 성분이 풍부하다.**
– **지문에서는 비타민 C와 안토시아닌 함량이 높아 항산화 효과가 크다고 설명하고 있어 내용과 일치합니다.**
③ 고랭지 감자는 저장성이 낮아 유통이 불리하다.
– 지문에서는 배수가 잘되는 토양에서 자라 저장성이 높다고 하여 반대 내용입니다.
④ 고랭지 감자는 기능성 식품으로는 적합하지 않다.
– 지문에서는 기능성 식품으로서의 가치가 주목받고 있다고 설명하고 있습니다.

2. 정답 ③ ≫ p.36

해설

① 판다는 하루 1~2kg 정도의 대나무만 먹어도 충분하다.
– 지문에서는 충분한 에너지를 얻기 위해 하루 12~15kg 이상의 대나무를 먹어야 한다고 설명하고 있어 내용과 다릅니다.
② 판다는 대나무의 독성을 해독하는 효소를 가지고 있다.
– 지문에서는 효소나 독성 해독에 대한 언급이 없습니다.
③ **어린 판다는 소화를 돕는 미생물을 어미에게서 얻는다.**
– **지문에서는 어린 판다가 어미의 배설물을 먹어 소화에 필요한 미생물을 얻는다고 설명하고 있습니다.**
④ 판다는 대나무를 소화하기 위해 육류를 함께 섭취한다.
– 지문에서는 판다가 대나무를 주식으로 하며 육류를 섭취한다는 내용은 제시되지 않았습니다.

4 알맞은 순서로 배열한 것 고르기

1 제시된 문장 순서 배열하기

1. ①   2. ②   3. ①

1. 정답 ①　≫ p.39

해설

①과 ②는 (가)가 시작 문장이고, ③과 ④는 (다)가 시작 문장입니다. 지문에서는 일부 도시가 지하철역의 빈 공간을 지역 예술가들의 전시 장소로 제공하기 시작한 사례를 먼저 제시하고 있으므로, 이러한 변화가 소개되는 (가)가 출발점으로 가장 자연스럽습니다.

① (가) − (나) − (라) − (다) ✅
− (가)에서 지하철역의 빈 공간을 전시 장소로 활용한 사례를 제시한 뒤, (나)에서 시민들이 출퇴근길에 작품을 감상하게 된 반응을 설명합니다. 이어서 (라)에서 무료로 관람할 수 있다는 점으로 많은 호응을 얻고 있음을 제시하고, 마지막으로 (다)에서 이러한 흐름을 종합해 지하철역이 복합 문화 공간으로 자리 잡고 있음을 정리하고 있어 글의 전개가 자연스럽습니다.

② (가) − (다) − (나) − (라)
− 사례 제시 직후에 곧바로 전체 흐름을 정리하는 문장이 나와 글의 전개 순서에 맞지 않습니다.

③ (다) − (가) − (나) − (라)
− 전체 내용을 종합하는 문장이 앞에 와서 글의 시작으로 적절하지 않습니다.

④ (다) − (나) − (가) − (라)
− 결론에 해당하는 내용이 먼저 제시되어 논리적인 흐름에 맞지 않습니다.

2. 정답 ②　　　　　　　　　　　　　　　　　　　　　　　　　　　　　　≫ p.39

해설

①과 ②는 (가)가 시작 문장이고, ③과 ④는 (라)가 시작 문장입니다. 지문에서는 계산대 근처에서 휴대전화가 보이지 않는 상황을 먼저 제시한 뒤, 그 이후의 행동과 해결 과정을 시간 순서대로 설명하고 있습니다. 따라서 (가)가 출발점이 되는 흐름이 자연스럽습니다.

① (가) – (나) – (라) – (다)
– 직원의 안내가 먼저 나오고 나서야 휴대전화를 어디에서 떨어뜨렸는지 떠올리는 과정이 제시되어 시간 순서가 어색합니다.

② **(가) – (라) – (나) – (다)** 💡
– **(가)에서 휴대전화가 보이지 않아 놀라는 상황이 제시된 뒤, (라)에서 어디에서 떨어뜨렸는지 스스로 되짚어 봅니다. 이후 (나)에서 직원의 안내가 나오고, 마지막으로 (다)에서 휴대전화를 되찾는 결말로 이어져 흐름이 자연스럽습니다.**

③ (라) – (가) – (나) – (다)
– 휴대전화를 잃어버렸다는 인식보다 그 이전의 행동이 먼저 제시되어 상황 전개가 부자연스럽습니다.

④ (라) – (나) – (다) – (가)
– 분실물 처리와 해결이 먼저 나온 뒤 놀라는 장면이 제시되어 논리적 순서에 맞지 않습니다.

3. 정답 ①　　　　　　　　　　　　　　　　　　　　　　　　　　　　　　≫ p.39

해설

①과 ②는 (가)가 시작 문장이고, ③과 ④는 (라)가 시작 문장입니다. 지문에서는 최근 편의점에서 진열 방식을 바꾸고 있다는 전반적인 변화를 먼저 제시하고, 그 구체적인 내용과 결과를 설명하는 구조이므로 (가)가 출발점으로 가장 자연스럽습니다.

① **(가) – (나) – (다) – (라)** 💡
– **(가)에서 진열 방식의 변화를 제시한 뒤, (나)에서 인기 상품 배치라는 구체적인 전략을 설명하고, (다)에서 추가적인 진열 방식을 덧붙입니다. 마지막으로 (라)에서 이러한 변화의 결과를 제시해 글의 흐름이 자연스럽습니다.**

② (가) – (다) – (라) – (나)
– 구체적인 전략 설명이 끝나기 전에 결과가 먼저 제시되어 전개 순서에 맞지 않습니다.

③ (라) – (나) – (가) – (다)
– 결과를 나타내는 문장이 앞에 와서 글의 시작으로 적절하지 않습니다.

④ (라) – (다) – (가) – (나)
– 결과와 세부 내용이 먼저 제시된 뒤 변화의 배경이 나와 논리적인 흐름에 맞지 않습니다.

❷ 알맞은 곳에 〈보기〉 문장 넣기

1. ②   2. ②

1. **정답** ②　　　　　　　　　　　　　　　　　　　　　　　　　　　≫ p.42

해설

〈보기〉 문장은 재활용을 반복할수록 종이 섬유가 짧아져 품질이 떨어진다는 재활용의 한계를 설명하는 문장입니다. 또한 '그러나'로 시작하므로, 앞에는 재활용의 장점이나 일반적인 과정이 제시되고, 뒤에는 그에 대비되는 제한점이나 문제점이 이어져야 자연스럽습니다.

① ㉠
- ㉠ 앞에서는 종이를 재활용하는 과정이 설명되고 있어, 바로 대조를 나타내는 문장이 오기에는 흐름이 자연스럽지 않습니다.

② ㉡
- ㉡ 앞에서는 재활용 종이가 환경 보호에 도움이 된다는 장점이 제시되고, ㉡ 뒤에서는 '하지만 무한히 재활용할 수 있는 것은 아니다'라고 하여 한계를 언급하고 있습니다. 따라서 〈보기〉 문장이 이 위치에 들어가면 의미가 자연스럽게 연결됩니다.

③ ㉢
- ㉢ 앞에서는 이미 재활용의 한계를 직접 언급하고 있어, 같은 내용을 반복하는 〈보기〉 문장을 넣기에는 적절하지 않습니다.

④ ㉣
- ㉣ 앞에서는 재활용 횟수에 따른 활용 방식이 설명되고 있어, 재활용의 한계를 처음 제시하는 문장이 오기에는 위치가 늦습니다.

2. **정답** ②　　　　　　　　　　　　　　　　　　　　　　　　　　　≫ p.42

해설

〈보기〉 문장은 미세 플라스틱이 해양 생물의 체내에 축적되어 건강을 위협할 수 있다는 부정적인 결과를 설명하는 문장입니다. 또한 '그러나'로 시작하므로, 앞에는 그와 대비되는 원인이나 계기가 제시되고, 뒤에는 그 결과가 이어져야 자연스럽습니다.

① ㉠
- ㉠ 앞에서는 미세 플라스틱의 정의와 분포만 설명하고 있어, 곧바로 '그러나'로 시작하는 결과 문장이 오기에는 흐름이 맞지 않습니다.

② ㉡
- ㉡ 앞 문장에서는 플랑크톤이나 작은 어류가 미세 플라스틱을 먹이로 착각해 섭취한다고 설명하고 있어, 체내 축적과 건강 위험이라는 〈보기〉 문장의 원인이 제시됩니다. 이어지는 내용도 축적과 전달을 설명하고 있어 의미 연결이 가장 자연스럽습니다.

③ ㉢
- ㉢ 앞에서는 이미 체내에 쌓인 미세 플라스틱이 먹이 사슬을 통해 전달된다는 결과가 제시되어, 〈보기〉 문장을 넣으면 내용이 반복됩니다.

④ ㉣
- ㉣ 앞에서는 인간의 건강에 영향을 줄 수 있다는 최종 결과가 제시되어 있어, 그보다 앞선 결과를 설명하는 〈보기〉 문장이 오기에는 위치가 적절하지 않습니다.

5 빈칸에 알맞은 내용 고르기

1 빈칸에 알맞은 내용 넣기

1. ④   2. ④   3. ①   4. ③

1. **정답** ④ ≫ p.47

해설

이 글은 토론이 상대의 의견을 듣고 분석하며 문제를 깊이 이해하는 과정임을 강조합니다. 그러나 실제로는 이러한 태도가 지켜지지 않아 자기 주장만 내세우는 경우가 많아 토론 결과에 대한 만족도가 떨어진다는 의미가 와야 합니다.

① '상대의 주장을 끝까지 듣지 않기 때문에'는 일부 원인이 될 수는 있지만 글에서 강조한 토론의 핵심 문제인 '합의 부족'을 충분히 드러내지 못합니다.
② '상대의 경험을 중심으로 이야기하기 때문에'는 오히려 공감과 이해를 돕는 태도로 부정적인 결과를 설명하는 문맥과 맞지 않습니다.
③ '서로 질문을 정확하게 하지 않기 때문에'는 토론 과정의 기술적 문제일 뿐 글 전체의 핵심 원인으로 보기에는 부족합니다.
④ **'자신의 의견만 강조하며 합의를 시도하지 않기 때문에'는 앞에서 말한 '상대의 주장을 듣고 분석해야 한다'는 내용과 정반대되는 태도로 토론 결과에 대한 불만족의 원인을 가장 정확하게 설명합니다.** ✔

2. **정답** ④ ≫ p.47

해설

이 글은 직장에서 성취감을 느끼기 위해서는 자신의 업무가 개인의 관심과 흥미에 맞아야 한다고 말하고 있습니다. 따라서 직장을 선택할 때도 다른 조건보다 자신의 흥미와의 일치 여부를 가장 먼저 고려해야 한다는 의미가 와야 문맥이 자연스럽습니다.

① '출퇴근 시간이 편한지를'은 근무 환경에 대한 조건으로 글의 핵심 내용과 맞지 않습니다.
② '회사의 이미지가 좋은지를'은 외적인 평가로 개인의 성취감과 직접적인 관련이 없습니다.
③ '사회적 명성이 높은지를'은 회사의 평판에 대한 내용으로, 문맥과 맞지 않습니다.
④ **'자신의 흥미와 맞는지를'은 앞에서 제시한 내용과 정확히 연결되어 가장 자연스럽습니다.** ✔

3. [정답] ①　　　　　　　　　　　　　　　　　　　　　　　　　» p.48

[해설]

이 글은 깊은 바다에서는 직접 관측이 어렵기 때문에 과학자들이 센서를 개발해 데이터를 수집하고 분석하는 방식으로 문제를 해결하고 있다고 설명합니다.

① **'수집한 데이터를 자동으로 정리해서'는 센서가 측정한 정보를 처리·전송한다는 의미로 문맥에 가장 잘 맞습니다.** 🏅
② '센서의 위치를 정기적으로 바꿔서'는 자료 전송과 직접적인 관련이 없어 문맥과 맞지 않습니다.
③ '연구원이 현장에서 직접 확인해서'는 앞에서 말한 자동 센서 시스템과 의미가 어긋납니다.
④ '바다 생물의 움직임을 따라가서'는 글의 핵심 내용과 관련이 없습니다.

4. [정답] ③　　　　　　　　　　　　　　　　　　　　　　　　　» p.48

[해설]

이 글은 사람들이 새로운 정보를 접할 때 기존 생각에 맞게만 해석하는 확증 편향에 대해 설명하고 이로 인해 자신이 믿고 싶은 정보만 받아들이게 된다고 말합니다. 따라서 이를 극복하기 위해서는 한쪽으로 치우치지 않도록 다양한 관점을 비교하는 태도가 필요하다는 내용이 와야 문맥이 자연스럽습니다.

① '감정이 어떻게 변하는지 살피며'는 정보 해석 방식과 직접적인 관련이 없습니다.
② '익숙한 정보에만 기대지 않으려 하며'는 의미는 비슷하지만 글에서 강조한 '다양한 관점 비교'의 핵심을 충분히 드러내지 못합니다.
③ **'새로운 의견을 열린 태도로 받아들이며'는 편향을 줄이기 위해 다양한 관점을 비교한다는 내용과 가장 잘 어울립니다.** 🏅
④ '자신이 가지고 있는 생각을 버리며'는 극단적인 표현으로, 글의 의도와 맞지 않습니다.

2 접속사/부사 고르기

1. ③　　2. ①

1. [정답] ③　　　　　　　　　　　　　　　　　　　　　　　　　» p.53

[해설]

문장에 앞의 원인과 뒤의 결과를 연결하는 결과·이유 연결 표현이 와야 합니다.

① '반면에'는 대비 의미로 문맥과 맞지 않습니다.
② '오히려'는 반전 의미로 어색합니다.
③ **'그래서'는 앞의 내용이 원인이 되어 뒤의 결과가 나오는 연결어로 가장 자연스럽습니다.** 🏅
④ '그리고'는 단순 나열의 기능이므로 적절하지 않습니다.

2. 정답 ①　　　　　　　　　　　　　　　　　　　　　　　　　　　≫ p.53

해설

이 글은 배구 선수들이 손에 땀이 나면 공을 정확히 치기 어렵기 때문에 미끄러짐을 방지하려고 손을 닦는다는 내용을 설명하고 있습니다.

① '손에 땀이 많으면 공을 칠 때 미끄러질 수 있다.'는 글의 핵심 내용을 정확하게 반영하고 있습니다. ✅
② '배구 선수들은 손의 땀을 줄이기 위해 물을 자주 묻힌다.'는 글에서는 물을 묻힌다고 하지 않고 땀을 닦는다고 했으므로 틀렸습니다.
③ '손을 닦지 않아도 공을 정확하게 칠 수 있다.'는 글의 내용과 반대입니다.
④ '선수들은 손의 땀 때문에 서로의 손을 만지지 않는다.'는 글에 없는 내용입니다.

3 관용 표현 고르기

1. ②　　　2. ②

1. 정답 ②　　　　　　　　　　　　　　　　　　　　　　　　　　　≫ p.56

해설

여기서는 겉으로는 조용해 보여도 속으로는 힘들게 버틴다는 뜻이므로 '고생하며 애쓰는 상태'를 나타내는 말이 필요합니다.

① '고개를 숙이며'는 단순 동작 묘사라서 '버티다'의 고생 의미가 약합니다.
② '진땀을 빼며'는 힘들게 애쓰며 고생하는 뜻으로, "하루를 버티다"와 가장 자연스럽게 연결됩니다. ✅
③ '입을 모으며'는 여러 사람이 의견을 모은다는 뜻으로 문맥과 무관합니다.
④ '귀가 솔깃하며'는 흥미가 생겨 듣고 싶어지는 뜻으로 문맥과 맞지 않습니다.

2. 정답 ②　　　　　　　　　　　　　　　　　　　　　　　　　　　≫ p.56

해설

① '사람들은 누구나 남에게 걱정을 숨기며 살아간다'는 일부 내용이 언급되기는 하지만 글의 핵심은 '숨긴다'는 사실이 아니라 겉모습만 보고 판단하는 태도의 문제점을 지적하는 데 있습니다.
② '겉모습만 보면 그 사람의 진짜 모습을 알기 어렵다'는 글 전체 내용을 가장 정확하게 요약한 문장으로, 중심 생각에 가장 알맞습니다. ✅
③ '남을 이해하려면 먼저 자신의 문제를 해결해야 한다'는 글에서는 자신의 문제를 먼저 해결해야 한다는 내용은 나오지 않습니다.
④ '사람은 모두 비슷한 고민을 가지고 있다'는 일부 공감할 수 있는 말이지만, 글의 핵심 주제는 '비슷한 고민'이 아니라 겉모습과 실제 모습의 차이입니다.

6 신문 기사 제목을 가장 잘 설명한 것 고르기

1 신문 기사 제목을 읽고 가장 잘 설명한 것을 고르기

1. ②   2. ②   3. ④   4. ②

1. 정답 ②　　　　　　　　　　　　　　　　　　　　　　　　　　　≫ p.59

해설

제목은 봄비가 오자 주말 나들이 차량이 많아져서 주요 도로가 막혔다는 뜻입니다.

① '봄비가 오면서 나들이 차량이 줄어 도로가 한산해졌다'는 차량이 줄었다는 내용으로 기사 제목과 반대입니다.
② '주말 나들이 차량이 몰리면서 도로 정체가 심해졌다'는 차량이 많아져 도로가 막혔다는 의미로 기사 제목과 가
　　장 잘 맞습니다. ✅
③ '비가 내려 도로가 침수되어 모든 차량이 우회했다'는 침수나 우회 내용은 기사 제목에 없습니다.
④ '도로 공사로 인해 주말에 전면 통제가 이루어졌다'는 도로 공사 내용은 기사 제목과 무관합니다.

2. 정답 ②　　　　　　　　　　　　　　　　　　　　　　　　　　　≫ p.59

해설

제목은 감기 환자가 계속 몰려 응급실이 붐비고, 대기 시간이 길다는 뜻입니다.

① '감기 환자가 크게 감소해 대기 시간이 짧아졌다'는 환자가 줄었다는 내용으로 기사 제목과 반대입니다.
② '감기 환자가 계속 이어져 응급실이 붐비고 있다'는 환자가 많아 붐빈다는 의미로 제시문과 가장 잘 맞습니다. ✅
③ '응급실 인력이 늘어 대기 시간이 줄어들었다'에서 인력이 증가했다는 내용은 기사 제목에 없습니다.
④ '응급실에서 감기 환자는 진료받지 못하고 돌아갔다'는 진료 거부 내용은 기사 제목과 무관합니다.

3. 정답 ④　　　　　　　　　　　　　　　　　　　　　　　　　　　≫ p.59

해설

제목은 강한 바람 때문에 간판이 계속 떨어져 위험 상황이 발생했고 그 결과 안전 점검이 진행되고 있다는 의미입니다.

① '안전 점검 후 간판 철거를 모두 중단했다'는 점검 후 중단했다는 내용은 제시문에 없습니다.
② '강풍이 약해져 상가 간판 피해가 거의 없었다'는 피해가 거의 없다는 내용으로, 제시문과 반대입니다.
③ '상가들이 자발적으로 간판을 철거하기로 결정했다'는 자발적 결정이라는 내용은 제시문에 없습니다.
④ '강풍으로 간판이 연속해서 떨어져 안전 점검이 이루어지고 있다'는 원인(강풍)과 결과(안전 점검)가 모두 반영되
어 제시문과 가장 잘 맞습니다. ✅

4. **정답** ② ≫ p.59

해설

제목은 연기가 가득 차 시야가 흐려져 구조 작업이 어렵다는 뜻입니다.

① '구조대원이 부족해 화재 진압이 늦어진다'는 인력 부족 내용은 제시문에 없습니다.
② '연기가 가득해 구조 작업이 어려움을 겪고 있다'는 신문 기사 제목의 핵심 내용을 정확히 반영합니다. ✅
③ '연기가 거의 없어 신속하게 구조가 이루어지고 있다'는 내용이 반대입니다.
④ '소방차 고장으로 연기가 주변에 퍼지지 못하고 있다'는 소방차 고장 내용은 제시문에 없습니다.

7 필자의 태도 및 목적 고르기

1 필자의 태도 고르기

1. ③   2. ④

1. **정답** ③ ≫ p.68

해설

① '영포티'라는 말은 세대 갈등을 잘 드러내는 표현이므로 지문의 내용과 반대됩니다.
② 함께 뭉쳐 위기를 극복하는 가치는 세대와 직급을 넘어 모두에게 절실하다고 필자는 주장하고 있으므로 지문의 내용과 맞지 않습니다.
③ 지문에서는 '그러므로 인생 항해의 위기 앞에서 필요한 것은 서로의 처지를 이해하고 공감하며 연대하는 힘이다.'라고 강조합니다. 필자가 주장하고자 하는 주제문에 해당합니다. ✅
④ 지금의 중년 세대는 외환 위기와 금융 위기를 겪으며 어려움을 극복한 세대입니다. 지문의 내용과 맞지 않습니다.

2. **정답** ④ ≫ p.68

해설

① 지문에서는 인공 지능이 생성한 이미지에 워터마크가 있기는 하지만 그것으로 사람들의 의심을 해결할 수는 없다고 하였으므로 내용과 맞지 않습니다.
② 사람들이 사진의 진위 여부나 창작의 수고로움에 신경을 쓰는지 안 쓰는지는 알 수 없습니다. 다만 감탄과 의심이 이러한 것을 넘어 먼저 즉각적으로 다가온다고 말합니다.
③ 필자는 이미지 생성기에 대하여 편리하다거나 혁신적이라는 평가는 하지 않았습니다.
④ 지문의 마지막 문장과 거의 비슷한 내용으로 이 글의 주제문에 해당하며 필자의 태도를 드러냅니다. ✅

2 글을 쓴 목적 고르기

1. ④   2. ④

1. **정답** ④ 〉〉 p.74

해설

①번은 일부 내용에 해당하지만 글 전체의 목적은 개념 설명보다는 행동 제안에 가깝습니다. 따라서 오답입니다.
②번은 글에서 이 책을 소개하긴 하지만 아 책을 홍보하기 위한 것은 아니므로 오답입니다.
③번은 비유적 표현일 뿐으로 이 글의 핵심은 정신적 해독제로서 책 읽기를 권하는 것입니다. 따라서 오답입니다.
④번은 글의 전체 흐름과 결론을 가장 잘 반영한 것으로 이 글에서는 영상 과도한 소비가 정신적 피로를 유발하고 이를 책 읽기로 정화하자며 자기만의 해독제를 찾을 것을 권하고 있습니다. 따라서 정답은 ④번입니다. ♥

2. **정답** ④ 〉〉 p.75

해설

①번은 글에 일부 설명이 포함되기는 하지만 이 글의 중심 목적은 '레디 코어' 자체의 설명이 아니라 그에 따른 사회적 대응의 필요성입니다.
②번은 글의 결론부에 비유적으로 사용된 표현이긴 하지만 중심 목적과는 거리가 있습니다.
③번은 글의 주장과 반대되는 내용입니다. 이 글에서는 개인의 준비에 더하여 사회가 보상해야 한다고 주장합니다.
④번은 글의 핵심 주장과 가장 정확히 일치합니다. 준비된 청년 세대에게 경제적 제도와 구조적 보상이 필요하다는 주장을 담고 있습니다. 따라서 정답은 ④번입니다. ♥

8 화자와 인물의 심정 고르기

1 수필이나 에세이 형식의 1인칭 시점의 글에 나타난 화자의 심정 파악하기

1. ①　　2. ④

1. 정답 ①　　≫ p.83

해설

화자인 나는 아버지의 정장에 흰 운동화라는 어색한 조합이 남들의 눈에 어떻게 비칠지 마음이 불편하고 혹시 누가 볼까 봐 불안합니다. 따라서 답은 ①번입니다. 주어진 보기의 뜻풀이는 다음과 같습니다.

> ① **불안스럽다**(感到不安 / bất an) : 마음이 편하지 않고 조마조마한 느낌이 있다. 💡
> ② 다행스럽다(幸運 / may mắn) : 예상보다 상황이 나쁘지 않아서 운이 좋은 듯하다.
> ③ 감격스럽다(激動 / cảm kích) : 마음에 느끼는 감동이 크다.
> ④ 고통스럽다(痛苦 / khó khăn, đau khổ) : 몸이나 마음이 괴롭고 아프다.

2. 정답 ④　　≫ p.83

해설

나는 아이가 도시락을 준비해 온 것 자체는 고맙지만, 그 뒤에 어머니의 수고가 있다는 사실을 떠올리며 미안한 마음을 느낍니다. '고생하셨을 것 같아'라는 표현에는 어머니가 힘들었을까 봐 걱정하는 마음과 미안함이 담겨 있습니다. 따라서 답은 ④번입니다. ①번의 아쉽거나 ②번의 기쁘고 자랑스러운 마음, ③번의 실망스러움은 나의 심정에 해당하지 않습니다.

② 서사적 글에 나타난 인물의 심정 파악하기

1. ③   2. ②

1. **정답** ③   ≫ p.93

해설

이 문장은 단순한 판매 요청이 아니라 생계를 위한 절박한 외침입니다. 주변 사람들이 경수네 슈퍼마켓에 몰리는 상황에서 어머니는 손을 흔들며 말합니다. 여든이 넘은 나이에 허리를 구부리고 추위를 견디며 직접 나선 모습과 "팔아 주라니까……"라는 말투는 마치 애원처럼 들립니다. 따라서 답은 ③번입니다. ①번의 감사하거나 ②번의 편안하거나 ④번의 덤덤한 것은 모두 어머니의 심정에 해당하지 않습니다.

2. **정답** ②   ≫ p.94

해설

이 글은 "별을 바라보면 고향이 그립고 누나가 보고 싶다."라는 문장으로 시작합니다. 소년의 심정이 처음부터 잘 표현되어 있습니다. 고향을 떠난 소년에게 고향과 누나는 단순한 장소와 인물이 아니라 매일매일 생각하는 그리움의 대상입니다. "고향에 모든 것을 두고 왔다."라는 표현에는 소년이 고향을 떠난 것이 단순한 이주가 아니라, 삶의 중요한 부분을 잃었다는 상실감이 드러납니다. 따라서 답은 외로움과 그리움을 나타내는 ②번입니다. ①번 설레거나 즐겁거나 ③번 기쁘거나 감사하거나 ④번 괴롭거나 걱정되는 것은 모두 소년의 심정에 해당하지 않습니다.

9 안내문과 그래프 읽기

1 안내문 읽기

1. ③   2. ②

1. **정답** ③ ≫ p.98

해설

이 안내문은 인주시의 책 축제에 관한 것으로 포스터에는 다양한 정보가 제공되어 있습니다. 주어진 보기의 내용을 살펴보면 다음과 같습니다.

①번은 안내문에는 개막식에서 사물놀이 공연과 마술쇼를 볼 수 있다고 되어 있는 것과 달리 마당극과 탈춤을 볼 수 있다고 하므로 오답입니다.
②번은 안내문의 행사 장소는 별빛공원 광장인 것과 달리 그곳에서 다시 이동해야 한다고 하므로 오답입니다.
③번은 안내문의 내용과 일치하여 정답입니다. ✅
④번은 벼룩시장에 참여하려면 전화를 하거나 홈페이지에 신청해야 한다고 되어 있으므로 오답입니다.

2. **정답** ② ≫ p.99

해설

이 안내 포스터는 인주시의 추석 행사에 관한 것입니다. 행사는 10월 6일 하루 동안 치러지며 다양한 활동이 준비되어 있습니다. 주어진 보기의 내용을 살펴보면 다음과 같습니다.

①번은 판소리 뮤지컬을 보려면 입장료를 내야 한다고 하는데 포스터에는 무료입장이라고 써 있으므로 오답입니다.
②번은 행사장의 명절 음식 체험에 대한 안내에 송편이 포함되어 있으므로 정답입니다. ✅
③번은 불꽃놀이에 대한 안내는 없으므로 오답입니다.
④번은 행사에 참가하기 위해서 한복을 입어야 한다는 안내가 없으므로 오답입니다.

2 그래프 읽기

1. ①   2. ②

1. 【정답】 ① ≫ p.105

【해설】

①번이 정답입니다. 남학생의 참여 인원이 가장 높게 나타난 동아리는 체육 동아리입니다. ✔

②번과 관련하여 그래프를 보면 과학 동아리에 대한 선호도는 여학생이 더 높게 나타나므로 오답입니다.

③번과 관련하여 그래프를 보면 여학생이 가장 선호하는 동아리는 예술 동아리이므로 오답입니다.

④번과 관련하여 그래프를 보면 전체적으로는 남녀 모두 창업 동아리 참여 인원이 가장 적으므로 오답입니다.

2. 【정답】 ② ≫ p.106

【해설】

①번과 관련하여 그래프를 보면 인문·사회 계열 장르의 책이 대출 비율이 26%로 가장 높으므로 오답입니다.

②번이 정답입니다. 공학·IT 계열의 책이 21%로 자연과학 책 17%보다 높아 더 인기가 있습니다. ✔

③번과 관련하여 그래프를 보면 예술·기타 장르의 책은 대출 비율이 12%이므로 10%를 넘어 오답입니다.

④번과 관련하여 그래프를 보면 인주시 도서관에서 가장 많이 대출되는 장르는 인문·사회 계열의 책입니다. 따라서 오답입니다.

PART 2 실전 모의고사 정답 및 해설

제1회 실전 모의고사

1. ③	2. ①	3. ②	4. ④	5. ②	6. ③	7. ①	8. ②	9. ④	10. ④
11. ③	12. ④	13. ①	14. ④	15. ①	16. ④	17. ①	18. ②	19. ④	20. ①
21. ④	22. ④	23. ①	24. ②	25. ③	26. ③	27. ④	28. ④	29. ③	30. ②
31. ④	32. ④	33. ②	34. ②	35. ②	36. ①	37. ④	38. ③	39. ②	40. ③
41. ②	42. ③	43. ③	44. ②	45. ②	46. ②	47. ①	48. ③	49. ①	50. ②

1. 정답 ③ ≫ p.110

해설

문장의 핵심은 '수영을 하려고 했지만 결과적으로 못 했다'는 점입니다. '늦잠을 자 버렸다'는 의도와 다른 결과를 나타냅니다.

① 하려고
– 단순한 의도만 나타냅니다.
② 하다가
– 이미 수영을 시작한 뒤 중단한 의미입니다.
③ **하려다가**
– 하려던 행동이 다른 일로 인해 실현되지 못했을 때 사용 문맥과 정확히 일치합니다. ✔
④ 하느라고
– 앞의 행동이 뒤의 결과의 원인이 될 때 사용합니다.

2. 정답 ① ≫ p.110

해설

질문의 핵심은 '친구와 통화한 것이 원인이 되어 숙제를 다 하지 못했다'는 점입니다. 앞의 행동이 뒤의 부정적인 결과의 원인이 됩니다.

① **통화하느라고**
– 앞의 행동 때문에 뒤의 일이 일어나지 못했을 때 사용합니다. 문맥과 정확히 일치합니다. ✔
② 통화했는데도
– 예상과 다른 결과를 나타내는 대조 표현입니다. 원인 설명이 아닙니다.
③ 통화하는 김에
– 어떤 일을 하는 기회에 다른 일을 함께할 때 사용합니다. 이유 설명 불가합니다.
④ 통화하려고
– 의도만 나타낼 뿐 결과와 연결되지 않습니다.

3. 정답 ② ≫ p.110

해설

질문의 핵심은 '상황상 웃는 것 외에 다른 선택이 없었다'는 의미입니다. 이는 강한 필연성을 나타내는 표현입니다.

① 웃을 리가 없었다

− 그럴 가능성이 전혀 없다는 뜻이니 원문과 의미가 반대입니다.

② 웃을 수밖에 없었다

− '웃지 않을 수 없었다'와 의미가 같습니다. 💡

③ 웃지 않기로 했다

− 화자의 의지·결정 표현입니다. 상황의 필연성과 다릅니다.

④ 웃지 않을 수도 있었다

− 선택 가능성을 나타냅니다. '어쩔 수 없음'의 의미와 다릅니다.

4. 정답 ④ ≫ p.110

해설

문장의 핵심은 '급하게 나온 것'이 원인이 되어 '노트북을 집에 두고 나오는' 부정적인 결과가 생겼다는 점입니다.

① 나온 채로

− '~한 상태로 그대로'라는 뜻(상태 유지)으로 사용합니다. 원인 − 결과가 아니라 상태 지속 의미라서 문맥과 맞지 않습니다.

② 나온 김에

− 어떤 일을 하는 기회에 다른 일을 함을 나타냅니다. '급하게 나온 것'은 기회가 아니므로 부적절합니다.

③ 나오는 만큼

− 정도·비례('~하는 만큼') 의미를 가집니다. 원인 − 결과와 관계없습니다.

④ 나오는 바람에

− 앞의 일이 원인이 되어 예상치 못한(대체로 부정적) 결과가 생깁니다. '급하게 나오는 바람에 노트북을 놓고 나왔다'로 자연스럽게 바꿀 수 있습니다. 💡

5. 정답 ② ≫ p.111

해설

지문은 '시간을 더 정확하게', '소중한 순간'이라는 키워드를 통해 시간을 측정하고 관리하는 기능을 강조하고 있으므로 ②번이 정답입니다. 안경, 신발, 사진은 시간의 정확성과 직접적인 관련이 없어 ①, ③, ④번은 적절하지 않습니다.

6. 정답 ③ ≫ p.111

해설

지문은 '안정된 내일', '자산을 지키다'라는 키워드를 통해 자산 관리와 안전을 강조하고 있으므로 ③번이 정답입니다. 병원, 도서관, 여행사는 자산 보호와 직접적인 관련이 없어 ①, ②, ④번은 적절하지 않습니다.

7. **정답** ① ≫ p.111

해설

지문은 '충분한 수면', '하루를 준비하다'라는 키워드를 통해 건강한 생활 습관의 중요성을 강조하고 있으므로 ①번이 정답입니다. 운전, 전기 사용, 전화 예절에 대한 내용은 언급되지 않아 ②, ③, ④번은 적절하지 않습니다.

8. **정답** ② ≫ p.111

해설

지문은 제품이 가볍고 가지고 다니기 편리하며 사용이 간단하다는 특징을 소개하고 있으므로 ②번이 정답입니다. 개인적인 평가가 없어 이용 후기는 아니며, 관람 규칙이나 예약 관련 내용도 포함되어 있지 않아 ①, ③, ④번은 적절하지 않습니다.

9. **정답** ④ ≫ p.112

해설

이 안내문은 인주시 알뜰 벼룩시장의 개최를 알리고 판매자를 모집하기 위한 것입니다.

① 개별 판매자는 추첨으로 결정된다.
→ 개별 판매자는 선착순으로 접수하는 것이므로 추첨으로 결정되는 것은 아닙니다.
② 판매 수익금은 전부 기부해야 한다.
→ 판매 수익금의 10% 이상을 자율적으로 기부하도록 하고 있으므로 전부 기부해야 하는 것은 아닙니다.
③ 인터넷으로 인주시 시청에 접속하여 접수한다.
→ 접수는 직접 인주시 청소년센터 4층 소극장으로 하는 것이므로 인터넷으로 접수하는 것은 아닙니다.
④ **신분증으로 인주시 거주 시민이라는 것을 보여 주어야 한다.** ✓
→ 인주시 거주 시민만 신청할 수 있기 때문에 접수할 때 신분증을 가지고 가야 합니다.

10. **정답** ④ ≫ p.112

해설

이 원형 그래프는 생활 쓰레기로 버려지는 일회용품의 종류를 비율로 나타낸 것입니다.

① 플라스틱으로 된 일회용품은 없다.
→ 페트병, 용기 등 폐플라스틱류가 그래프의 항목으로 표시되어 있으므로 같은 내용이 아닙니다.
② 종이 쓰레기의 배출량이 가장 적다.
→ 종이 쓰레기의 배출량이 49%로 가장 많으므로 같은 내용이 아닙니다.
③ 폐금속류는 대부분 숟가락과 젓가락이다.
→ 폐금속류는 접시와 용기 등이므로 같은 내용이 아닙니다.
④ **일회용품에는 종이류, 플라스틱류, 목재류, 금속류가 있다.** ✓
→ 생활 쓰레기로 버려지는 일회용품의 항목에 폐종이류, 폐플라스틱류, 폐목재류, 폐금속류가 있으므로 같은 내용입니다.

11. 정답 ③ 　　　　　　　　　　　　　　　　　　　　　　　　　》 p.113

해설

이 글에서는 인주시립도서관의 겨울 방학 프로그램을 소개하고 있습니다.

① 이 프로그램은 이번 겨울 방학에만 운영된다.
→ 내년 겨울 방학에도 이 프로그램을 지속적으로 운영할 계획이라고 하므로 오답입니다.
② 이 프로그램은 초등학생과 중학생을 대상으로 한다.
→ 초등학생들을 위한 독서·창작 프로그램이라고 하므로 중학생은 대상이 아닙니다.
③ 작가를 꿈꾸는 학생들이 이 프로그램에 관심이 많다. ✅
→ 특히 책 읽기를 좋아하거나 작가를 꿈꾸는 학생들에게 큰 호응을 얻고 있다고 하므로 정답입니다.
④ 도서관에서는 이 프로그램을 통해 큰 수익을 내기를 기대한다.
→ 어린이들이 책과 더욱 가까워지고 창의력을 키울 수 있기를 기대한다고는 하지만 수익과 관련된 내용은 없으므로 오답입니다.

12. 정답 ④ 　　　　　　　　　　　　　　　　　　　　　　　　　》 p.113

해설

반려 식물 '마리모'에 대한 글입니다.

① 마리모는 물에서 사는 동물이다.
→ 마리모는 식물이므로 오답입니다.
② 마리모는 섬세한 관리가 필요한 식물이다.
→ 마리모는 특별한 관리가 필요 없다고 하므로 오답입니다.
③ 마리모는 초록색을 비롯하여 다양한 색을 지닌다.
→ 마리모는 초록빛이라고 하므로 오답입니다.
④ 마리모가 야구공 크기로 성장하는 데는 100년 이상이 걸린다. ✅
→ 약 1cm의 마리모가 야구공 크기로 성장하는 데는 무려 150년에서 200년이 걸린다고 하므로 정답입니다.

13. 정답 ① 　　　　　　　　　　　　　　　　　　　　　　　　　》 p.114

해설

지문은 회사에서 환경 보호 캠페인을 시작했다는 상황을 제시한 (라)가 자연스러운 출발점입니다. 이어서 구체적인 실천 내용을 보여 준 (가), 그 결과를 설명한 (나), 마지막으로 다른 기업으로의 확산을 나타낸 (다) 순서가 흐름에 맞으므로 ①번이 가장 적절합니다.

14. 정답 ④ ≫ p.114

해설

지문은 조언을 한 상황을 제시하는 (다)가 자연스러운 출발점입니다. 이어서 반응의 변화를 나타낸 (가), 그 이유를 설명한 (라), 깨달음을 나타낸 (나) 순으로 흐름이 이어지므로 ④번이 가장 적절합니다.

15. 정답 ① ≫ p.114

해설

지문은 햇빛에 오래 노출되면 자외선의 영향을 받는다는 원리를 제시한 (나)가 자연스러운 출발점입니다. 이어서 결과를 나타낸 (다), 그 의미를 설명한 (가), 마지막으로 주의점을 덧붙인 (라) 순서가 흐름에 맞으므로 ①번이 가장 적절합니다.

16. 정답 ④ ≫ p.115

해설

문장의 핵심은 '서서 하는 회의'를 하면 핵심만 정리되고 불필요한 이야기가 줄어들어 회의 시간을 줄일 수 있다는 점입니다. 즉, 같은 내용을 더 효율적으로 끝낼 수 있음을 말하고 있습니다.

① 더 천천히
– 회의 시간이 줄어든다는 내용과 반대됩니다.
② 더 길게
– 불필요한 이야기가 줄어든다는 설명과 맞지 않습니다.
③ 더 복잡하게
– 핵심만 정리된다는 내용과 의미가 반대됩니다.
④ **더 짧은 시간에**
– 같은 내용을 적은 시간에 끝낼 수 있다는 의미로 문맥과 정확히 일치합니다.

17. 정답 ① » p.115

[해설]

문장의 핵심은 비 오는 날에는 습도가 높아 빨래가 잘 마르지 않기 때문에 물기를 줄이는 방법이 필요하다는 점입니다. 수건으로 물기를 없애면 마르는 시간이 줄어듭니다.

① **한 번 문지르면**
− **수건으로 물기를 제거하는 행동을 나타내며 빨래가 더 잘 마르도록 하는 방법으로 문맥에 맞습니다.**
② 한 번 접어 두면
− 빨래를 말리는 데 도움이 되지 않습니다.
③ 잘 뒤집으면
− 물기를 줄인다는 핵심 내용과 직접적인 관련 없습니다.
④ 밖에서 얼리면
− 습도 · 건조와 관련 없는 행동입니다.

18. 정답 ② » p.115

[해설]

질문의 핵심은 완벽한 계획만 세우다 보면 실천을 못 할 수 있으니 처음에는 작은 것부터 행동으로 옮기는 것이 중요하다는 점입니다. 즉, 계획보다 실천을 먼저 강조합니다.

① 한 번에 큰 목표를 세워서
− '처음부터 완벽한 계획'에 가까워 실천이 늦어질 수 있음. 글의 주장과 반대됩니다.
② **작은 행동부터 차근차근**
− **처음에는 부담을 줄이고 바로 실천하라는 의미로 문맥과 정확히 일치합니다.**
③ 결과가 보일 때까지 기다렸다가
− 실천을 미루는 태도이므로 글의 흐름과 맞지 않습니다.
④ 남들이 사용하는 방법을 그대로 따라하며
− '계획만 세우지 말고 실천하라'는 핵심과 직접 관련이 없습니다.

19. 정답 ④   ≫ p.116

해설

글의 흐름은 '재택근무 확산 → 근무 환경 변화 → 그 결과로 회의 · 교육 방식이 온라인 중심으로 바뀜'입니다. 앞 내용의 결과를 이어 주는 연결어가 와야 합니다.

① 그래도
– 앞의 내용과 반대되는 상황을 이어 갈 때 사용합니다. 문맥과 맞지 않습니다.
② 또한
– 단순 나열 · 추가의 의미로 사용됩니다. 앞의 결과를 이어 주는 인과 관계가 약합니다.
③ 그러나
– 대조 · 반전의 의미로 사용됩니다. 글의 흐름과 맞지 않습니다.
④ **그래서**
– **앞의 상황을 원인으로 하여 자연스러운 결과를 이어 줍니다. 문맥에 정확히 일치합니다.** 💡

20. 정답 ①   ≫ p.116

해설

글의 중심 생각은 재택근무가 확산되면서 근무 환경과 업무 방식 전반에 변화가 나타나고 있으며, 그 영향이 계속될 것이라는 점입니다.

① **재택근무 확산으로 근무 환경과 업무 방식이 변화하고 있다.**
– **글 전체 내용을 가장 잘 요약한 문장입니다.** 💡
② 재택근무로 인해 출퇴근 시 교통 스트레스가 크게 줄어들었다.
– 부분적인 내용만 언급하므로 중심 생각이 아닙니다.
③ 온라인 회의 프로그램은 특정 기업만 사용하고 있다.
– 지문에 없는 내용입니다.
④ 재택근무는 단기적으로만 시행될 예정이다.
– 지문에서는 오히려 지속적인 영향을 말합니다.

21. 정답 ④ ≫ p.116

[해설]

글의 핵심은 경기 침체로 생활비 부담이 커지면서 가정들이 지출을 줄이려 노력하고 있다는 점입니다. 따라서 '지출을 최소화하다'는 의미의 관용 표현이 들어가야 합니다.

① 담을 쌓고
ㅡ 관계를 끊거나 멀리함을 의미합니다. 지출과 관련 없습니다.
② 콧대가 높고
ㅡ 자존심이 세거나 거만함을 의미합니다. 문맥과 맞지 않습니다.
③ 귀가 솔깃하고
ㅡ 어떤 말이나 제안에 쉽게 마음이 끌림을 의미합니다. 의미가 부적절합니다.
④ 허리띠를 졸라매고
ㅡ **지출을 줄이고 절약함을 의미합니다. 문맥과 정확히 일치합니다.** 💡

22. 정답 ④ ≫ p.116

[해설]

글의 중심 생각은 불필요한 소비를 줄이고 절약하는 태도는 중요하지만 과도하면 경제에 부정적 영향을 줄 수 있으므로 상황에 맞는 균형이 필요하다는 점입니다.

① 절약 소비는 환경 보호에 도움이 되기 때문에 반드시 필요하다.
ㅡ 환경 보호만 강조한 부분적 내용이므로 중심 생각이 아닙니다.
② 친환경 소비는 경제활동 감소로 이어질 수 있다.
ㅡ 글의 한 부분만 언급했으므로 전체 주장이 아닙니다.
③ 불필요한 소비는 지역 상권을 위축시키는 원인이 된다.
ㅡ 지문의 내용과 다릅니다.
④ 절약은 중요하지만 상황에 맞게 균형 잡힌 소비가 필요하다.
ㅡ **글 전체의 결론을 가장 정확하게 요약합니다.** 💡

23. 정답 ①　　　　　　　　　　　　　　　　　　　　　　　　　≫ p.117

해설

이 글은 여행기에 해당하는 것으로 글쓴이는 진도에서 여행하며 본 것, 들은 것, 느낀 것 등을 기록하였습니다. 글쓴이의 지인은 "내가 진도 사람이라서 그러는 게 아니라 진도에는 진도만의 독특한 문화가 아직 명맥을 유지하고 있습니다. 다리가 생기면 이것도 외부에서 일방적으로 흘러 들어오는 문화에 의해서 완전히 깨지겠지요."라고 말합니다. 이 말에서 알 수 있는 '나'의 심정은 진도 고유의 문화에 대한 자부심과 그것이 외부의 영향으로 인해 훼손될까 봐 걱정하는 마음입니다. 진도만의 독특한 문화가 명맥을 유지하고 있다고 말하는 것에서 자랑스러워하는 마음을 느낄 수 있습니다. 따라서 답은 ①번입니다. 주어진 보기의 뜻풀이는 다음과 같습니다.

> ① **자랑스럽다**(驕傲 / đáng tự hào) : 자랑할 만한 데가 있다.
> ② 고민스럽다(苦惱 / trở nên lo lắng) : 마음속에 걱정거리가 있어 괴롭고 신경이 쓰이다.
> ③ 걱정스럽다(擔憂 / lo lắng) : 좋지 않은 일이 있을까 봐 두렵고 불안하다.
> ④ 고생스럽다(辛苦 / khó nhọc) : 일이나 생활 등에 어렵고 힘든 점이 있다.

24. 정답 ②　　　　　　　　　　　　　　　　　　　　　　　　　≫ p.117

해설

지문의 내용과 주어진 보기를 비교하며 같은 내용을 찾는 문제입니다.

① 진도에는 고유한 문화가 없다.
→ 진도만의 독특한 문화가 아직 명맥을 유지하고 있다고 하므로 오답입니다.
② **진도에는 아름다운 나무와 풀이 많다.**
→ '산과 들의 나무와 풀들은 싱싱하고 윤기가 있었다.', '유달리 크고 잘 뻗은 나무들이 많이 서 있는 것도 눈길을 끌었다.'와 같은 부분에서 알 수 있는 내용입니다.
③ 진도 사람들은 거의 수산업에 종사한다.
→ 진도에서는 주민들 거의가 농업에 종사하고 있으며, 수산업 전문은 거의 없다고 하므로 오답입니다.
④ 광주에서 진도를 가려면 비행기를 타야 한다.
→ 버스가 큰 배를 타고 바다를 건너 진도로 들어서는 것이었다고 하므로 오답입니다.

25. 정답 ③   ≫ p.118

해설

기사 제목의 핵심은 기후 변화에 대한 효과적인 대책이 부족해 매년 많은 인명 피해가 발생하고 있다는 점입니다.

① 정부의 기후 대응 정책이 강화되면서 극심한 기후 재난 피해가 줄어들었다.
－ 정책이 강화되어 피해가 줄었다는 내용으로 제목과 반대됩니다.
② 기후 변화로 인한 인명 피해가 심각하지만 효과적인 정책 덕분에 해결되었다.
－ '대책 부재'라는 제목 내용과 맞지 않습니다.
③ **기후 변화 대책이 없으므로 수백만 명이 매년 그 영향으로 희생되고 있다.**
－ **제목의 내용을 가장 정확하게 설명합니다.** ✅
④ 기후 변화에 대비한 국제 협력 강화로 재난 피해 복구가 이루어지고 있다.
－ 제목에 없는 내용입니다.

26. 정답 ③   ≫ p.118

해설

기사 제목의 핵심은 외식 물가가 오르면서 서민들의 생활비 부담이 커지고 있다는 점입니다.

① 외식업체 수가 줄어들어 경쟁이 완화되었다.
－ 가격 상승과 서민 부담에 대한 설명이 아닙니다.
② 외식 가격이 내려가 소비자 만족도가 높아졌다.
－ 제목 내용과 반대됩니다.
③ **외식 물가가 오르면서 생활비 부담이 커지고 있다.**
－ **제목의 핵심 내용을 그대로 설명합니다.** ✅
④ 재료비 하락으로 외식업체 상황이 나아지고 있다.
－ 재료비 상승이라는 제목과 맞지 않습니다.

27. 정답 ④   ≫ p.118

해설

기사 제목의 핵심은 대규모 개발 사업이 빠르게 진행되는 동안 청년 주거 문제는 충분히 해결되지 못하고 있다는 점이다.

① 청년들이 개발 사업에 적극 참여하고 있다.
－ 제목과 관련 없는 내용입니다.
② 청년 주거 정책이 개발 사업보다 우선 추진되고 있다.
－ '여전히 뒷전'이라는 제목과 반대됩니다.
③ 개발 사업이 중단되면서 주거 문제가 해결되고 있다.
－ 지문에 없는 내용이며 의미도 맞지 않습니다.
④ **개발에 집중해서 청년 주거 문제는 충분히 다뤄지지 않고 있다.**
－ **제목의 내용을 가장 정확하게 설명합니다.** ✅

28. 정답 ④　　　　　　　　　　　　　　　　　　　　　　　　　　　　≫ p.119

해설

글의 핵심은 청소년의 스마트폰 과도한 사용은 여러 부작용을 낳을 수 있으므로 사용에 대한 관리와 규칙이 필요하다는 점입니다.

① 모든 앱을 차단할
— 현실적이지 않고 글의 주장과 맞지 않습니다.
② 최신 기기를 활용할
— 사용 시간 문제와 관련 없습니다.
③ 친구들과 경쟁하게 할
— 부작용을 줄이는 방법이 아닙니다.
④ **체계적인 규칙을 설정할**
— **과도한 사용을 막기 위한 해결책으로 문맥에 정확히 맞습니다.** 💡

29. 정답 ③　　　　　　　　　　　　　　　　　　　　　　　　　　　　≫ p.119

해설

글의 핵심은 무거운 자재를 옮길 때 바닥 재질이나 이동 경로를 바꾸어 필요한 힘을 줄였다는 점입니다. 이는 이동할 때 생기는 저항을 줄인 원리를 활용한 사례입니다.

① 사람 수를 늘린 것을
— 사람 수를 늘렸다는 내용은 지문에 없습니다.
② 자재의 크기를 줄인 것을
— 자재 자체를 바꿨다는 설명이 아닙니다.
③ **이동 시 저항을 줄이는 원리를**
— **바닥 재질 변경, 경로 정비로 힘이 줄어든 이유를 가장 정확히 설명합니다.** 💡
④ 운반 속도를 높이는 기술을
— 속도에 대한 언급은 없습니다.

30. 정답 ②　　　≫ p.119

해설

글의 핵심은 기억력 저하는 나이 때문만이 아니라 정보를 한꺼번에 많이 접하면 뇌가 정리하기 어렵기 때문이라는 점입니다. 따라서 기억을 잘하기 위해서는 정보를 나누어 받아들이는 방식이 중요하다고 말합니다.

① 한 번에 많이
－ 여러 정보를 한꺼번에 접하면 기억에 불리하다는 설명과 반대됩니다.
② **나누어 단계적으로**
－ **정보를 정리하기 쉽게 받아들이는 방법으로 문맥과 정확히 일치합니다.** ✅
③ 가능한 한 빠르게
－ 속도에 대한 내용은 지문에 없습니다.
④ 감각적으로 자극적으로
－ 정보 제시 방식의 핵심과 맞지 않습니다.

31. 정답 ④　　　≫ p.119

해설

글의 중심 내용은 사람들이 새로운 것만을 추구하기보다 과거의 요소에서 의미와 만족을 찾는 소비 성향을 보이고 있다는 점입니다. 과거의 문화와 이미지를 현대적으로 재해석하는 현상이 이를 보여 줍니다.

① 유행을 빠르게 바꾼다는
－ 과거를 다시 활용한다는 내용과 맞지 않습니다.
② 시간의 흐름을 중시한다는
－ 지문의 핵심 주장과 직접적으로 연결되지 않습니다.
③ 오래된 물건을 그대로 보존한다는
－ '재해석'과는 다른 의미입니다.
④ **과거를 떠올리며 정서적 만족을 느낀다는**
－ **과거의 요소에 의미를 부여하는 소비 성향을 가장 잘 설명합니다.** ✅

32. 정답 ④　　　≫ p.120

해설

지문은 달팽이가 수분과 온도, 햇빛 등 주변 환경 조건에 따라 활동을 줄이거나 껍질 속에 머무르며 행동을 조절한다고 설명합니다. 따라서 환경 변화에 맞춰 행동한다는 ④번이 맞습니다. 껍질이 없다는 ①번, 온도가 높을수록 활동한다는 ②번, 낮에 더 활발하다는 ③번은 지문과 맞지 않습니다.

33. 정답 ②　　≫ p.120

해설

지문은 초파리가 몸집이 작고 세대 기간이 짧아 실험 결과를 빠르게 확인할 수 있다고 했으므로 ②번이 맞습니다. ①번은 '크기가 크다'고 하여 지문과 반대이며, ③번은 유전 정보가 단순하다는 설명과 달라 틀립니다. ④번도 관리가 간편하다는 내용에 어긋납니다.

34. 정답 ①　　≫ p.120

해설

지문은 아이가 무엇인지, 왜 그런지 질문하며 단어와 상황의 의미를 이해하고 언어를 배운다고 설명합니다. 따라서 질문을 통해 의미를 파악한다는 ①번이 맞습니다. 질문 없이 따라 하거나 질문이 언어 발달과 관련이 없다는 내용, 혼잣말 중심이라는 설명은 지문과 맞지 않아 ②, ③, ④번은 틀립니다.

35. 정답 ②　　≫ p.121

해설

지문은 햇빛이 물방울에 들어가 굴절되고 내부에서 반사되면서 파장에 따라 빛이 분리되어 무지개가 생긴다고 설명합니다. 따라서 무지개의 원리를 굴절과 반사로 설명한 ②번이 맞습니다. 현상 소개에 그친 ①번, 색에 영향을 준다는 ③번, 색 순서 변화라는 ④번은 지문과 맞지 않습니다.

36. 정답 ①　　≫ p.121

해설

지문은 1인 가구와 맞벌이 부부의 증가로 반찬을 사 먹는 사람이 늘고, 이에 따라 반찬 전문점과 배달 서비스가 확대되었다고 설명합니다. 따라서 생활 방식 변화에 따른 반찬 판매 증가를 말한 ①번이 맞습니다. 경제성이나 가족 시간, 식품 안전을 언급한 ②, ③, ④번은 지문과 맞지 않습니다.

37. 정답 ④　　≫ p.122

해설

지문은 플라스틱 사용 증가로 환경 문제가 심각해졌음을 설명하고, 반대 의견도 언급한 뒤 지속 가능한 사회를 위해 규제 강화를 강조합니다. 따라서 규제 강화의 필요성을 말한 ④번이 맞습니다. 편리함, 기술 발전, 불편함만 언급한 ①, ②, ③번은 글 전체를 포괄하지 못합니다.

38. 정답 ③ ≫ p.122

해설

지문은 기술의 새로움보다 사용이 쉽고 익숙한 경험이 수용에 중요하다고 설명합니다. 따라서 사용자 경험을 고려한 기술이 시장에서 잘 정착한다는 ③번이 맞습니다. 기능의 다양성, 어려움의 가치, 시간에 따른 자연 수용을 말한 ①, ②, ④번은 지문과 맞지 않습니다.

39. 정답 ④ ≫ p.123

해설

〈보기〉 문장은 운전자가 잠시 주의를 놓치면 큰 사고로 이어질 수 있다는 위험을 경고하는 문장입니다. 이 문장은 '그러나'로 시작하므로, 바로 앞 문장에서는 긍정적이거나 안전해 보이는 상황이 제시되어야 그와 대비되는 경고 내용이 자연스럽게 이어집니다.
지문에서 ㉣ 바로 앞 문장은 '이런 기술들은 사고를 예방하는 데 도움이 된다'고 하여 안전함을 강조하고 있으므로, 그 뒤에 〈보기〉의 위험 경고가 이어지면 흐름이 가장 자연스럽습니다.

40. 정답 ③ ≫ p.123

해설

〈보기〉 문장은 산불이 자주 발생할 때 나타나는 부정적 결과를 설명하는 문장입니다. 또한 '하지만'으로 시작하므로 앞 문장에서는 산불의 긍정적 역할이 제시되고, 그 뒤에 대비되는 내용이 와야 글의 흐름이 자연스럽습니다.
지문에서 ㉢ 앞 문장까지는 '새로운 식물의 성장', '세대 교체 촉진' 등 산불의 긍정적인 측면이 설명되고 있습니다. 따라서 이러한 이로운 영향과 대비되는 〈보기〉 문장이 이어지는 위치는 ㉢이 가장 적절합니다.

41. 정답 ② ≫ p.123

해설

〈보기〉 문장은 '작은 습관을 꾸준히 실천하면 큰 변화가 생긴다'는 결론적 메시지를 담고 있습니다. 따라서 이 문장은 앞 문장에서 제시된 문제 상황(초기에 변화가 잘 보이지 않아 포기함)을 이어받으면서, 뒤 문장에서 제시되는 해결·조언(꾸준함의 중요성)사이에서 자연스럽게 연결되어야 합니다.
지문에서 ㉡ 앞은 "많은 사람들이 변화가 보이지 않아 포기한다"고 하여 문제점을 제시하고 있고, ㉡ 뒤는 "그래서 꾸준함이 중요하다"고 강조하고 있습니다. 〈보기〉는 문제와 조언을 이어주는 전환 역할을 하므로 ㉡ 위치에 가장 자연스럽게 들어갑니다.

42. 정답 ③　　　　　　　　　　　　　　　　　　　　　　　　　　　　≫ p.124

해설

1인칭 시점으로 쓰인 글에서 '나'의 심정을 파악하는 문제입니다. 지선을 바라보며 신기하게도 자연스럽고 멋스러워 보인다고 하므로 지선에 대한 존경과 감탄의 마음을 느낄 수 있습니다. 따라서 답은 ③번입니다. 주어진 보기의 뜻풀이는 다음과 같습니다.

> ① 당황스럽다(惊慌 / bối rối) : 놀라거나 매우 급하여 어떻게 해야 할지를 모르는 데가 있다.
> ② 걱정스럽다(担忧 / lo lắng) : 좋지 않은 일이 있을까 봐 두렵고 불안하다.
> ③ **감탄스럽다(令人贊嘆 / cảm thán) : 크게 느끼어 마음으로 따를 만하다.**
> ④ 우려스럽다(讓人担憂 / lo nghĩ) : 근심되고 걱정스러운 데가 있다.

43. 정답 ③　　　　　　　　　　　　　　　　　　　　　　　　　　　　≫ p.124

해설

지문의 내용에서 유추하여 알 수 있는 내용을 찾는 문제입니다. 보기를 보며 지문의 내용과 비교해 보세요.

① 지선은 대학에서 영화를 전공했다.
→ 지선은 대학에서 사진을 전공했다고 하므로 오답입니다.
② 지선은 목수 일로 수입을 마련하여 영화를 만든다.
→ 이런 내용은 지문에서 찾을 수 없으므로 오답입니다.
③ **지선은 자신의 삶을 스스로 바꿔 나가는 종류의 사람이다.**
→ 글쓴이는 자신의 삶을 스스로 바꿔 나가는 종류의 사람들이 있다고 시작하며 지선에 대하여 이야기하고 있습니다. 지선은 사진을 전공했지만 영화를 만들고 그러다가 또 목수 일을 하고 있습니다. 따라서 ③번이 정답입니다.
④ 지선은 가구 만드는 사람들에 대한 다큐멘터리를 제작하고 있다.
→ 이런 내용은 지문에서 찾을 수 없으므로 오답입니다.

44. 정답 ② » p.125

해설

주어진 보기에서 (   ) 안에 들어갈 가장 알맞은 것을 고르는 문제입니다. (   )의 앞뒤 문맥을 잘 살펴보며 내용의 흐름상 적절한 것을 선택하면 됩니다. '소비자는 "이 정도로 광고를 했다는 건 자신 있는 상품이겠지."라고 생각하게 되고, 그 결과 그 상품에 대한 믿음이 생기며 선호하게 된다.'고 합니다. 그리고 어떤 경향이 생기는데 그것은 '가격이 올라도 수요가 줄지 않는' 특징을 가지고 있습니다. 즉, 가격이 올라도 계속해서 그 상품을 구매하는 것입니다. 따라서 답은 ②번입니다. 주어진 보기를 하나씩 검토해 보겠습니다.

① 가격의 변화에 민감해지는
→ 가격의 변화에 민감해지면 소비자는 상품의 가격이 오르면 구매를 줄이게 되므로 지문에서 설명하는 특징과 반대됩니다.
② **가격이 올라가도 계속 구매하려는** 💡
→ **수요의 가격 탄력성이 감소하는 현상을 잘 설명해 주므로 정답입니다.**
③ 가격과 상품의 차별성을 분석하려는
→ 가격의 차별성이나 상품의 차별성을 분석한다는 내용은 지문에 없으므로 오답입니다.
④ 가격이 떨어져도 더 이상 사지 않게 되는
→ 가격이 떨어져도 사지 않게 되는 것은 상품에 대한 신뢰나 매력이 떨어진 상태를 말하므로 지문의 내용과 관계가 없습니다.

45. 정답 ② » p.125

해설

지문의 주제로 알맞은 것을 고르는 문제입니다. 글쓴이는 광고의 역할에 대하여 설명하며 광고는 상품의 차별성을 강조하여 소비자의 충성도가 높아지고 판매자의 시장 지위를 강화한다고 합니다. 따라서 답은 ②번입니다. 주어진 보기를 하나씩 검토해 보겠습니다.

① 광고는 판매자를 심한 경쟁으로 몰아넣는다.
→ 광고는 판매자에게 유리하게 작용한다고 하므로 오답입니다.
② **광고는 상품의 차별성을 강조하여 소비자의 충성도를 높인다.** 💡
→ **소비자의 충성도는 판매자에게 유리하게 작용해 시장에서 더 강한 위치를 차지하게 해 준다고 하므로 정답입니다.**
③ 광고는 소비자의 판단을 흐리게 하므로 그대로 믿으면 안 된다.
→ 지문의 내용과 관련되지 않으므로 오답입니다.
④ 광고는 판매자의 시장 지위를 강화하므로 물건을 살 때 잘 판단해야 한다.
→ 광고는 판매자의 시장 지위를 강화한다는 내용은 있지만 물건을 살 때 잘 판단해야 한다는 것은 없으므로 오답입니다.

46. 정답 ②

≫ p.126

해설

글쓴이의 주장과 견해가 담긴 글을 읽으며 필자의 태도를 파악하는 문제입니다. 필자는 박물관 유료화에 대하여 찬성과 반대의 입장을 소개하며 신중하게 접근할 것을 강조하고 있습니다. 특히 유료화를 하더라도 사회적 약자의 문화 향유권을 보장할 수 있는 방안에 대하여 제안하고 있습니다. 따라서 답은 ②번입니다. 주어진 보기를 하나씩 검토해 보겠습니다.

① 영국의 박물관 관련 정책을 도입하고 따라야 한다.
→ 영국의 박물관 정책을 예로 들고 있기는 하지만 그 정책을 도입하자고 하지는 않으므로 오답입니다.
② 국립중앙박물관의 유료화는 신중하게 결정해야 할 문제이다. 💡
→ 국립중앙박물관의 유료화 문제에 대한 필자의 태도가 잘 요약된 문장입니다.
③ 국민의 문화 향유권은 가치를 정할 수 없으므로 무료로 운영되어야 한다.
→ 무료로 운영해야 한다는 주장은 없으므로 오답입니다.
④ 유료화를 해야 하지만 사회적 약자는 항상 무료로 관람할 수 있어야 한다.
→ 필자는 유료화를 해야 한다고 명확하게 주장하고 있지 않습니다. 또한 사회적 약자의 경우 이용 방안을 마련해야 한다고 하며 경복궁에서 청소년이나 노인과 같이 연령에 따른 배려 대상을 정하거나 특정 날짜에 무료로 관람할 수 있는 정책 등을 소개하고 있으므로 오답입니다.

47. 정답 ①

≫ p.126

해설

주어진 보기의 내용을 지문과 비교하며 같은 내용을 찾는 문제입니다. 보기를 하나씩 살펴보겠습니다.

① 경복궁은 매달 마지막 수요일에 무료로 개방한다. 💡
→ 청소년이나 노년층 등은 무료이고 매달 마지막 수요일인 '문화가 있는 날'엔 전면 무료로 개방하고 있으므로 정답입니다.
② 입장료를 내면 사람들은 박물관 관람을 꺼리게 될 것이다.
→ 지문과 관계없는 내용이므로 오답입니다.
③ 박물관이 무료여야 사람들은 문화에 대한 이해가 높아진다.
→ 지문과 관계없는 내용이므로 오답입니다.
④ 국립중앙박물관의 유료화 계획에 사람들은 모두 찬성하고 있다.
→ 국립중앙박물관이 내년부터 입장료를 받을 계획이라는 발표에 찬반 의견이 갈렸다고 하므로 모두가 찬성하는 것은 아닙니다.

48. 정답 ③　　　　　　　　　　　　　　　　　　　　　　　　　　　　≫ p.127

해설

이 글의 목적은 현대 미술이 지나치게 자본 중심으로 소비되는 현실을 비판하고 독자에게 예술의 진정한 의미와 경험의 본질을 되돌아보게 하는 것입니다. 따라서 답은 ③번입니다. 보기를 하나씩 살펴보겠습니다.

① 아트페어를 홍보하기 위해서
→ 아트페어를 홍보하기 위한 글은 아닙니다.
② 미적 체험의 진정성을 설명하기 위해서
→ 미적 체험의 진정성에 대하여 언급하기는 하지만 아트페어에 전시된 작품과 그것을 바라보는 관람객의 다양한 태도에 대한 것이 보다 본질적인 글의 목적이므로 오답입니다.
③ **진정한 예술 향유에 대하여 생각하도록 하기 위해서** 💡
→ **이 글의 목적에 해당합니다.**
④ 대중이 열광하는 작가의 아트페어 참가를 알리기 위해서
→ 대중적인 작가의 아트페어 참가를 홍보하는 내용은 없으므로 오답입니다.

49. 정답 ①　　　　　　　　　　　　　　　　　　　　　　　　　　　　≫ p.127

해설

'미술은 유독 돈의 논리가 많이 작용하는 분야이기 때문에 작품의 미적 가치보다는 대중의 기호와 (　　　　)에 따라 등급이 매겨지곤 한다.'에서 (　　　)에 들어갈 말을 찾기 위해서는 (　　　)의 앞뒤 문맥을 잘 살펴야 합니다. 선행절에서 유독 돈의 논리가 많이 작용하는 분야라고 했기 때문에 ①번 '작품의 가격'이 알맞습니다.

① **작품의 가격** 💡
→ **정답입니다.**
② 작품의 온도
→ 관련이 없는 표현이므로 오답입니다.
③ 작품의 본질
→ 관련이 없는 표현이므로 오답입니다.
④ 작품의 진정성
→ 관련이 없는 표현이므로 오답입니다.

50. 정답 ②

≫ p.127

해설

주어진 보기의 내용을 지문과 비교하며 같은 내용을 찾는 문제입니다. 보기를 하나씩 살펴보겠습니다.

① 대중이 열광하는 작가는 대체로 등급이 낮다.
→ '대중이 열광하는 작가와 작품도 있지만 혼을 담아 만들어도 팔리지 않는 작품도 있다.'라는 문장 앞에 '미술은 돈의 논리가 많이 작용하는 분야이기 때문에 작품의 미적 가치보다는 대중의 기호와 작품의 가격에 따라 등급이 매겨지곤 한다.'는 말이 있는 것으로 보아 대중이 열광하는 작가의 작품은 가격이 비싸고 등급도 높을 것으로 보입니다. 따라서 오답입니다.

② **미술은 돈의 논리가 크게 작용하는 분야이다.** ✔
→ '미술은 유독 돈의 논리가 많이 작용하는 분야이기 때문에'라는 부분과 일치하므로 정답입니다.

③ 부르디외는 진정한 예술 향유에 대하여 주장하였다.
→ '부르디외의 이론에 따르면 미술은 경제·문화·상징자본이 얽혀 있는 공간이며 VIP 초대, SNS 인증, 셀럽의 참여는 개인의 사회적 입지를 재구성하는 수단이 된다.'라는 문장에 따르면 부르디외는 미술이 단순한 예술 활동이 아니라 다양한 형태의 자본이 얽혀 있는 사회적 공간이며 사람들이 이를 통해 자신의 사회적 위치를 드러내거나 강화한다고 보고 있습니다. 따라서 오답입니다.

④ 과시욕과 유행 추종은 미적 체험의 진정성과 관계가 깊다.
→ '과시욕과 유행 추종은 작품의 본질을 흐리고 미적 체험의 진정성을 약화시킬 가능성이 있다.'라는 부분과 반대되므로 오답입니다.

제2회 실전 모의고사

1. ③	2. ②	3. ①	4. ④	5. ②	6. ③	7. ④	8. ①	9. ③	10. ④
11. ④	12. ②	13. ②	14. ④	15. ③	16. ②	17. ③	18. ④	19. ③	20. ④
21. ②	22. ③	23. ①	24. ③	25. ③	26. ②	27. ①	28. ③	29. ③	30. ①
31. ③	32. ②	33. ④	34. ③	35. ①	36. ④	37. ③	38. ①	39. ③	40. ①
41. ②	42. ③	43. ④	44. ①	45. ④	46. ④	47. ②	48. ④	49. ①	50. ①

1. 　정답　③　　　　　　　　　　　　　　　　　　　　　　　　　　　≫ p.128

해설

이 문장의 의미는 '영화 상영식이 열리는 상황을 배경으로 사람들이 많이 올 것이라고 판단한다'는 것입니다. 이는 앞의 사실을 근거로 뒤의 추측을 말하는 문장입니다.

① 열리듯이
– 모양이나 방식을 비교할 때 사용합니다. 상황이 설명되지 않습니다.
② 열리든지
– 선택이나 불확실성을 나타냅니다. 추측의 근거를 제시하는 문맥과 맞지 않습니다.
③ **열리는데**
– **앞의 상황을 배경으로 뒤의 판단이나 추측을 말할 때 사용합니다. 문맥과 정확히 일치합니다.** ✅
④ 열리도록
– 목적을 나타내는 표현입니다. 의미상 연결되지 않습니다.

2. 　정답　②　　　　　　　　　　　　　　　　　　　　　　　　　　　≫ p.128

해설

이 문장의 의미는 '잊지 않기 위해 미리 표시했고 그 상태가 지금까지 유지되고 있다'는 것입니다.

① 표시한 척했다
– 실제로 하지 않고 하는 것처럼 보이게 한 경우입니다.
② **표시해 놓았다**
– **미리 행동을 해 두었고 그 결과가 유지될 때 사용합니다. 문맥과 일치합니다.** ✅
③ 표시해 버렸다
– 행동이 완료되었음을 강조할 뿐, 유지 의미는 없습니다.
④ 표시한 셈이었다
– 실제 행동이 아닐 수도 있으며 결과적으로 그렇게 본다는 의미입니다.

3. 정답 ①　　　　　　　　　　　　　　　　　　　　　　　　　　　　≫ p.128

해설

이 문장의 의미는 '충격의 정도가 매우 커서 사람들의 마음이 움직일 정도였다'는 것입니다. 이는 정도를 나타내는 표현입니다.

① **움직일 만큼**
− **정도를 나타내는 표현으로 원문과 의미가 같습니다.**
② 움직이기 때문에
− 이유를 나타내는 표현입니다.
③ 움직일 뿐이다
− 한계를 나타내는 표현입니다.
④ 움직일 덕분이다
− 긍정적인 원인을 나타내는 표현입니다.

4. 정답 ④　　　　　　　　　　　　　　　　　　　　　　　　　　　　≫ p.128

해설

문장의 의미는 '음악을 듣는 행동이 원인이 되어 전화 소리를 못 들었다'는 것입니다. 즉 앞의 행동이 뒤의 부정적 결과의 원인입니다.

① 듣자마자
− 즉시 일어난 상황을 나타냅니다.
② 듣더라도
− 가정·양보 표현입니다.
③ 들으려고
− 의도를 나타낼 뿐 결과와 연결되지 않습니다.
④ **듣느라고**
− **앞의 행동 때문에 뒤의 일을 못 하게 될 때 사용합니다. 문맥과 일치합니다.**

5. 정답 ②　　　　　　　　　　　　　　　　　　　　　　　　　　　　≫ p.129

해설

지문은 '피로를 씻어내다', '상쾌한 기분'이라는 키워드를 통해 몸을 씻는 용품을 떠올리게 하므로 ②번이 정답입니다. 수건, 칫솔, 안경은 몸의 피로를 씻어내는 용도와 직접적인 관련이 없어 ①, ③, ④번은 적절하지 않습니다.

6. 정답 ③   ≫ p.129

해설

지문은 '아름답게', '신선한 향기와 색'이라는 키워드를 통해 선물용 식물을 준비하는 장소를 떠올리게 하므로 ③번이 정답입니다. 공원, 식당, 서점은 이러한 특징과 관련이 없어 ①, ②, ④번은 적절하지 않습니다.

7. 정답 ④   ≫ p.129

해설

안내문은 일회용품 사용을 줄이고 전기를 아껴 쓰자고 권하며 지구를 위해 실천하자는 메시지를 담고 있습니다. 이는 환경을 보호하자는 내용이므로 ④번이 맞습니다. 건강이나 운전, 공공질서와는 관련이 없어 ①, ②, ③번은 적절하지 않습니다.

8. 정답 ①   ≫ p.129

해설

안내문은 차가 멈출 때까지 일어나지 말라는 내용과 출입문 앞에 서지 말라는 내용을 통해 사고를 예방하기 위한 안전 규칙을 제시하고 있습니다. 따라서 ①번이 정답입니다. 신청이나 교환, 개인적인 평가에 대한 내용은 없어 ②, ③, ④번은 모두 적절하지 않습니다.

9. 정답 ③   ≫ p.130

해설

이 안내문은 인주시 김장 대축제의 개최와 행사 내용을 알리고 시민들의 참여를 유도하기 위한 것입니다.

① 행사 장소는 체육관 1층 로비이다.
→ 행사 장소는 체육관 남쪽 광장이므로 오답입니다.
② 인주시 김치 대축제는 일요일에 참여할 수 있다.
→ 인주시 김치 대축제는 토요일에 참여할 수 있으므로 오답입니다.
③ **김치나 김장 재료를 사면 택배비를 받지 않고 보내 준다.** 💡
→ **할인 행사와 직거래 장터가 있으며 무료 택배 서비스가 있다고 하니 안내문과 같은 내용입니다.**
④ 행사장에서 김치는 살 수 있지만 김장 재료는 살 수 없다.
→ 김치와 김장 재료, 우수 가공식품을 저렴한 가격으로 판매한다고 하므로 오답입니다.

10. 정답 ④   ≫ p.130

해설

이 원형 그래프는 2025년 도시가스 용도별 공급량의 구성비를 2024년과 비교하여 나타낸 것입니다.

① 전년도 대비 업무용 도시가스 공급량은 증가하였다.
→ 2024년도에는 업무용 도시가스 공급량이 5.8%였던 데 비해 2025년에는 5.3%로 소폭 감소하였습니다.
② 2024년에 비하여 공급량이 감소한 것은 가정용뿐이다.
→ 가정용 역시 42.1%에서 45.5%로 증가하였으므로 오답입니다.
③ 수송용 도시가스 공급량은 전년도와 비교하여 변화가 없다.
→ 수송용 도시가스 공급량은 4.9%에서 4.6%로 증가하였으므로 오답입니다.
④ 2025년에는 2024년보다 산업용 도시가스 공급량이 감소하였다. ✔
→ 산업용 도시가스는 34.4%에서 32.6%로 감소하였으므로 같은 내용입니다.

11. 정답 ④   ≫ p.131

해설

이 글에서는 인주시의 '찾아가는 생활용품 수리 서비스'를 소개하고 있습니다.

① 평일에는 인주문화광장에서 이 서비스를 받을 수 있다.
→ 이 서비스는 평일에는 각 동 주민센터에서 제공된다고 하므로 오답입니다.
② 인주시는 올봄에도 생활용품 수리 서비스를 무료로 제공한다.
→ 점검은 무료이지만 부품 교체가 필요한 경우에는 저렴한 비용으로 교체가 가능하다고 하므로 수리 서비스가 무료인 것은 아닙니다.
③ 부품을 교체해야 하는 경우 제품과 함께 새로운 부품을 가지고 가야 한다.
→ 부품 교체가 필요한 경우에는 저렴한 비용으로 교체가 가능하다고 하므로 새로운 부품을 가지고 가야 하는 것은 아닙니다.
④ 생활용품을 수리해서 사용함으로써 자원 활용과 환경 보호에 기여할 수 있다. ✔
→ 인주시는 이 서비스를 통해 시민들의 생활 편의를 높이고, 자원 재활용과 환경 보호에도 기여하고자 한다고 하므로 지문과 같은 내용입니다.

12. 정답 ② ≫ p.131

해설

택배 기사가 화재를 발견하고 119에 신고하고 현장의 사람들을 돕고 소방관을 도운 사건에 대한 글입니다.

① 화재 경보기를 설치하는 것은 매우 중요하다.
→ 화재 경보음을 따라 불이 난 집을 찾아냈다고 하기는 하지만 그것이 중요하다는 내용은 없으므로 오답입니다.
② **김철수 씨는 택배 일을 하다가 화재를 발견하고 119에 신고했다.**
→ **화재 경보음을 따라 불이 난 집을 찾아낸 그는 곧바로 119에 신고했다고 하므로 같은 내용입니다.**
③ 김 씨가 좀 더 빠르게 대처했더라면 큰 화재를 막을 수 있었을 것이다.
→ 김 씨가 빠르게 대처하여 피해를 막을 수 있었으므로 지문의 내용과 반대됩니다.
④ 겨울철 주택 화재는 위험하므로 모든 택배 기사는 주의하며 살펴보아야 한다.
→ 이런 내용은 없으므로 오답입니다.

13. 정답 ② ≫ p.132

해설

지문은 한정 판매가 무엇인지 정의하는 (가)가 자연스러운 출발점입니다. 이어서 기업의 목적을 설명한 (다), 그 효과를 보완한 (라), 마지막으로 소비자의 반응을 나타낸 (나) 순서가 흐름에 맞으므로 ②번이 가장 적절합니다.

14. 정답 ④ ≫ p.132

해설

지문은 진로를 고민하게 된 상황을 제시한 (라)가 자연스러운 출발점입니다. 이어서 이유를 설명하는 (다), 주변의 반응을 전한 (가), 그 결과 느낀 감정을 나타낸 (나) 순으로 흐름이 이어지므로 ④번이 가장 적절합니다.

15. 정답 ③ ≫ p.132

해설

지문은 지구에 자기장이 형성되어 있다는 원리를 설명하는 (다)가 자연스러운 출발점입니다. 이어서 이를 이용한 도구인 (가), 바늘의 움직임을 설명한 (나), 활용 결과를 제시한 (라) 순서가 흐름에 맞으므로 ③번이 적절합니다.

16. 정답 ② ≫ p.133

해설

여기에서 주의할 것은 '알림이 집중력을 떨어뜨리므로, 중요한 일을 할 때는 알림을 줄이는 것이 효과적이다'라는 점입니다. 연구 결과에서도 알림을 꺼 둔 사람들이 일을 더 정확하게 처리했다고 합니다. 보기를 살펴보겠습니다.

① 켜 두는
- 알림을 계속 유지한다는 의미로 집중력을 떨어뜨린다는 내용과 반대입니다.
② **잠시 끄는**
- **알림을 일시적으로 꺼서 방해를 줄인다는 의미로 글의 내용과 정확히 일치합니다.**
③ 더 많이 받는
- 알림을 증가시키는 의미로, 집중력을 더 떨어뜨립니다.
④ 더 자주 확인하는
- 알림에 더 신경 쓰는 행동으로, 글의 결론과 맞지 않습니다.

17. 정답 ③ ≫ p.133

해설

이 글의 중심 내용은 '빠르게 많이 하는 운동보다 무리하지 않고 꾸준히 하는 것이 건강에 좋다는 인식이 퍼지고 있다'는 것입니다. 글 전체는 운동 방식이 양보다 지속성과 자연스러움 중심으로 바뀌고 있음을 설명합니다. 보기를 살펴보겠습니다.

① 남보다 더 많이 운동하려는
- 글에서는 '무리한 운동보다'라고 했으므로, 남보다 많이 하려는 태도와는 반대입니다.
② 짧은 시간에 효과를 보려는
- 빠른 효과를 추구하는 방식은 오히려 글에서 부정하는 대상입니다.
③ **무리하지 않고 꾸준히 하려는**
- **'천천히', '꾸준히', '일상 속에서 자연스럽게'라는 내용과 정확히 일치합니다.**
④ 운동은 힘들수록 좋다고 생각하는
- 글의 핵심 메시지와 정반대입니다.

18. 정답 ④ ≫ p.133

해설

문장의 중심 내용은 '충분한 잠은 하루의 컨디션을 유지하는 데 중요한 역할을 하며 이는 전반적인 건강과 관련된다'는 것입니다. 앞 문장에서 집중력과 감정 조절을 언급했으므로 이를 포괄하는 표현이 와야 합니다. 보기를 살펴보겠습니다.

① 더 많은 일을 하기 위해
– 수면의 목적을 '업무 효율'로만 제한하여 글의 전체 의미와 맞지 않습니다.
② 여가 시간을 늘리기 위해
– 글의 내용과 관련 없는 정보입니다.
③ 기분을 좋게 만들기 위해
– 감정 부분만 강조하여 의미가 좁습니다.
④ **건강한 생활을 하기 위해**
– **집중력, 감정 조절, 컨디션 유지를 모두 포함하는 가장 포괄적인 표현입니다.** 💡

19. 정답 ③ ≫ p.134

해설

앞에서 말한 내용을 받아 그 결과를 설명하는 연결어가 들어가야 하는 질문입니다. 보기를 살펴보겠습니다.

① 비록
– 양보 표현으로, 뒤에 반대 내용이 와야 합니다.
② 특히
– 강조 표현으로, 앞 내용과의 인과 관계를 나타내지 못합니다.
③ **이처럼**
– **앞에서 말한 내용을 받아 결과를 정리할 때 사용하는 표현입니다.** 💡
④ 차라리
– 선택이나 비교 상황에서 사용하는 표현으로 문맥과 맞지 않습니다.

20. 정답 ④ ≫ p.134

해설

이 글의 주제는 '식습관 변화가 개인의 건강뿐만 아니라 환경 보호에도 긍정적인 영향을 준다'는 것입니다. 글 전체는 식습관 개선의 이중 효과를 강조하고 있습니다. 보기를 살펴보겠습니다.

① 집에서 요리하는 사람이 줄어들고 있다.
ー 글에서는 오히려 집에서 요리하는 사람이 늘고 있다고 했으므로 내용이 반대입니다.
② 식습관 변화는 개인의 건강에만 영향을 준다.
ー 글에서는 환경 보호에도 도움이 된다고 했으므로 일부만 맞고 핵심이 아닙니다.
③ 건강을 위해 인스턴트 음식을 더 많이 먹게 되었다.
ー 글의 내용과 완전히 반대입니다.
④ **식습관의 변화가 환경 보호에도 도움이 된다.**
ー **식재료 낭비 감소, 포장 쓰레기 감소라는 설명과 정확히 일치합니다.**

21. 정답 ② ≫ p.134

해설

(   )가 들어간 문장의 의미는 'AI 광고가 늘어나면서 소비자들이 진짜와 가짜를 구별하기 어려워졌다'는 것입니다. 즉, 그로 인해 고민이 많아지고 문제가 생긴 상황을 표현해야 합니다. 보기를 살펴보겠습니다.

① 앞뒤를 잰다
ー 상황을 꼼꼼히 따져 보고 망설이다는 뜻입니다, '구별이 어렵다'는 결과를 직접적으로 나타내지는 않습니다.
② **골치가 아프다**
ー **어떤 문제가 생겨서 몹시 어렵고 번거로운 상황을 의미합니다. 문맥과 일치합니다.**
③ 고개를 숙인다
ー 인정하거나 체념한다는 의미로, 구별 문제와 관련 없습니다.
④ 열을 올린다
ー 어떤 일에 흥분하거나 지나치게 열중하다는 의미입니다.

22. 정답 ③ ≫ p.134

해설

이 글의 중심 생각은 'AI 광고로 인한 혼란을 줄이기 위해 정부와 플랫폼이 관리 제도를 강화하려는 움직임을 보이고 있다'는 점입니다. 글 전체의 결론은 규제와 제도 정비에 있습니다. 보기를 살펴보겠습니다.

① 인공지능 광고는 이미 법적으로 전면 금지되었다.
– 글에서는 금지가 아니라 표시 의무와 관리 강화를 말하고 있습니다.
② 소비자들은 인공지능으로 만든 광고를 쉽게 구별할 수 있다.
– 글에서는 오히려 구별하기 어렵다고 했습니다.
③ **정부는 인공지능 광고에 대한 관리 제도를 강화하려고 한다.**
– **'표시 의무화', '플랫폼 관리 책임 강화'와 정확히 일치합니다.** ✔
④ 유명인이 등장하는 광고는 모두 인공지능으로 제작된다.
– 일부 사례만 언급했을 뿐, 전체라고 말하지 않았습니다.

23. 정답 ① ≫ p.135

해설

이 글은 글쓴이 집 주변의 김밥 아줌마에 대한 이야기로 그분은 김밥을 만들 때 정성을 다하며 본인만의 고집스러운 원칙을 지키며 김밥을 만드는 행위에 집중합니다. 글쓴이는 그러한 모습을 보며 그 김밥은 판매를 위한 상품이 아니라 진심과 고집이 담긴 '작품'이라고 말합니다. 이 말에는 김밥 아줌마에 대한 존경과 김밥 아줌마가 만든 김밥에 대한 찬사가 담겨 있습니다. 따라서 답은 ①번입니다. 주어진 보기의 뜻풀이는 다음과 같습니다.

① **존경스럽다(令人尊敬, đáng kính): 인격이나 행위 등이 훌륭하여 높이고 받들 만한 데가 있다.** ✔
② 고집스럽다(固執, ương bướng): 자기 생각이나 주장을 굽힐 줄 모르고 굳게 버티는 태도가 있다.
③ 당황스럽다(惊慌失措, bối rối): 놀라거나 매우 급하여 어떻게 해야 할지를 모르는 데가 있다.
④ 걱정스럽다(担憂, lo lắng): 좋지 않은 일이 있을까 봐 두렵고 불안하다.

24. 정답 ③　　　　　　　　　　　　　　　　　　　　　　　　　　≫ p.135

해설

지문의 내용과 주어진 보기를 비교하며 같은 내용을 찾는 문제입니다.

① 김밥 아줌마는 상냥하게 웃으며 김밥을 만든다.
→ 김밥 아줌마는 하루 종일 무뚝뚝한 얼굴로 일만 하며 남들과 가벼운 이야기를 나누는 일도 거의 없다고 하므로 오답입니다.
② 김밥 아줌마는 늘 화를 내서 사람들이 싫어한다.
→ 김밥 아줌마가 화를 낸다는 부분은 있지만 사람들이 싫어한다는 내용은 없으므로 오답입니다.
③ **나는 김밥 아줌마의 김밥을 예술이라고 생각한다.** 💡
→ **마지막 문장에서 나는 주저 없이 그 김밥을 예술이라 부른다고 하므로 정답입니다.**
④ 김밥 아줌마는 김밥 옆구리가 터져도 화를 내지 않는다.
→ 김밥 옆구리가 터진다며 신경질을 낸다고 하는 부분이 있으므로 아줌마가 화를 내지 않는다고 하는 것은 오답입니다.

25. 정답 ③　　　　　　　　　　　　　　　　　　　　　　　　　　≫ p.136

해설

제목에 '성장세 활발', '정부 지원 확대', '수출도 청신호'가 제시되어 있습니다. 보기를 살펴보겠습니다.

① 친환경 규제로 기업 활동이 크게 위축되었다.
– 제목은 '성장세 활발'이라고 하므로 위축과 반대입니다.
② 수출 감소로 산업 전반이 어려움을 겪고 있다.
– 제목은 '수출도 청신호'라고 하므로 수출 감소와 반대입니다.
③ **친환경 산업이 성장하며 수출 전망도 좋아졌다.**
– **'성장세 활발' + '수출도 청신호' 내용을 그대로 반영합니다.** 💡
④ 정부 지원이 중단되면서 성장 가능성이 낮아졌다.
– 제목은 '정부 지원 확대'라고 했으므로 지원 중단과 반대입니다.

26. 정답 ②　　　　　　　　　　　　　　　　　　　　　　　　≫ p.136

해설

제목에 보이는 '집값 상승 장기화', '불만 부글부글', '정책 효과 미지수'가 핵심입니다. 보기를 살펴보겠습니다.

① 주택 가격 하락으로 거래가 활발해졌다.
－ 제목은 집값 '상승'이라고 했으므로 가격 하락과 반대입니다.
② 집값 상승이 이어지면서 시민들의 불만이 커졌다.
－'집값 상승 장기화'와 '시민 불만' 내용을 정확히 반영합니다. ✅
③ 집값 안정으로 시민들의 불만이 해소되고 있다.
－ 제목은 불만이 커진다고 했으므로 해소와 반대입니다.
④ 부동산 정책에 대한 관심이 줄어들고 있다.
－ 제목은 정책 효과를 따지고 불만이 커지는 상황이므로 관심 감소로 보기 어렵습니다.

27. 정답 ①　　　　　　　　　　　　　　　　　　　　　　　　≫ p.136

해설

제목은 야외 활동 증가로 인한 소비 증가의 흐름을 나타냅니다. 보기를 살펴보겠습니다.

① 야외 활동 증가로 관련 소비가 늘고 있다.
－'야외 활동 늘며 소비 심리 회복'이라는 제목의 내용을 그대로 반영합니다. ✅
② 실내소비가 늘어나며 외출이 많이 줄었다.
－ 제목과 반대 내용입니다.
③ 날씨와 소비 심리는 큰 관련이 없다.
－ 제목 전체의 핵심을 부정합니다.
④ 소비자 지출이 전반적으로 감소하고 있다.
－'소비 심리 회복'과 반대입니다.

28. 정답 ③ ≫ p.137

해설

'집중력은 환경의 영향을 많이 받으므로 학습이나 업무 공간에서는 방해 요소가 적은 환경이 중요하다'는 것이 핵심 내용입니다. 보기를 살펴보겠습니다.

① 자극이 풍부한
― 자극이 많으면 오히려 집중이 어려워집니다.
② 소음이 일정한
― 소음 자체가 문제이므로 적절하지 않습니다.
③ **방해 요소가 적은**
― **불필요한 자극이 없어 집중에 도움이 되는 환경입니다.** ✅
④ 긴장감을 주는
― 긴장은 집중을 방해할 수 있습니다.

29. 정답 ③ ≫ p.137

해설

이 글의 중심 내용은 '보행자는 이동 중 빠르게 상황을 판단해야 하기 때문에 시각적 정보가 명확하면 더 안전하게 행동할 수 있다'는 것입니다. 보기를 살펴보겠습니다.

① 익숙한
― 익숙함과는 직접적인 관련이 없습니다.
② 시각적 정보가 많은
― 정보가 많다고 항상 안전해지는 것은 아닙니다.
③ **빠르게 판단해야 하는**
― **'위치와 이동 방향을 빠르게 판단하도록 돕는다'는 설명과 정확히 일치합니다.** ✅
④ 주의가 분산된
― 주의 분산은 오히려 위험합니다.

30. 정답 ①　　≫ p.137

해설

이 글의 중심 내용은 '향수가 단순히 냄새를 내는 제품이 아니라 과거에는 상류층이 자신의 사회적 지위와 신분을 드러내는 수단으로 사용했다'는 점입니다. 글에서는 왕실과 귀족만 향을 쓸 수 있었고, 향 자체가 특별한 사람의 상징이었다고 설명합니다. 보기를 살펴보겠습니다.

① **계급과 신분을 드러내기**
– **왕실·귀족만 사용할 수 있었고 향이 신분의 상징이었다는 내용과 정확히 일치합니다.** ✓

② 실용성을 높이기
– 글에서는 향의 실용성보다 사회적 의미를 강조합니다.

③ 기술력을 증명하기
– 기술과 관련된 설명은 없습니다.

④ 위생을 완벽히 지키기
– 위생 목적이라는 언급은 없습니다.

31. 정답 ③　　≫ p.137

해설

이 글의 중심 내용은 '스몰 럭셔리 소비는 큰 돈을 쓰지 않아도 일상에서 작은 만족을 얻고자 하는 심리에서 나온다'는 것입니다. 예시로 고급 원두, 향 제품 등 소소하지만 만족감을 주는 소비가 제시됩니다. 보기를 살펴보겠습니다.

① 유행이 지나면 바로 버리려는
– 스몰 럭셔리는 만족을 오래 누리는 소비이므로 맞지 않습니다.

② 소비를 무조건 줄여야 한다고
– 소비를 줄이는 것이 아니라, 방식이 바뀐 것입니다.

③ **일상 속에서 작은 만족을 얻고 싶어 하는** ✓
– **'부담되지 않는 범위에서 만족감을 주는 소비'라는 설명과 정확히 일치합니다.**

④ 가격이 비싸야만 가치가 있다고 생각하는
– 오히려 큰돈이 아닌 소액 소비가 특징이므로 반대입니다.

32. 정답 ② ≫ p.138

해설

지문은 지휘자가 손과 몸짓으로 박자와 속도를 알리고, 노래의 시작과 끝을 정하며 각 파트의 소리를 조절한다고 설명합니다. 따라서 ②번이 맞습니다. 가사 연습, 무대 뒤 지시, 연습 후 등장과 관련된 내용은 지문과 맞지 않아 ①, ③, ④번은 틀립니다.

33. 정답 ④ ≫ p.138

해설

지문은 선인장이 두꺼운 줄기에 물을 저장하고 잎이 가시로 변해 수분 증발을 줄인다고 설명합니다. 따라서 물을 저장해 건조한 환경에 적응한다는 ④번이 맞습니다. 잎이 넓다거나 물이 충분해야만 산다는 설명, 햇빛이 약해야 한다는 내용은 지문과 맞지 않아 ①, ②, ③번은 틀립니다.

34. 정답 ③ ≫ p.138

해설

지문은 등산화가 울퉁불퉁한 길에서도 안정적으로 걷기 위해 밑창이 두껍고 홈이 깊다고 설명합니다. 따라서 안정성을 높이기 위한 구조라는 ③번이 맞습니다. 가볍게 만들어졌다는 설명, 러닝화의 기능을 바꾼 내용, 산길 사용 설명은 지문과 맞지 않아 ①, ②, ④번은 틀립니다.

35. 정답 ① ≫ p.139

해설

지문은 화석 연료 의존의 문제를 제시하고 재생 에너지의 성과와 한계를 설명한 뒤, 미래 에너지 안보를 위해 지속적인 개발이 필요하다고 말합니다. 따라서 전체 내용을 포괄한 ①번이 맞습니다. 환경 오염, 공급 문제, 일부 국가의 성과만 언급한 ②, ③, ④번은 글의 주제로 적절하지 않습니다.

36. 정답 ④ ≫ p.139

해설

지문은 자연을 인위적으로 조절하면 단기 성과는 있을 수 있으나 생태계 균형이 무너질 위험이 크므로 장기적 영향을 고려해 신중해야 한다고 말합니다. 따라서 글의 중심 주장인 ④번이 맞고, ①, ②, ③번은 지문에 언급된 내용이지만 주제는 아닙니다.

37. 정답 ③ ≫ p.140

해설

지문은 집단생활을 통해 협력과 역할 분담이 이루어졌고, 이것이 생존 안정성과 사회 발전으로 이어졌다고 설명합니다. 따라서 집단생활이 인류 생존에 중요한 역할을 했다는 ③번이 맞습니다. 자유 제한, 개인적 대응, 식량에만 국한한 설명은 지문과 맞지 않아 ①, ②, ④번은 틀립니다.

38. 정답 ① ≫ p.140

해설

지문은 사회가 다양해질수록 정치 제도도 여러 집단의 의견을 고르게 반영해야 한다는 내용을 말하고 있습니다. 대표성을 강화해야 한다는 결론이 중심이므로 ①이 가장 적절합니다. ②와 ③은 일부 내용만 다루고, ④는 글에 제시되지 않은 내용이어서 적절하지 않습니다.

39. 정답 ③ ≫ p.141

해설

〈보기〉 문장은 '빛이 산란되지 않고 그대로 통과한다'는 결과를 설명하는 문장입니다. 이 문장이 들어가려면 앞 문장에서 원인(유리의 입자 배열 상태)이 제시되고, 그 뒤에 그로 인한 결과(투명함)가 이어져야 자연스럽습니다. 따라서 투명하게 보이는 이유를 설명하는 ⓒ 위치에 〈보기〉 문장이 들어가는 것이 가장 적절합니다.

40. 정답 ① ≫ p.141

해설

〈보기〉 문장은 '강한 파도 때문에 절벽의 침식이 더 빨라지고 있다'는 결과를 설명하는 문장입니다. 또한 '해수면이 높아지면서'라는 표현은 앞 문장에서 원인이 제시된 뒤에 자연스럽게 이어져야 합니다.
지문에서 ㉠ 앞 문장은 절벽 침식 속도가 빨라지고 있다는 사실만 제시하고 있고, ㉠ 뒤 문장은 그 원인이 해수면 상승임을 설명하고 있습니다. 즉 ㉠ 자리가 바로 〈보기〉 문장이 요구하는 '원인 → 결과' 흐름을 가장 자연스럽게 만들어 줍니다.

41. 정답 ② ≫ p.141

해설

〈보기〉 문장은 영혜의 변화가 단순한 채식이 아니라, 내면 감정의 폭발이라는 해석을 제시합니다. 따라서 겉으로 보이는 변화(극단적 행동)와 그 근본 원인(감정의 축적)을 연결해 주는 위치가 가장 자연스럽습니다.

지문에서 ㉡ 앞은 영혜가 극단적인 변화를 보이기 시작한다고 서술하고, ㉡ 뒤는 주변의 오해와 통제가 이어집니다. 〈보기〉는 이 둘을 매끄럽게 이어주는 전환 역할을 하므로 ㉡이 적절합니다.

42. 정답 ③ ≫ p.142

해설

3인칭 시점으로 쓰인 글에서 인물의 심정을 파악하는 문제입니다. 과일 가게의 주인 여자를 바라보며 이런 날씨에 땀을 흘리고 있는 것으로 보아 건강이 좋은 편은 아니라고 하므로 주인 여자의 건강을 걱정하며 안타깝게 여기고 있습니다. 따라서 답은 ③번입니다. 주어진 보기의 뜻풀이는 다음과 같습니다.

---

① 괴롭다(難過, đau khổ): 몸이나 마음이 편하지 않고 아프고 고통스럽다.

　슬프다(傷心的, buồn): 눈물이 날 만큼 마음이 아프고 괴롭다.

② 즐겁다(愉快, vui vẻ): 마음에 들어 흐뭇하고 기쁘다.

　행복하다(幸福, hạnh phúc): 삶에서 충분한 만족과 기쁨을 느껴 흐뭇하다.

③ **걱정되다(担心, trở nên lo lắng): 좋지 않은 일이 있을까 봐 두렵고 불안한 마음이 들다.**

　안쓰럽다(可怜, động lòng trắc ẩn): 다른 사람의 처지나 형편이 딱하고 불쌍하여 마음이 좋지 않다.

④ 상쾌하다(淸爽, sảng khoái): 기분이나 느낌 등이 시원하고 산뜻하다.

　개운하다(輕松, thư thái): 기분이나 몸이 상쾌하고 가볍다.

---

43. 정답 ④ ≫ p.142

해설

지문의 내용에서 유추하여 알 수 있는 내용을 찾는 문제입니다. 보기를 보며 지문의 내용과 비교해 보세요.

① 민서는 집에 고양이를 키운다.

→ '실은 집에 가서 강아지와 하나씩 나눠 먹으려면'이라는 부분에서 강아지를 키우고 있다는 것을 알 수 있습니다.

② 과일 가게의 주인 여자는 계산을 잘한다.

→ 이런 내용은 지문에서 찾을 수 없으므로 오답입니다.

③ 경기가 좋아 재래시장의 과일 장사가 잘된다.

→ '오랫동안 지속된 경기 침체와 재래시장의 붕괴 이후'라는 표현으로 보아 재래시장의 과일 장사는 잘되지 않을 것으로 짐작됩니다. 오답입니다.

④ **민서는 복숭아를 두 개만 사도 되지만 주인 여자를 생각해서 네 개를 산다.**

→ "아, 너무 많아요. 네 개면 돼요." 실은 집에 가서 강아지와 하나씩 나눠 먹으려면 두 개면 충분하지만 민서는 물건 파는 사람이 두 개만 팔고 싶어하지는 않을 것이라고 짐작한다.'는 부분과 일치합니다.

44. 정답 ①
≫ p.143

[해설]

주어진 보기에서 ( ) 안에 들어갈 가장 알맞은 것을 고르는 문제입니다. ( )의 앞뒤 문맥을 잘 살펴보며 내용의 흐름상 적절한 것을 선택하면 됩니다. 특히 '보충적'이라는 말의 의미를 알고 있어야 합니다. 보충한다는 것은 부족한 것을 보태어 채운다는 의미이므로 글에는 없는 내용을 시각 자료로 보충한다는 것을 연결할 수 있어야 합니다. 따라서 답은 ①번입니다. 주어진 보기를 하나씩 검토해 보겠습니다.

① **글에서 다루지 않은** ✅
→ **보충적이 되려면 글에서 다루지 않은 내용을 추가하는 것이 되어야 하겠지요. 따라서 정답입니다.**
② 글에서 이미 강조한
→ 그러한 시각 자료는 보충적이 될 수 없으므로 오답입니다.
③ 글의 결론을 반복하는
→ 그러한 시각 자료는 보충적이 될 수 없으므로 오답입니다.
④ 글의 주제를 축소하는
→ 그러한 시각 자료는 보충적이 될 수 없으므로 오답입니다.

45. 정답 ④
≫ p.143

[해설]

지문의 주제로 알맞은 것을 고르는 문제입니다. 글쓴이는 시각 자료의 기능에 대하여 설명하며 독자는 글과 시각 자료를 종합하여 의미를 이해해야 하며 특히 매력적인 시각 자료에만 주목할 것이 아니라 낯설거나 복잡한 자료도 능동적으로 읽어낼 것을 요구하고 있습니다. 즉, 답은 ④번입니다. 주어진 보기를 하나씩 검토해 보겠습니다.

① 지나친 시각 자료의 사용은 글의 내용 파악을 방해하는 요소가 된다.
→ 지문에는 없는 내용이므로 오답입니다.
② 예시, 설명, 보충은 모든 글에 반드시 포함되어야 하는 설명 방법이다.
→ 예시, 설명, 보충은 글에 포함된 시각 자료를 목적에 따라 분류한 것이므로 오답입니다.
③ 글의 내용을 정확하게 파악하기 위해서 시각 자료는 나중에 보도록 한다.
→ 독자는 글과 시각 자료를 종합하여 의미를 구성하라고 하므로 시각 자료를 나중에 보라고 하는 것은 글의 내용과 일치하지 않습니다.
④ **글과 시각 자료의 관계를 이해하고 효과적으로 활용하는 태도가 필요하다.** ✅
→ **독자는 글과 시각 자료를 종합하여 의미를 이해해야 하며 특히 매력적인 시각 자료에만 주목할 것이 아니라 낯설거나 복잡한 자료도 능동적으로 읽어내라고 하는 결론부의 내용과 일치하므로 정답입니다.**

46. 정답 ④ ≫ p.144

해설

글쓴이의 주장과 견해가 담긴 글을 읽으며 필자의 태도를 파악하는 문제입니다. 필자는 인공 지능이 잘하는 일에 대하여 설명하며, 인간이 할 일과 인공 지능이 할 일을 구분하고 인간이 인공 지능을 활용하여 내가 하는 일을 더 잘할 수 있는 길을 찾아야 한다고 주장합니다. 특히 이를 위해서는 열린 마음으로 새로운 것을 받아들이는 학습 능력이 필요하다고 결론짓습니다. 따라서 답은 ④번입니다. 주어진 보기를 하나씩 검토해 보겠습니다.

① 과거의 성공 방식은 여전히 유효하다.
→ 오랜 경험 등 과거의 성공 방식이 유효하지 않다는 인정을 바탕으로 끊임없이 내가 하는 일을 다시 정의해야 한다고 하므로 오답입니다.
② AI는 단순 반복 업무를 잘하니까 인간은 복잡한 일을 해야 한다.
→ AI는 단순 반복 업무를 잘한다는 부분은 지문에 있는 내용이지만 그렇기 때문에 인간이 해야 하는 일이 복잡한 일이라는 결론을 내리지는 않습니다. 따라서 오답입니다.
③ 중장년층은 청년층과 달리 AI로 인한 시대의 변화에 대응할 필요가 없다.
→ 특히 중장년층이라면 더더욱 "내가 하는 업의 본질이 뭐냐"는 질문을 끊임없이 던져야 한다며 평생 교육을 해야 한다고 주장하고 있으므로 오답입니다.
④ AI로 인한 기술 발전의 시대에 우리는 새로운 것을 학습하는 능력을 키워야 한다. 💡
→ 필자는 결론부에서 열린 마음으로 새로운 걸 받아들이는 학습 능력이 중요하다고 주장하고 있으므로 정답입니다.

47. 정답 ② ≫ p.144

해설

주어진 보기의 내용을 지문과 비교하며 같은 내용을 찾는 문제입니다. 보기를 하나씩 살펴보겠습니다.

① AI의 등장으로 인해 교육과 학습에 대한 정의가 바뀌었다.
→ 지문에는 없는 내용이므로 오답입니다.
② AI는 거대하고 엄청난 양의 단순 반복이 필요한 일을 잘한다. 💡
→ 글에서 'AI는 크게 두 가지를 잘한다. 하나는 거대한 일, 다른 하나는 엄두가 안 나는 엄청난 양의 단순 반복 업무'라고 하며 예를 들고 있습니다. 정답입니다.
③ 기술의 발전이나 트렌드의 변화를 AI에게 정리해 달라고 하면 된다.
→ 지문과 관계없는 내용이므로 오답입니다.
④ 화장품의 성분을 분석하여 소비자의 구매 패턴과 연결해야 성공한다.
→ 화장품의 성분을 분석하여 소비자의 구매 패턴과 연결한 것은 AI가 잘하는 일의 예 중 하나이지만 그렇게 해야 성공한다는 말은 없습니다.

48. 정답 ④ ≫ p.145

해설

이 글의 목적은 대학 입시의 결과에 상관없이 건강하게 마무리하기만 해도 기뻐할 수 있기를 입시생의 부모에게 전하는 것입니다. 따라서 답은 ④번입니다. 보기를 하나씩 살펴보겠습니다.

① 웃으면 복이 온다는 것을 알려 주려고
→ 웃으면 복이 온다는 것이 글에 포함되어 있기는 하지만 글을 쓴 목적은 아닙니다.
② 명문대에 입학하는 것의 중요성을 강조하려고
→ 이 글에서는 명문대에 입학하는 것보다 건강하게 마무리하는 것이 중요하다고 합니다. 따라서 오답입니다.
③ 자녀의 대학 입시를 바라보는 부모의 어려움을 설명하려고
→ 자녀의 대학 입시를 바라보는 부모의 입장이 일부 드러나 있기는 하지만 그 어려움을 설명하고 있지는 않으므로 이 글의 목적이 될 수 없습니다.
④ **입시 성패와 상관없이 긍정적인 삶의 태도가 필요하다고 말하려고** ✅
→ '어떤 결과가 나오더라도 "건강하게 잘 마무리된 것만으로 충분히 '벚꽃이 피었다'고 생각해"라고 말할 수 있는 부모가 될 수 있을까. 고3 엄마가 되는 내년에는 A씨의 모습을 가슴에 새기며 보내야 할 것 같다.'라고 말하는 결론부와 일치하는 내용으로 이 글의 목적에 해당합니다.

49. 정답 ① ≫ p.145

해설

"입시가 실패로 끝나면서 부모님께 죄송하다는 메일을 보냈어요. 그랬더니 '건강하게 잘 살아 주기만 하면 된다'는 답장이 와서 (　　　　　　)."에서 (　　　　)에 들어갈 말을 찾기 위해서는 (　　　　)의 앞뒤 문맥을 잘 살펴야 합니다. 이어지는 문장에서 결과와 상관없이 부모가 따뜻하게 받아주었다고 하는 것으로 보아 ①번 '큰 위로가 됐어요'가 알맞습니다.

① **큰 위로가 됐어요** ✅
→ **정답입니다.**
② 상처를 받았어요
→ 글에서는 부모의 답장에 긍정적으로 살아갈 힘을 얻었다고 말하므로 오답입니다.
③ 정말 답답했어요
→ 글에서는 부모의 답장에 긍정적으로 살아갈 힘을 얻었다고 말하므로 오답입니다.
④ 많이 슬펐어요
→ 글에서는 부모의 답장에 긍정적으로 살아갈 힘을 얻었다고 말하므로 오답입니다.

50. 정답 ①

≫ p.145

해설

주어진 보기의 내용을 지문과 비교하며 같은 내용을 찾는 문제입니다. 보기를 하나씩 살펴보겠습니다.

① 필자는 내년에 고3 엄마가 된다.
→ 마지막 문장에서 '고3 엄마가 되는 내년에는 A씨의 모습을 가슴에 새기며 보내야 할 것 같다.'라고 하므로 같은 내용입니다.

② A씨는 최고 명문대에 합격하였다.
→ '입시 난이도가 가장 낮은 대학에 다니고 있다.'라고 하므로 오답입니다.

③ A씨의 부모는 자녀의 성공이 가장 중요하다.
→ A씨의 부모는 입시에 실패하여 죄송하다는 메일에 건강하게 잘 살아 주기만 하면 된다고 답하는 것으로 보아 자녀의 성공보다는 건강을 더 중요하게 생각하고 있습니다. 따라서 오답입니다.

④ A씨는 인생은 도전하고 성공하는 것이라고 생각한다.
→ 지문에는 없는 내용이므로 오답입니다.

memo

저자 소개

강경민

서강대학교 대우교수
서울대학교 대학원 한국어교육전공 박사

김승수

명지대학교 한국어교육센터 및 숙명여자대학교 글로벌어학원 강사
명지대학교 교육대학원 한국어교육전공 석사

김지혜

명지대학교 조교수
서울대학교 대학원 한국어교육전공 박사

김풀잎

서울대학교 언어교육원 전임강사
서울대학교 대학원 한국어교육전공 박사

린미

경기외국어고등학교 교사
서울대학교 대학원 한국어교육전공 박사수료

부이티낌응언

㈜와이이오 주임
국제언어대학원대학교 한·베 통번역학 석사

양길류

중국전매대학교 교수트랙 박사후연구원
서울대학교 대학원 한국어교육전공 박사

쩐후인안트

㈜에프피티소프트웨어코리아 프로젝트매니저
경희대학교 대학원 국제경영전공 석사

최단

스누디딤돌학교 한국어강사
서울대학교 대학원 한국어교육전공 박사수료

홍고은

서강대학교 한국어교육원 대우전임강사
서울대학교 대학원 한국어교육전공 박사수료

TOPIK **Ⅱ** 읽기

초판 인쇄 | 2026. 4. 10.　　**초판 발행** | 2026. 4. 15.
공편저자 | 강경민, 김승수, 김지혜, 김풀잎, 린미, 부이티낌응언, 양길류, 쩐후인안트, 최단, 홍고은
발행인 | 박 용　　**발행처** | (주)박문각출판　　**등록** | 2015년 4월 29일 제2019-000137호
주소 | 06654 서울시 서초구 효령로 283 서경 B/D 4층　　**팩스** | (02)584-2927
전화 | 교재 문의 (02)6466-7202

저자와의
협의하에
인지생략

정가 46,000원(총 3권)
ISBN 979-11-7519-858-6 | 979-11-7519-855-5(set)

한국어능력시험 TOPIK II
제___회 실전 모의고사
2 교시 (읽기)

성 명 (Name)	한국어 (Korean)	
	영 어 (English)	

수 험 번 호

번호	답 란	번호	답 란	번호	답 란
1	① ② ③ ④	21	① ② ③ ④	41	① ② ③ ④
2	① ② ③ ④	22	① ② ③ ④	42	① ② ③ ④
3	① ② ③ ④	23	① ② ③ ④	43	① ② ③ ④
4	① ② ③ ④	24	① ② ③ ④	44	① ② ③ ④
5	① ② ③ ④	25	① ② ③ ④	45	① ② ③ ④
6	① ② ③ ④	26	① ② ③ ④	46	① ② ③ ④
7	① ② ③ ④	27	① ② ③ ④	47	① ② ③ ④
8	① ② ③ ④	28	① ② ③ ④	48	① ② ③ ④
9	① ② ③ ④	29	① ② ③ ④	49	① ② ③ ④
10	① ② ③ ④	30	① ② ③ ④	50	① ② ③ ④
11	① ② ③ ④	31	① ② ③ ④		
12	① ② ③ ④	32	① ② ③ ④		
13	① ② ③ ④	33	① ② ③ ④		
14	① ② ③ ④	34	① ② ③ ④		
15	① ② ③ ④	35	① ② ③ ④		
16	① ② ③ ④	36	① ② ③ ④		
17	① ② ③ ④	37	① ② ③ ④		
18	① ② ③ ④	38	① ② ③ ④		
19	① ② ③ ④	39	① ② ③ ④		
20	① ② ③ ④	40	① ② ③ ④		

문제지 유형 (Type)

홀수형(Odd number type)	◯
짝수형(Even number type)	◯

※결 시 확인란	결시자의 영어 성명 및 수험번호 기재 후 표기	◯

본인 확인 및 수험번호 표기가 정확한지 확인

※감독관 확인	서명 또는 날인

한국어능력시험 TOPIK II
제___회 실전 모의고사
2 교시 (읽기)

성 명 (Name)
한 국 어 (Korean)
영 어 (English)

수 험 번 호

8

문제지 유형 (Tybe)

홀수형(Odd number tybe)

짝수형(Even number tybe)

※결 시 확인란 | 결시자의 영어 성명 및 수험번호 기재 후 표기

본인 확인 및 수험번호 표기가 정확한지 확인

※감독관 확 인 | 서명 또는 날인

번호	답 란				번호	답 란				번호	답 란			
1	①	②	③	④	21	①	②	③	④	41	①	②	③	④
2	①	②	③	④	22	①	②	③	④	42	①	②	③	④
3	①	②	③	④	23	①	②	③	④	43	①	②	③	④
4	①	②	③	④	24	①	②	③	④	44	①	②	③	④
5	①	②	③	④	25	①	②	③	④	45	①	②	③	④
6	①	②	③	④	26	①	②	③	④	46	①	②	③	④
7	①	②	③	④	27	①	②	③	④	47	①	②	③	④
8	①	②	③	④	28	①	②	③	④	48	①	②	③	④
9	①	②	③	④	29	①	②	③	④	49	①	②	③	④
10	①	②	③	④	30	①	②	③	④	50	①	②	③	④
11	①	②	③	④	31	①	②	③	④					
12	①	②	③	④	32	①	②	③	④					
13	①	②	③	④	33	①	②	③	④					
14	①	②	③	④	34	①	②	③	④					
15	①	②	③	④	35	①	②	③	④					
16	①	②	③	④	36	①	②	③	④					
17	①	②	③	④	37	①	②	③	④					
18	①	②	③	④	38	①	②	③	④					
19	①	②	③	④	39	①	②	③	④					
20	①	②	③	④	40	①	②	③	④